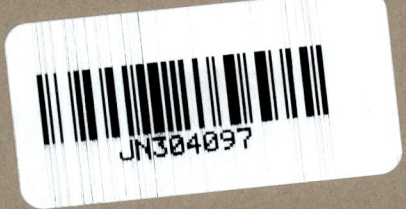

プロのためのわかりやすい
和菓子

辻調理師専門学校監修
仲 實

はじめに

本書は、私たちの学校の授業で行っている内容を網羅したものであり、学生達のような若い年代層にも馴染みやすく、理解を助けられるような本があれば、との思いから製作したものである。

全体の構成としては、基本的な餡の炊き方、代表的な饅頭、季節を表現した生菓子、焼き菓子、干菓子、飴など、菓子の種類をできるだけ幅広く取り入れ、作業工程はカラー写真でわかりやすく解説した。また、作業上のポイントや理由をできるだけ詳しく解説するようにも心がけた。和菓子の業界の人に作業についての質問をすると「以前からこの方法だから」という答えしかもらえないことが多かった。長い歴史の中で培われてきた方法なので、それぞれに理由はあるはずだが、現場の人は理由がわからないで作業している場合がある。もしも、手順や作業に対する理由がわかれば、単に納得して仕事ができるだけでなく、効率のよい作業方法や、新しい作り方を編み出せるのではなかろうかとの思いからである。

世間一般には、「和菓子」というと、堅苦しく、古典的なものだという印象を与えるようだ。確かに、茶席菓子や進物用の菓子などは、少しかしこまったものである。しかし一方で、大福餅、桜餅、どら焼きなど、日常的な親しみやすい菓子もある。また、味の面では、いくつもの味が複雑に絡み合ったようなものはほとんど存在せず、小豆の香りやうまみ、砂糖の甘さなどを率直に味わう、シンプルな作りのものが多い。そのシンプルさゆえ、本当においしい菓子を作りあげるには、材料をよく知り、洗練された技術を加えなければならない。近年は菓子の甘味をおさえる傾向にあるが、あまりに少ないと素材のうまみや風味が引き立たないということもある。和菓子は見た目の華やかさでは、洋菓子には劣るかもしれないが、格調高い上生菓子には、季節のうつろいを敏感に感じ取って表現し、ひとつの世界を作りあげていくという楽しみもあるのだ。伝統的な和菓子とともに、数は少ないが、乳製品や洋の素材を用いた洋風和菓子も紹介した。近年、洋菓子の分野でも、和菓子の材料を積極的に取り入れた菓子が登場している。これからは、それぞれの基本から外れないまでも、和洋の壁をなくし、互いの材料や技術を有効利用し、新しい菓子を作り出す必要も出てくるだろう。こういった方面でも何かの手助けになれば幸いである。

最後となったが、この本の製作にあたり、カメラマンの長瀬ゆかりさん、柴田書店の美濃越かおるさん、原稿の整理では辻静雄料理教育研究所の重松さんに、大変お世話になった。心よりお礼申し上げる。

仲　實

プロのためのわかりやすい和菓子　目次

餅菓子

生菓子

流し菓子

焼き菓子

その他の菓子

和菓子の基礎知識

撮影　長瀬ゆかり

デザイン装幀　MARTY inc.（後藤美奈子）

編集　美濃越かおる

本書の使い方――和菓子作りの前に

・薄力粉はふるってから、上白糖はざるで漉してから計量する。

・卵はMサイズを使用する。

・レシピページに作り方や説明のない材料は、市販材料を意味し、材料解説（P.178～189）で詳しく解説した。

・材料や器具の名称は、地方によって異なる場合がある。

・餅菓子以外の菓子は基本的に、作って半日ほどおいた方がおいしい。特に焼き菓子は、焼きあげた翌日に生地と餡がなじんでしっとり感が出てくる。

・オーヴンは業務用の大型オーヴンを使用している。温度と加熱時間は目安なので、焼きあがりを確認し、機種によって調節が必要である。また、あらかじめ必要温度に設定し、庫内を温めてから使用する。

・材料の分量はプロ向けであり、餡や菓子を商品としてよい状態で仕上げられる最低限の分量を示している。家庭で作ろうとする場合、出来上がり分量が多すぎるならば、適宜調節が必要である。

・❖の印をつけた文字色の違う部分は、作業を行う上でのポイントを示している。

・専門用語にはできるだけふり仮名をふったが、材料、器具、菓子名のふり仮名については、材料解説（P.178～189）、器具解説（P.190～200）、菓子名の読み方（P.213～214）に記した。

・本書の内容は、辻製菓専門学校の指導方法に基づいている。写真を追うことで、作り方のプロセスがわかるように構成した。

和菓子の基本

基本技法

分割
包餡
成形
着色

餡作り

小豆粒餡
小豆漉し餡
白粒餡
白漉し餡
黄味餡

分割

ひとつひとつの菓子の大きさをきちんと揃えなければ商品にはならないので、できるだけ正確に分割する。また、分割してから包餡すると作業効率がよい。

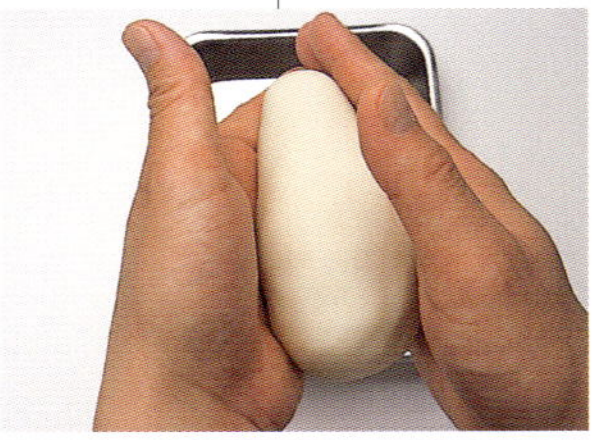

1　持ちやすい量の生地(または餡など)を取り、両手でまとめる。

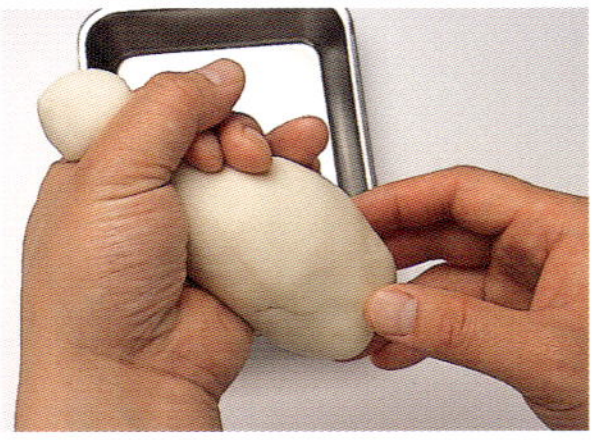

2　親指と人差し指で生地を締めて押し出す。

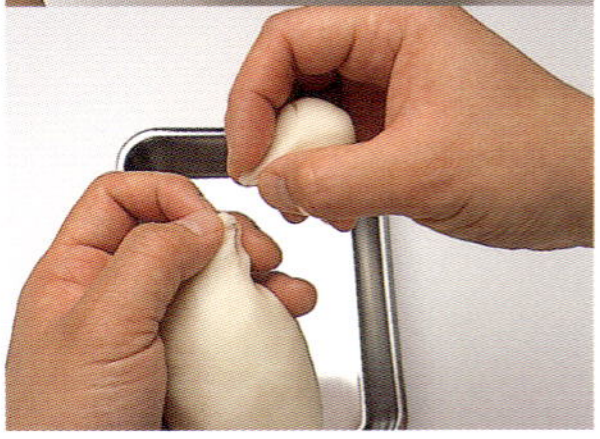

3　生地を持ち替え、くぼんだ部分に親指を立て、押し出した部分をもう一方の手の指先でちぎる。

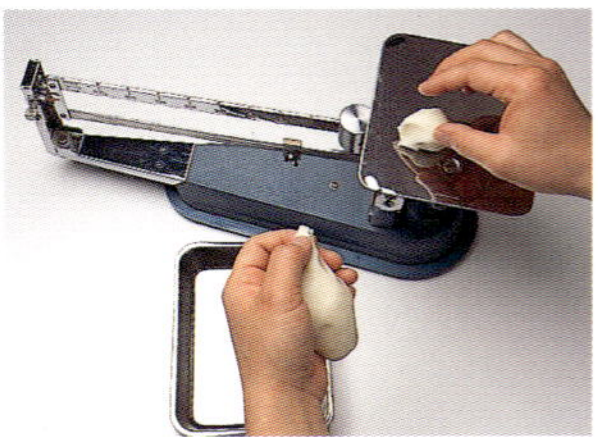

4　秤にのせて重量を量る。

包餡

焼き菓子、蒸し菓子は底部の皮を薄く、上生菓子は懐紙の上に置くので底がはがれることを考慮して皮全体の厚さが均一になるように包む。

1　分割した生地を手の平ではさんでころがし、球形に整える。

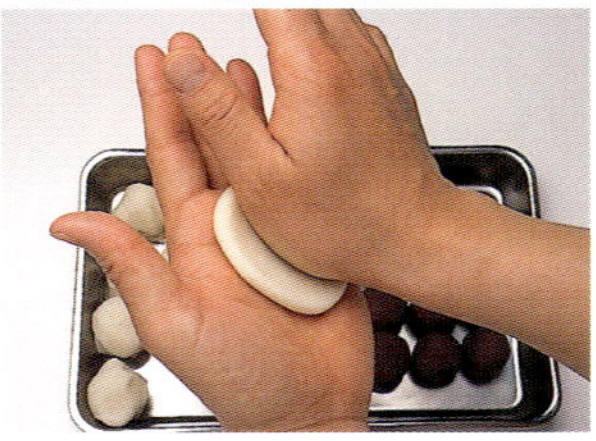

2　手の平の親指の下あたりを使って押さえ、生地を平らにする。

3　指先を少し曲げ、くぼんだ部分に生地をのせる。

4　生地の上に餡玉をのせ、指先を曲げて持つ。

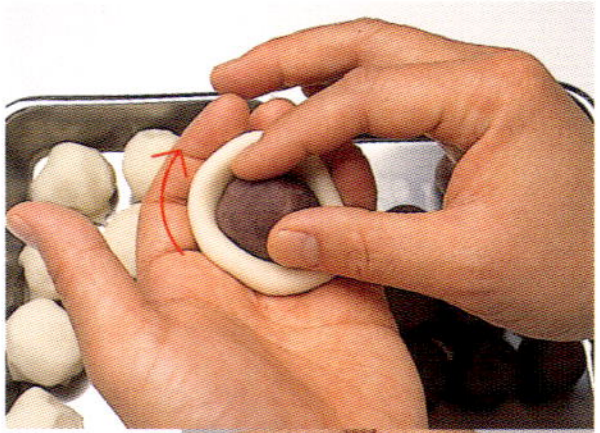

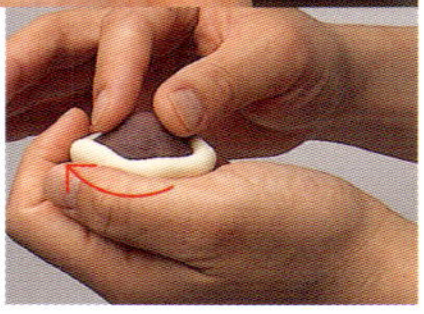

5　もう一方の手の指先で餡を軽く押さえ（写真上）、生地を持っている方の手で生地を軽く握りながら（写真下）、時計回りに回して生地を餡玉のまわりにつける。

❖生地を持っている方の手（写真左手）で、指先を内側に折り曲げながら回す。

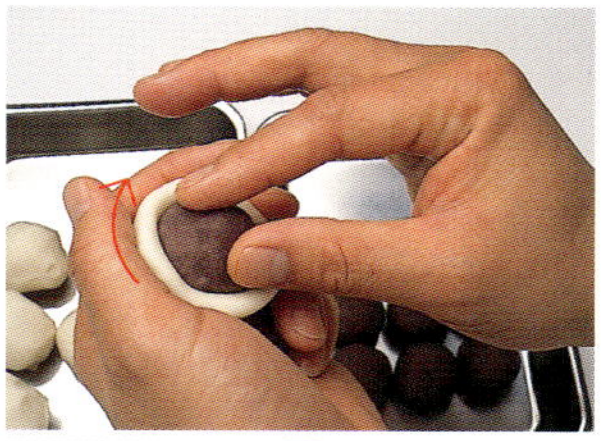

6　生地を持っている方の手の親指と人差し指をつけるようにして握り込み、生地を時計回りに回しながら餡を包んでいく。❖左手親指を生地に平行にあて、生地の縁の少し下を支えながら生地を持ち上げつつ、その他の指で生地を回転させる動きをくり返して包む。

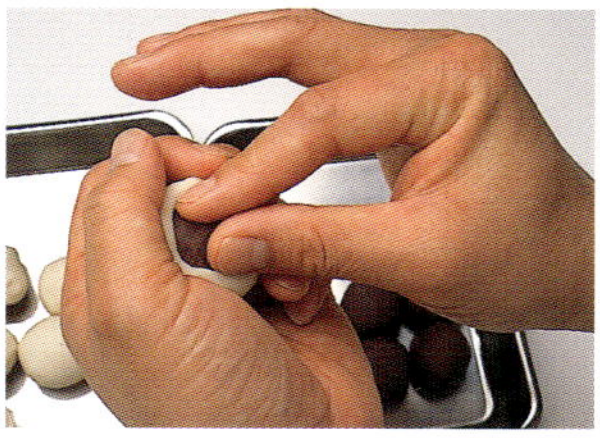

7　餡玉が半分くらい包めたら、生地を持っている方の手でさらに深く握り込み、生地の口をすぼめるように包んでいき、球形にする。

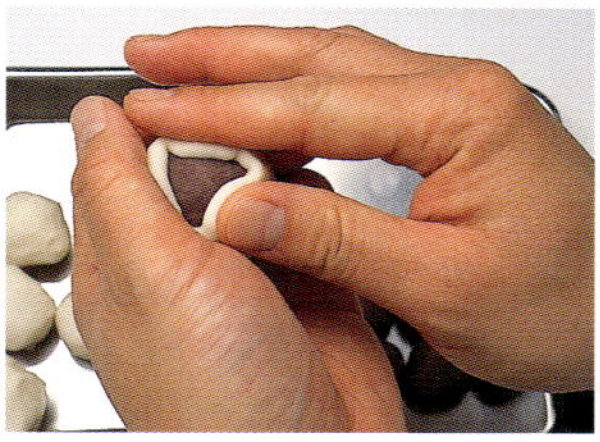

8　指先で三角形を作るようにして、少しずつ生地の縁をのばしながら閉じていく。

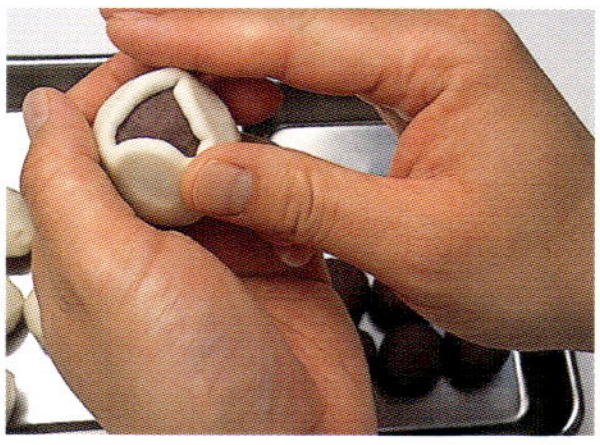

9　回転させて三角形の角を持つように持ち替える。

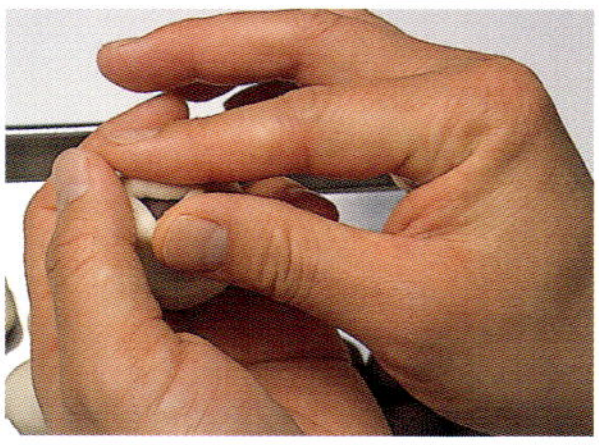

10　3つの角を押さえる。

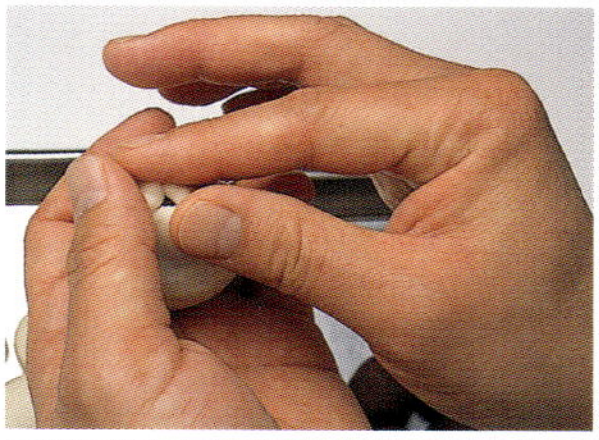

11　少しずつ押さえながら、口を閉じる。

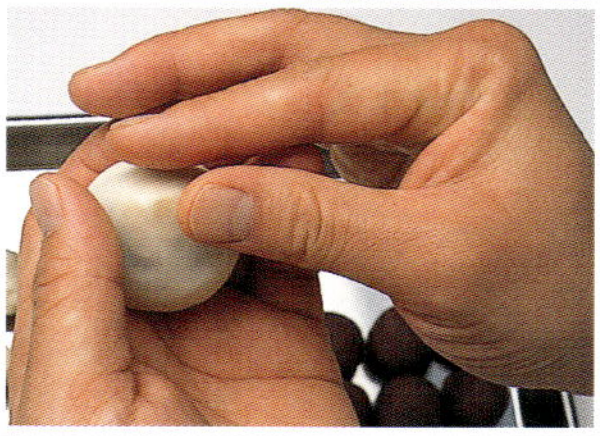

12　最後は指先でつまんで閉じる。

13　閉じ終わりを下にし、手の平を使って丸め、球形に整える。

●菓子の種類と餡の包み方

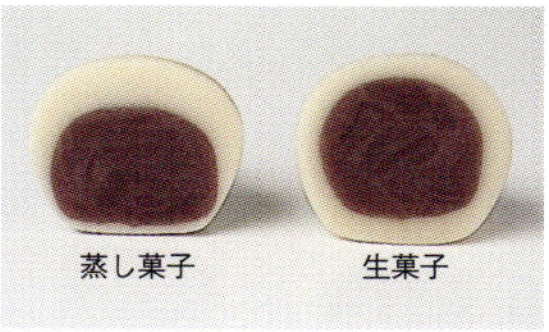

菓子の種類によって、餡の包み方は変わる。蒸し菓子は底部の皮（生地）を薄くし、生菓子は皮の厚さを均等にする。

成形

仕上がりを美しくするために菓子の形を整えることを成形という。生菓子を仕上げる場合には、腰高《こしだか》に成形することが多い。

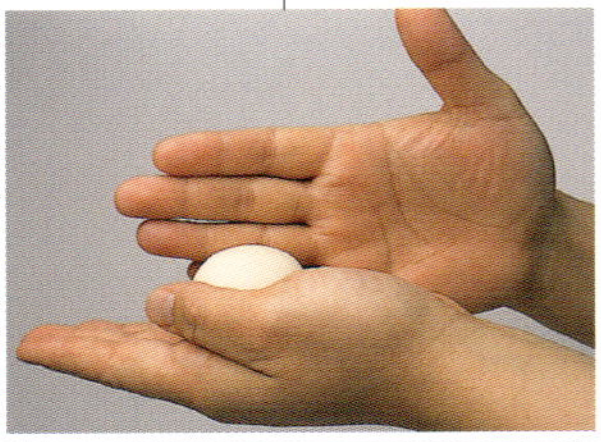

1　左手の親指を生地の横に添える。

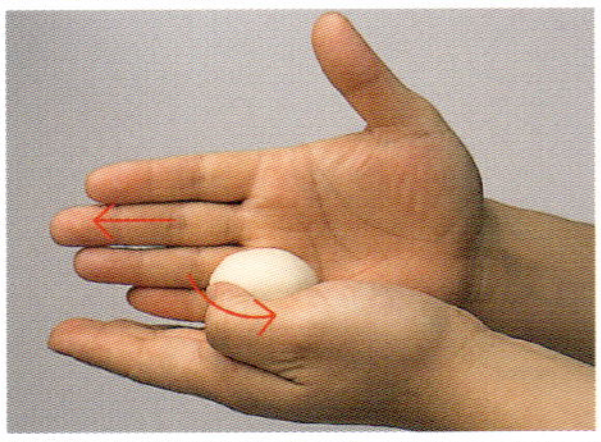

2　左手親指で、生地の端を引っ張るようなつもりで手前に回転させながら、右手の手の平で前に送り出す。

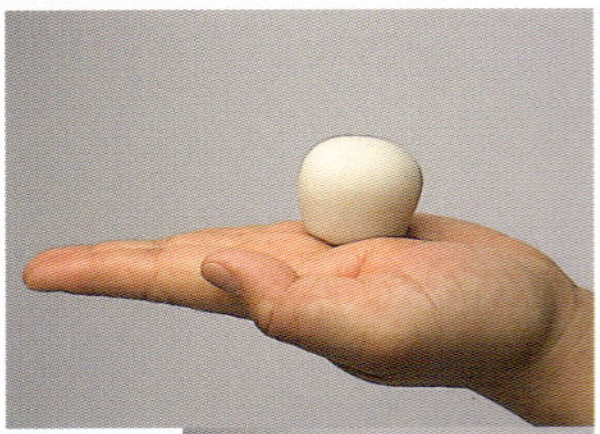

3　下側がすぼんだようなこのような形を「腰高」という。

❖左が腰高に成形したもの。右は成形する前のもの。

着色

菓子の見た目の美しさや季節感など、変化をつける目的で着色する。着色材料には液体と粉末とがあり、粉末はアルコールや水に溶かしてから使う。

1　液状の生地を染める場合

ボウルや鍋に入った生地に食用色素を落とし、むらなく混ぜて着色する。

2　固形状の生地を染める場合

台の上に置いた生地に直接食用色素をつけ、むらなくもみ込んで着色する。くっつきやすい外郎生地やこなし生地の場合は、台にシロップをぬり、生地に直接色素をつけるか、シロップに色素を落とすかしてもみ込む。

3　ごく少量の固形状生地を染める場合

生地を手に取り、生地に直接食用色素をのせ、指先でむらなくもみ込んで着色する。

◎着色の注意点

生地でも餡でも、少し着色しては全体になじませて色を見て、また少し色素を落として全体になじませる、というように段階的に着色する。一度濃い色にしてしまうと薄くはできないので、薄めに着色してから徐々に濃くしていく。

餡作り 1

小豆粒餡

最も基本的な餡。小豆の粒をつぶさないようにふっくらと、風味を生かして炊きあげる。粒の存在感を出すには、皮が薄くて大粒の大納言小豆を使うとよい。

〈材料　約1800g分〉

小豆……………………………………500g

グラニュー糖…………………………540g

〈準備〉

・小豆を選別する。豆の選別方法→P.27

小豆をゆでる

1　選別した小豆を水洗いし、たっぷりの水（約1ℓ）とともに鍋に入れて強火にかけ、沸騰させる。

❖小豆の皮はゆでるとやわらかくなって膨張し、豆は水面に浮き上がる。

2　豆が浮いてきて、引き上げてみると写真のように皮にしわがよる。

❖80〜90％の豆にしわがよるまでゆでる。

3　差し水（びっくり水）をし、沸騰を抑えるとともに温度を約50℃以下に下げる。

❖鍋の中の温度を急激に下げることで、豆の内部に水分を吸収させやすくなって煮えむらが少なくなり、早くゆであがる。

4　再度沸騰させ、皮のしわがのびて豆が乾燥時の2～2.5倍大に十分に膨らんでいることを確認する。

❖豆が十分に膨らんでいなければ再度差し水をする。差し水の回数は豆の質により変わる。また、火が通りすぎると豆が割れて中身（＝呉）が出て濁ってしまう。

5　ざるにあけ、ゆで汁を捨てる。＝渋切り

6　水をかけて表面についた渋を洗い流す。

❖小豆の皮に含まれているタンニンは渋味や苦味の原因となり、餡の風味を悪くするので取り除く。

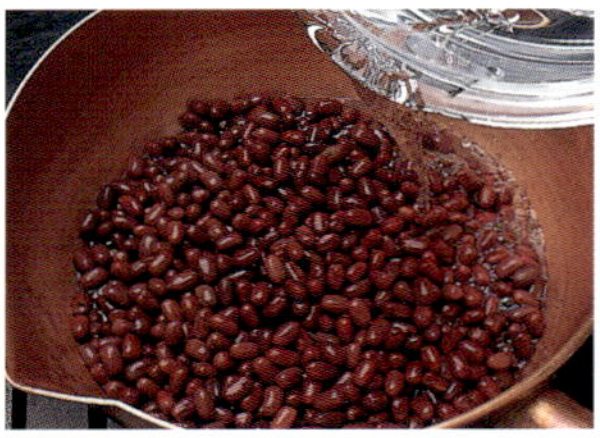

7　鍋に6の小豆とたっぷりの水（約1ℓ）を入れ、火にかける。

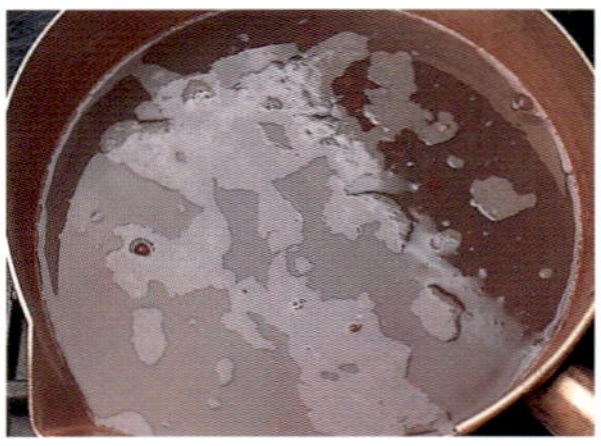

8　沸騰するまでは強火、沸騰したら弱火にしてコトコトと豆がゆるやかに躍る程度の火加減でゆでる。ゆで汁が少なくなったら水を加え、常に豆がゆで汁の中にある状態でゆでる。

9　指で簡単につぶれるくらいにやわらかくなるまでゆでる。

ゆでた小豆をさらす

10　ゆであがった小豆を水の入ったボウルにあける。

11　豆をくずさないように底から軽く混ぜ、しばらくおいて豆を沈澱させる。

12　豆が沈澱すれば、静かに上水を捨てる。

13　水の入ったボウルに豆の粒をつぶさないように、静かに移す。

14　上水が半透明になるまで、12～13の作業をくり返す。＝水さらし

❖さらしすぎると風味やうまみがなくなってしまう。

15　上水を捨て、さらしで受けて水気をきる。

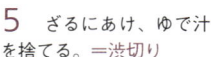

16 豆の粒がつぶれないように軽く水気を絞る。

17 ゆで小豆のできあがり。

小豆粒餡を炊く

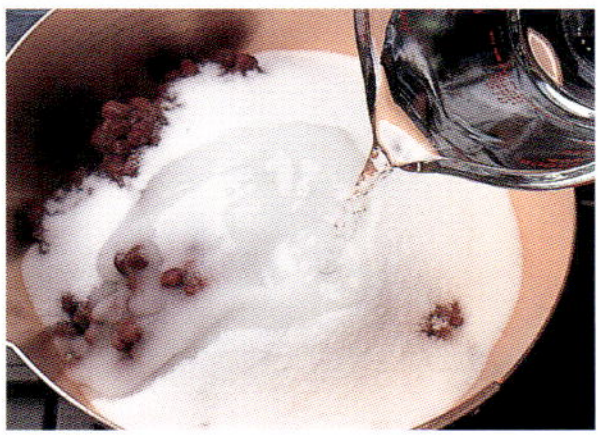

18 鍋にゆで小豆、グラニュー糖、水適量（約200ml）を入れて火にかける。

❖ここから後の火加減は焦げない程度の強火。解説→P.27

19 豆をつぶさないように軽く全体を混ぜながら沸騰させる。

20 沸騰してしばらくしたら鍋の中心にアクが集まってくるので、木杓子をアクに軽く押しつけて取り除きながら煮詰める。

21 豆の粒をつぶさないように混ぜる。

❖混ぜる回数はできるだけ少なくし、焦げつかないように、時々底からすくうように混ぜる。

22 木杓子ですくい上げて落とした時に、かたまりで流れ落ちるくらいのかたさになるまで炊きあげる。＝並餡

23 平らな容器に小分けにして取り出す。

24 ぬらしてかたく絞ったさらしをかけて冷ます。

餡作り 2

小豆漉し餡

最も使用頻度が多い餡。特に茶席菓子に用いる。なめらかな口当たりや風味を出すには、火加減や砂糖の量が重要。皮を除くので少し風味の強い北海道産小豆を使うとよい。

〈材料　約1300g分〉

小豆……………………………………500g
グラニュー糖……………………………500g

〈準備〉

・小豆を選別する。豆の選別方法→P.27

赤生餡を作る

1　P.13～14の1～9を参照して、小豆をできるだけつぶさないように、指で簡単につぶせるくらいまでやわらかくゆでる。

2　ゆであがった小豆をざるにあけ、水をかけながら、豆の粒をつぶす。
❖大きなボウルに金網を敷くなどして、ざるをのせると作業しやすい。

3　手でさわれる温度まで冷めれば、水をかけて豆をつぶしながら漉す。
❖豆の中身（＝呉）が残らないように、ざらつきがなくなるまでしっかり漉す。

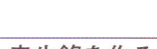

4　ざるに残った豆の皮は取り除く。

5　下のボウルにたまった呉を、水とともに馬毛の裏漉し器に通す。

6　適量の水を加え、手で混ぜながら漉し、細かい皮を取り除く。
❖少ない水では漉しにくく、時間もかかるので、ある程度の量の水が必要。

7　漉した呉の入ったボウルをしばらくおき、呉が沈んだら、呉を捨てないように気をつけながら濁った上水を捨てる。

8　たっぷりの水を注ぐ。

9　ボウルの中全体を手でよく混ぜる。

10　しばらくおき、上水を捨てる。上水が半透明になるまで、水を注いでは上水を捨てる作業をくり返す。
❖この作業をしすぎると小豆の風味が損なわれるので注意する。

11　上水を捨て、さらしに受けて水気をきる。

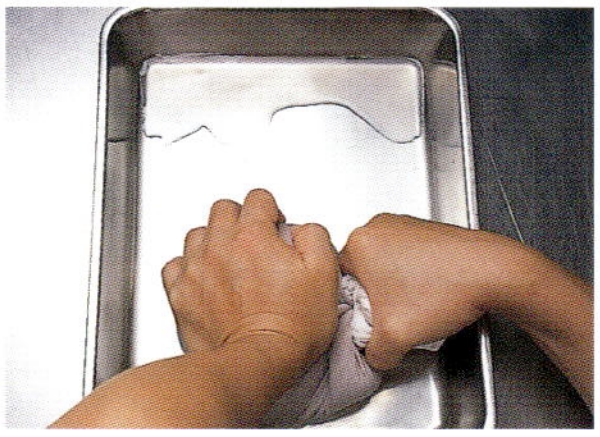

12　水分が出なくなるまで、しっかりと水気を絞る。

13　赤生餡のできあがり。

小豆漉し餡を炊く

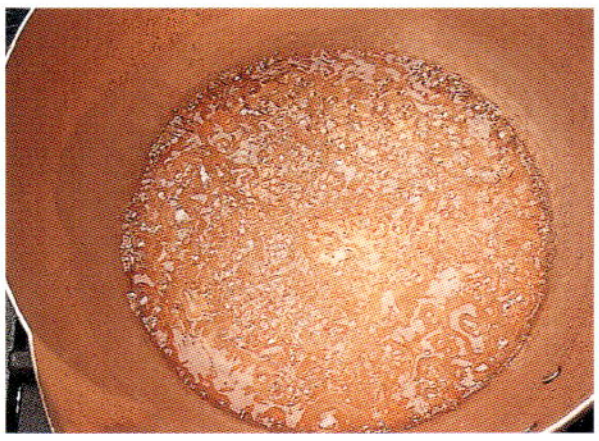

14　鍋にグラニュー糖、水適量（約400ml）を入れて強火にかける。沸騰させてグラニュー糖を煮溶かす。

15 13の赤生餡を半量強加え、混ぜ合わせる。木杓子でかき混ぜながら強火で沸騰させる。全体が沸騰したら、残りの赤生餡を加えて炊く。
❖ここから後の火加減は焦げない程度の強火。解説→P.27

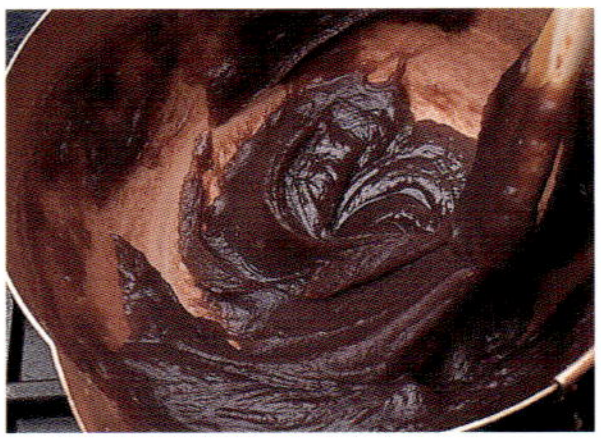

16 木杓子で絶えず全体をかき混ぜながら、強火で焦がさないように炊きあげる。

17 餡をすくって落とし、山のようにこんもりした状態になるくらいのかたさまで炊きあげる。
＝並餡

18 火を止め、餡を鍋肌にはりつけて、余分な水分を飛ばすとともに、鍋肌にこびりついて乾燥した餡に水分を与え、かたまりができないようにする。

19 平らな容器に小分けにして取り出す。

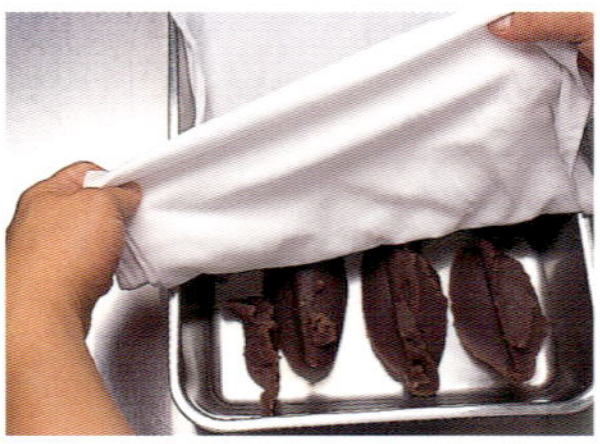

20 ぬらしてかたく絞ったさらしをかけて冷ます。

餡作り ❸

白粒餡

白小豆で作ると原価はかかるが、風味がよい。形をくずさないように炊きあげる。白小豆は小豆よりも皮が少しかたいので、やわらかくなるまで十分にゆでる。

〈材料　約1800g分〉

白小豆……………………………500g
グラニュー糖…………………………540g

〈準備〉

・白小豆を選別する。豆の選別方法→P.27

白小豆をゆでる

1　選別した白小豆を水洗いし、たっぷりの水（約1ℓ）とともに鍋に入れて強火にかけ、沸騰させる。

❖小豆の皮はゆでるとやわらかくなって膨張し、豆は水面に浮き上がる。

2　差し水（びっくり水）をし、沸騰を抑えるとともに温度を約50℃以下に下げる。

❖急激に鍋の中の温度を落とすと小豆の内部に水分を吸収させやすく、煮えむらが少なくなり、早くゆであがる。

3　再度沸騰させ、皮のしわがのびて豆が乾燥時の2～2.5倍大になっていればゆで汁を捨てる。

❖しわがのびなければ、差し水をくり返す。

4　豆がかぶるくらいの水を注ぎ、再度沸騰させ、ゆで汁の色が黄色っぽく濁るまでゆでる。
❖白小豆は小豆よりもアクが強いので、場合によって3〜5回差し水を行う必要がある。差し水の回数は豆の質により変わる。

5　皮のしわがのびてきたらざるにあけてゆで汁を捨てる。＝渋切り
❖3〜5の間に火が通りすぎると、豆が割れて中身（＝呉）が出てしまうので注意する。

6　全体に水をかけ、アクをきれいに洗い流す。

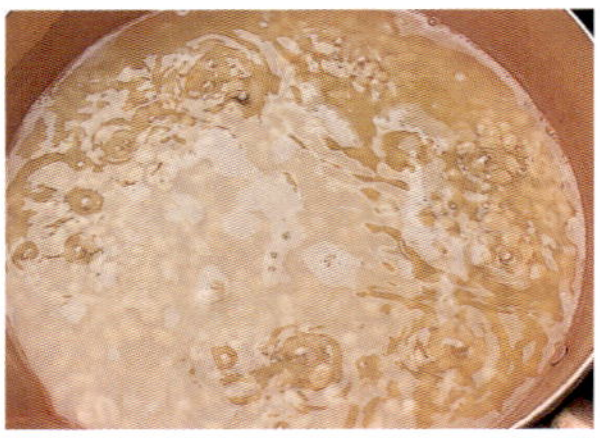

7　鍋に6の豆を移し、たっぷりの水（約1ℓ）を入れ、火にかける。沸騰するまでは強火、沸騰したら弱火にしてコトコトと豆がゆるやかに躍る程度の火加減でゆでる。ゆで汁が少なくなったら水を加え、常に豆がゆで汁の中にある状態でゆでる。

8　指で簡単につぶれるくらいにやわらかくなるまでゆでる。

ゆでた白小豆をさらす

9　ゆであがった白小豆を水の入ったボウルにあける。

10 豆をくずさないよう底から軽く混ぜ、しばらくおいて豆を沈澱させる。

11 豆が沈澱すれば、静かに上水を捨てる。

12 水の入ったボウルに、豆をつぶさないよう静かに移す。

13 上水が半透明になるまで11〜12の作業をくり返す。＝水さらし

14 上水を捨て、さらしで受けて水気をきる。

15 豆の粒がつぶれないように軽く水気を絞る。

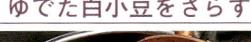

16 ゆで白小豆のできあがり。

白粒餡を炊く

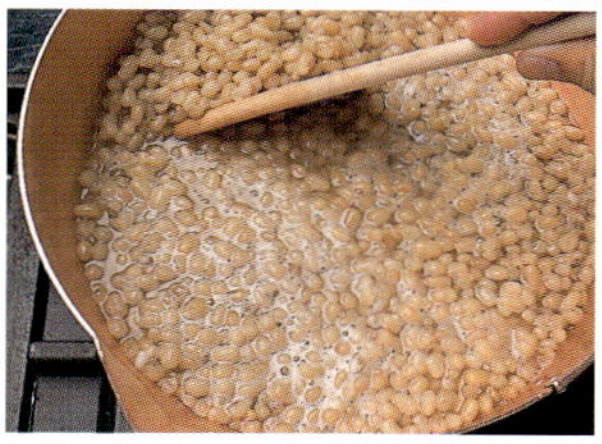

17 鍋にゆで白小豆、グラニュー糖、水適量（約200ml）を入れて火にかける。豆をつぶさないように、軽く全体を混ぜながら沸騰させる。

❖ここから後の火加減は焦げない程度の強火。解説→P.27

18 沸騰してしばらくしたら鍋の中心にアクが集まってくるので、木杓子をアクに軽く押しつけて取り除きながら煮詰める。

19 豆の粒をつぶさないように混ぜる。

❖混ぜる回数はできるだけ少なくし、焦げつかないように、時々底からすくうように混ぜる。

20 木杓子ですくい上げて落とした時に、かたまりで流れ落ちるくらいのかたさになるまで炊きあげる。＝並餡

21 平らな容器に小分けにして取り出す。

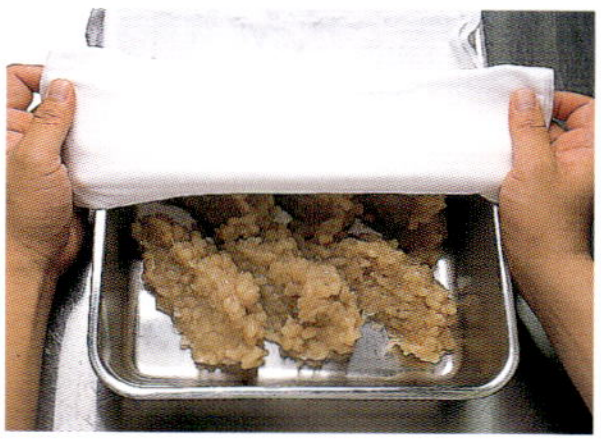

22 ぬらしてかたく絞ったさらしをかけて冷ます。

餡作り❹

白漉し餡

上生菓子や焼き菓子によく使われる上品で淡白な味の餡。火を入れすぎたり水にさらしすぎたりしないように注意して、豆の香りを残すようしっとりと炊きあげる。

〈**材料**　約1200g分〉

手亡豆……………………………500g
グラニュー糖……………………500g

〈**準備**〉

・手亡豆を選別する。豆の選別方法→P.27

白生餡を作る

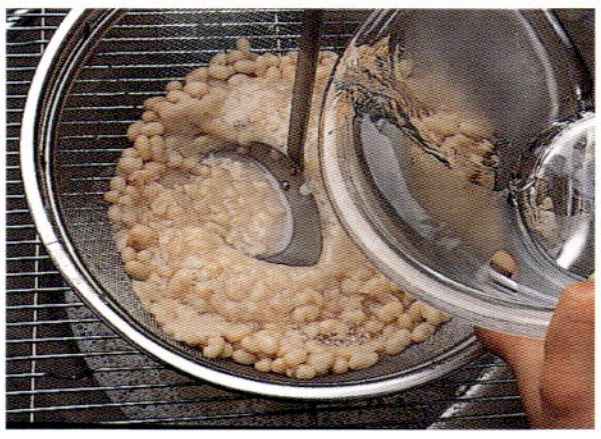

1　P.13〜14の1〜9を参照して手亡豆をできるだけつぶさないようにゆでる。ざるにあけ、水をかけながら豆の粒をつぶす。
❖大きなボウルに金網を敷くなどして、ざるをのせると作業しやすい。

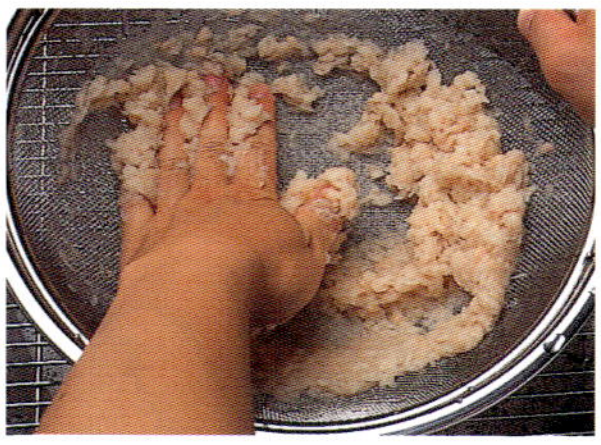

2　手でさわれる温度まで冷めれば、水をかけて豆をつぶしながら漉す。
❖豆の中身（＝呉）が残らないように、ざらつきがなくなるまでしっかり漉す。

3　ざるに残った豆の皮は取り除く。

4　下のボウルに残った呉を、水とともに馬毛の裏漉し器に通す。

5　適量の水を加え、手で混ぜながら漉し、細かい皮を取り除く。
❖少ない水では漉しにくく、時間もかかるので、ある程度の量の水が必要。

6　漉した呉の入ったボウルをしばらくおき、呉が沈んだら呉を捨てないように気をつけながら濁った上水を捨てる。

7　たっぷりの水を注ぐ。

8　ボウルの中全体を手でよく混ぜる。

9　しばらくおき、上水を捨てる。上水が半透明になるまで、水を注いでは上水を捨てる作業をくり返す。
❖この作業をしすぎると豆の風味が損なわれるので注意する。

10　上水を捨て、さらしに受けて水気をきる。

11　水分が出なくなるまで、しっかりと水気を絞る。

12　白生餡のできあがり。

白漉し餡を炊く

13　鍋にグラニュー糖、水適量（約400ml）を入れて強火にかける。沸騰させてグラニュー糖を煮溶かす。

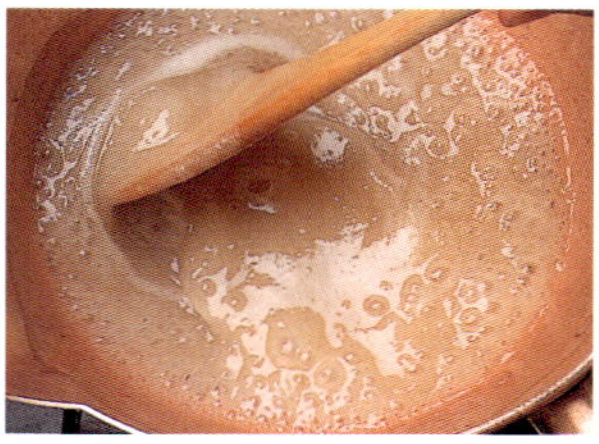

14　白生餡を半量強加え、混ぜ合わせる。木杓子でかき混ぜながら強火で沸騰させる。全体が沸騰したら、残りの白生餡を加えて炊く。
❖ここから後の火加減は焦げない程度の強火。解説→P.27

15 木杓子で絶えず全体をかき混ぜながら、強火で焦がさないように炊きあげる。

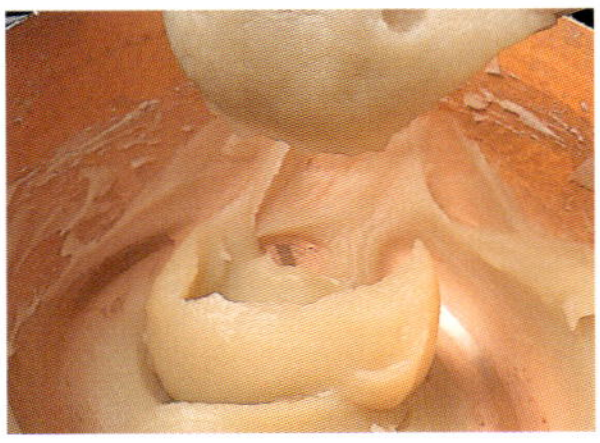

16 餡をすくって落とし、山のようにこんもりした状態になるくらいのかたさまで炊きあげる。
＝並餡

17 火を止め、餡を鍋肌にはりつけて、余分な水分を飛ばすとともに、鍋肌にこびりついて乾燥した餡に水分を与え、かたまりができないようにする。

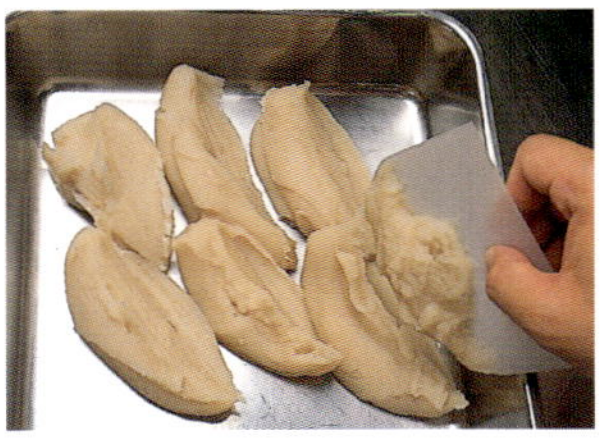

18 平らな容器に小分けにして取り出す。

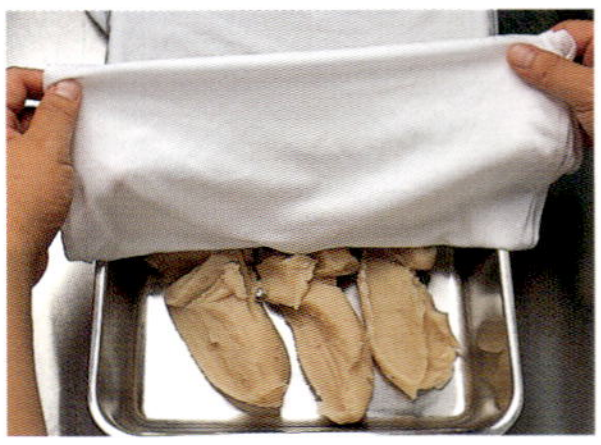

19 ぬらしてかたく絞ったさらしをかけて冷ます。

餡作り 5

黄味餡

白漉し餡に卵黄を練り込んだ餡。生の卵黄を使う場合と、火を通した卵黄を使う場合とがある。後者の方が、卵黄の風味が強い。好みによって使い分ける。

〈材料1　約900g分〉

● 黄味餡①：生の卵黄を使用

白生餡（→P.23の12）……………………500g
グラニュー糖……………………………300g
卵黄 ……………………………………3個

〈材料2　約900g分〉

● 黄味餡②：ゆでた卵黄を使用

白生餡（→P.23の12）……………………500g
グラニュー糖……………………………300g
ゆで卵の卵黄＊…………………………3個

＊和菓子店では、蒸した卵黄を使うのが一般的（卵白と分けて卵黄だけを蒸せば、卵白を他の用途に使えるため）。

黄味餡①の作り方

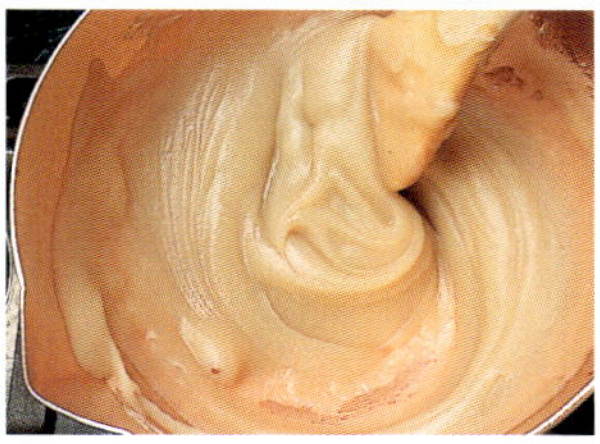

1　P.23～24の13～15を参照して、白生餡を白漉し餡に炊きあげる。

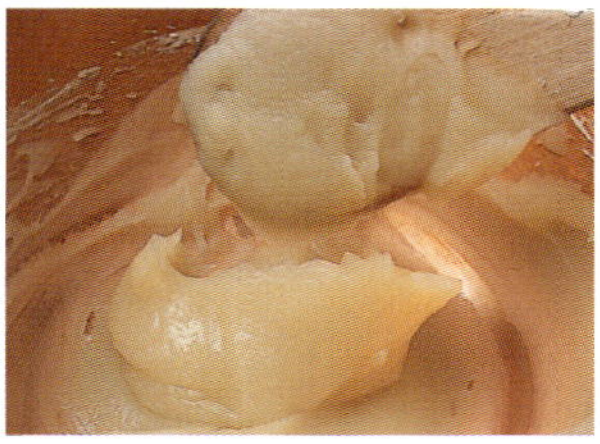

2　写真のように、並餡よりも少しやわらかい状態で火を止める。

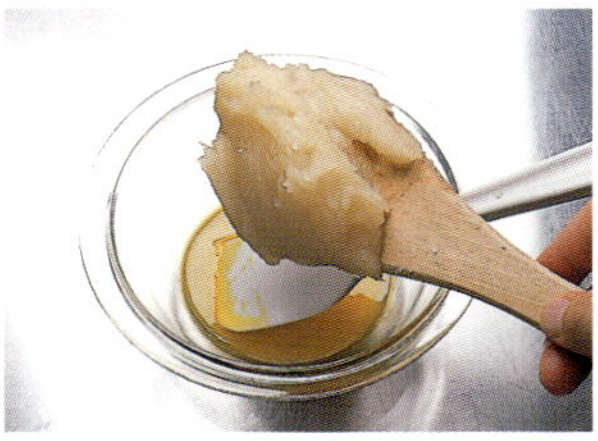

3　餡の一部を取り、溶いた卵黄と混ぜ合わせる。
❖卵黄を鍋の中に直接加えると、熱が入ってかたまりができてしまうので、必ず餡を卵黄に加えるようにする。

4　3を鍋に加え、全体を混ぜる。

5　むらなく混ざったら、鍋を再度火にかけ、木杓子でかき混ぜながら卵黄にしっかりと火が通るように炊きあげる。

6　手でさわってもつかなくなるまで水分を飛ばす。

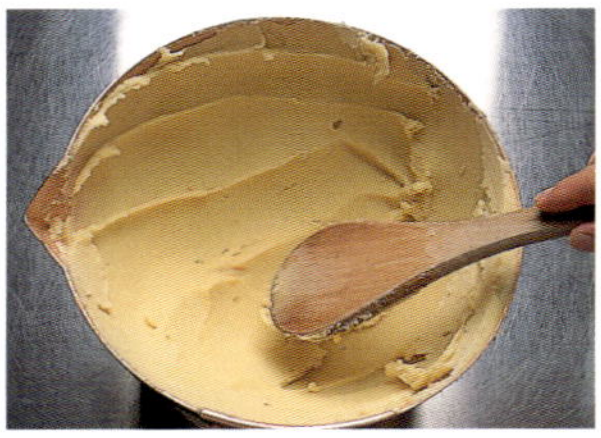

7　火を止め、餡を鍋肌にはりつけて、余分な水分を飛ばすとともに、鍋肌にこびりついて乾燥した餡に水分を与え、かたまりができないようにする。

8　平らな容器に小分けにして取り出す。

9　ぬらしてかたく絞ったさらしをかけて冷ます。

黄味餡②の作り方

1　P.23～24の13～16を参照して、白生餡を並餡のかたさの白漉し餡に炊きあげる。

2　ぬらしてかたく絞ったさらしの上に裏漉し器を置き、ゆで卵の卵黄が熱い間に裏漉しする。

3　さらしを使って2をまとめ、白漉し餡適量を加える。

❖裏漉しした卵黄をさらしでまとめるのは、きめを細かくするため。

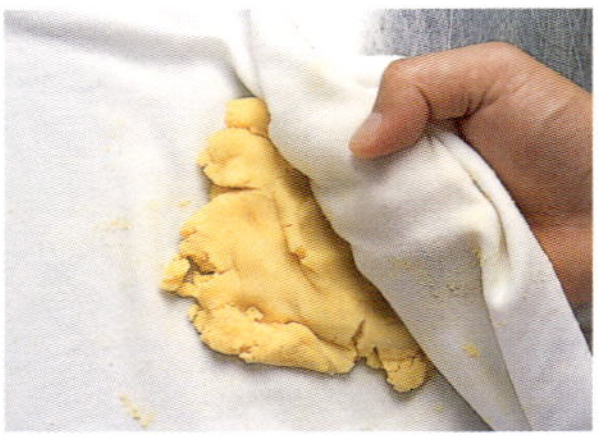

4　さらしを使って、卵黄と白漉し餡を混ぜ合わせる。

5　4を1の鍋に加えて火にかけ、木杓子でかき混ぜてなじませながら炊きあげる。

6　手でさわってもつかなくなるまで水分を飛ばす。

7　火を止め、餡を鍋肌にはりつけて、余分な水分を飛ばすとともに、鍋肌にこびりついて乾燥した餡に水分を与え、かたまりができないようにする。左記8・9と同様にして冷ます。

餡作りのポイント

◆豆を選別する

豆は使用する前に必ず選別を行う。虫食いや変色しているものは取り除き、状態のよい豆だけを用いるようにする。ここでは、虫食いや変色の状態がわかりやすいように、以下の白小豆で比較する。

よい豆

粒がそろっており、表面も艶があって美しい。

悪い豆

虫食いがあったり、変色していたり、欠けていたりする。これらの豆を使うと見かけがよくないだけでなく、風味が悪くなったり、煮えむらができて食感が悪くなったりする。

◆餡の砂糖を使い分ける

本書では、餡の砂糖として基本的なグラニュー糖を使用したが、季節によって種類を使い分けてもよい。夏場はあっさりとした甘さのざらめ糖や氷砂糖、冬場はこくのある甘さの上白糖や三温糖などが向く。

◆餡は強火で炊きあげる

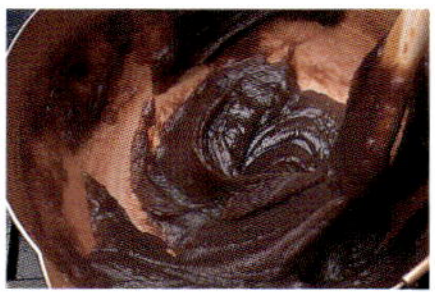

餡を炊きあげる時の火加減は、焦げない程度の強火にする。豆に含まれるでんぷんは、85℃以上に加熱すると、水分と糖分を吸って糊状になる。これをでんぷんのα化という。豆のでんぷんをα化させると、口当たりのよいなめらかな餡に仕上げられる。弱火のまま、でんぷんをα化させない状態で炊きあげてしまうと、水分が吸収されず、ざらつきがあり、離水しやすく日持ちが悪い餡になってしまう。

◆餡は前日に仕込む

餡は、炊きたてよりも炊いた翌日の方が全体がなじんで状態がよくなるので、使用する前日に仕込むようにする。

蒸し菓子

饅頭物

薬饅頭

利久饅頭

吹雪饅頭

薯蕷饅頭

蕎麦薯蕷

黄味時雨

わらび饅頭

棹物

浮島

栗蒸し羊羹

冬のおとずれ

小夜時雨

外郎粽

夏越し

わらび餅

葛物

葛桜

葛饅頭

葛焼き

薬饅頭

饅頭は南北朝時代に中国から帰化した林浄因《りんじょういん》が、奈良で作ったのが始まりとされる。生地にイスパタという薬品（膨張剤）を入れ、白く仕上げたのが、薬饅頭の名の由来。

〈材料　約50個分〉

● 生地

卵白	40g
イスパタ	8g
カップリングシュガー	20g
上白糖	200g
白漉し餡	200g
薄力粉	200g

● 中餡

小豆漉し餡	1250g

● 分量外

薄力粉（手粉）、サラダ油

〈分割〉

生地	12g
餡玉（小豆漉し餡）	25g

〈準備〉

・中餡用の小豆漉し餡を1個25gずつに分けて丸め、餡玉を作る。
・せいろにぬらして軽く絞ったさらしを敷く。

生地を作る

1　ボウルに卵白を入れ、泡立て器で溶いてこしを抜く。

2　イスパタ、カップリングシュガー、上白糖、白漉し餡（小さく割りながら加える）を順に加え、全体が白っぽくなるまで混ぜ合わせる。

3　薄力粉を加え、木杓子で切るように粘りを出さないように混ぜる。生地がまとまったら、ボウルのまわりの粉をはらい、軽く混ぜる。
❖こねるように混ぜると粘りが出てしまい、饅頭がかたくなる。

4　木杓子ですくって傾けると、まとまって落ちる程度のかたさにする。

分割・包餡する

5　生地を手粉（薄力粉）に取り、軽く折りたたみ、分割しやすいようにまとめる。

6　生地を12gに分割する。分割の方法→P.10

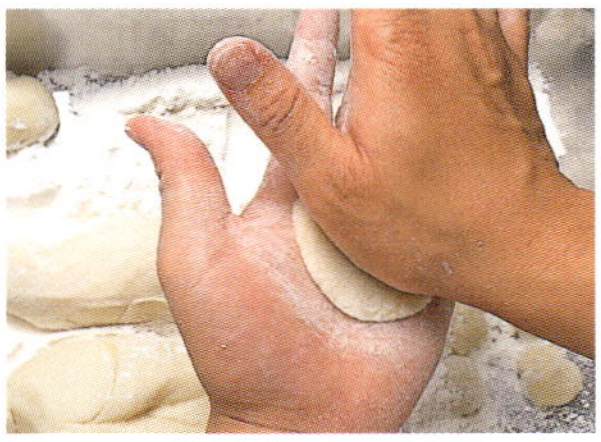

7　表面をきれいにまとめ、手の平（親指の下あたり）で押し広げ、平らにする。包餡の方法→P.10

8　生地を指先にのせ、表面の粉を刷毛ではらう。餡玉をのせ、指先を曲げて餡玉のまわりに生地をつける。

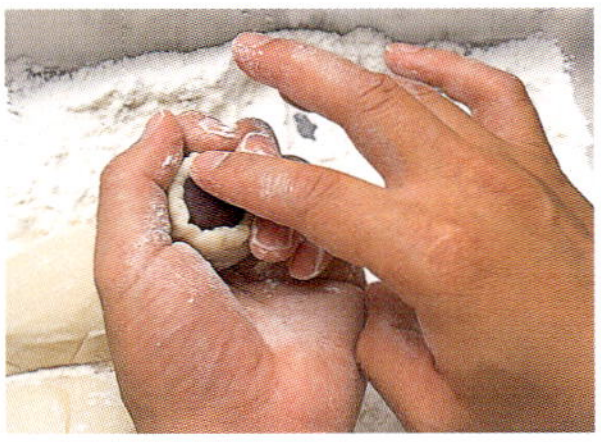

9　生地を持っていない方の手の指先で餡玉を押さえ、生地を持っている手の指先で生地を回しながら包む。

10　餡の2/3が包めたら、指先で生地の口をすぼめて小さくし、最後は指先でつまみ、しっかりと口を閉じる。

11　包み終わりを下にし、丸めて形を整える。

蒸して仕上げる

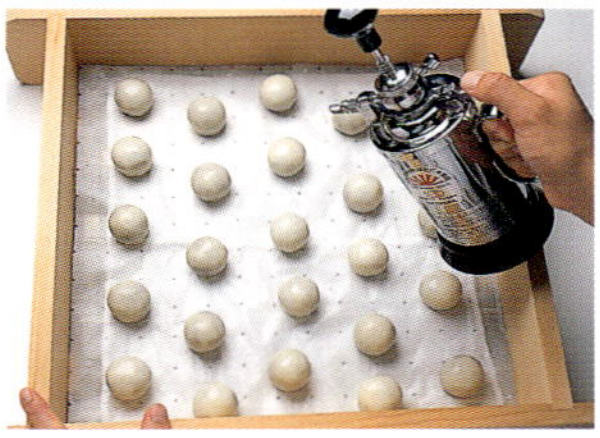

12　準備したせいろにセパレートペーパーを敷き、饅頭の表面の粉を刷毛ではらってから並べる。霧を吹き、12分間蒸す。
❖霧を吹くと表面に艶が出て、亀裂が入りにくくなる。

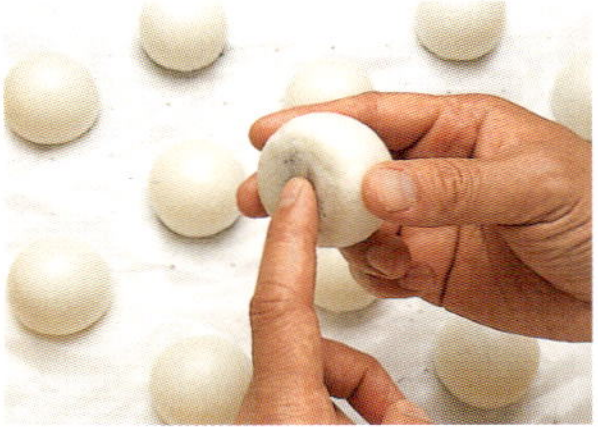

13　蒸しあがれば、指先にサラダ油を少量ぬり、底を押さえてかたくなっているかどうか確認する。
❖押さえた時にへこむようなら、さらに蒸す。

14　そのままおいて粗熱を取り、巻きすに移して冷ます。

利久饅頭

生地に黒砂糖を入れて作る利久饅頭は、千利《せんのり》休《きゅう》が好んだところから名づけられたといわれる。黒砂糖の主産地が奄美《あまみ》大島《おおしま》であることから大島饅頭とも呼ばれる。

〈材料　約30個分〉

● 生地

黒砂糖	80g
上白糖	40g
水	60ml
小豆漉し餡	50g
カップリングシュガー	20g
重曹	6g
水（重曹用）	10ml
薄力粉	210g

● 中餡

小豆漉し餡	750g

● 分量外

薄力粉（手粉）、サラダ油

〈分割〉

生地	12g
餡玉（小豆漉し餡）	25g

〈準備〉

・中餡用の小豆漉し餡を1個25gずつに分けて丸め、餡玉を作る。
・せいろにぬらして軽く絞ったさらしを敷く。

生地を作る

1　鍋に分量の水、黒砂糖、上白糖を入れて火にかけ、沸騰させずに砂糖を溶かす。
❖沸騰させると、水分が蒸発するので生地がかたくなる上、砂糖が再結晶するので生地に艶が出ない。

2　ボウルに漉しながら移し、黒砂糖のダマを取り除く。

3　液体を冷まし、160gになるように水を適量加えて調節する。

4　ボウルに小豆漉し餡を小さく割りながら入れ、カップリングシュガーも加え、泡立て器で餡のダマが残らないように混ぜる。分量の水で溶いた重曹を加えてしっかり混ぜる。

5　薄力粉を加え、木杓子で切るように粘りを出さないように混ぜる。生地がまとまったらボウルのまわりの粉をはらい、軽く混ぜる。
❖こねるように混ぜると粘りが出てしまい、饅頭がかたくなる。

6　木杓子ですくって傾けると、まとまって落ちる程度のかたさにする。

分割・包餡する

7　生地を手粉（薄力粉）に取り、軽く折りたたみ、分割しやすいようにまとめる。

8　生地を12gに分割する。分割の方法→P.10

9　表面をきれいにまとめ、手の平（親指の下あたり）で押し広げ、平らにする。包餡の方法→P.10

10 生地を指先にのせ、表面の粉を刷毛ではらう。餡玉をのせ、指先を曲げて餡玉のまわりに生地をつける。

11 生地を持っていない方の手の指先で餡玉を押さえ、生地を持っている手の指先で生地を回しながら包む。

12 餡の2/3が包めたら、指先で生地の口をすぼめるようにして小さくし、最後は指先でつまみ、しっかりと口を閉じる。包み終わりを下にし、丸めて形を整える。

蒸して仕上げる

13 準備したせいろにセパレートペーパーを敷き、饅頭の表面の粉を刷毛ではらってから並べる。霧を吹き、12分間蒸す。
❖霧を吹くと表面に艶が出て、亀裂が入りにくくなる。

14 蒸しあがれば指先にサラダ油を少量ぬり、底を押さえてかたくなっているかどうか確認する。
❖押さえた時にへこむようなら、さらに蒸す。

15 そのままおいて粗熱を取り、巻きすに移して冷ます。

吹雪饅頭

生地を薄く作り、蒸しあがりに餡が所々透けて見える状態を吹雪に見立ててつけられた名。表面のしわは山の芋の、生地が透き通るのは浮き粉の作用による。

〈材料　35個分〉

● 生地

山の芋	100g
上白糖	80g
浮き粉	50g
薄力粉	50g
イスパタ	2g

● 中餡

小豆粒餡	1120g

● 分量外

片栗粉（手粉）、サラダ油

〈分割〉

生地	7g
餡玉（小豆粒餡）	32g

〈準備〉

・中餡用の小豆粒餡を1個32gずつに分けて丸め、餡玉を作る。

・せいろにぬらして軽く絞ったさらしを敷く。

生地を作る

1　山の芋は皮をむき、目の細かいおろし金で軽く円を描くようにすりおろす。

2　ボウルに上白糖、浮き粉、薄力粉、イスパタを入れてよく混ぜ、中央に山の芋を加える。

3　芋のかたまりの片側を持って内側に折りたたむ作業をくり返し、まわりについた粉を芋の中に混ぜ込む。

4　粉が半分くらい入り、生地がしっかりしてきたら、両手で折りたたむように混ぜ込む。耳たぶぐらいのかたさになるまでくり返す。

❖材料全体をよく混ぜないと生地に浮きむらができる。

分割・包餡する

5　生地を手粉（片栗粉）に取り、軽く折りたたんで分割しやすいようにまとめる。

6　生地を7gに分割する。分割の方法→P.10

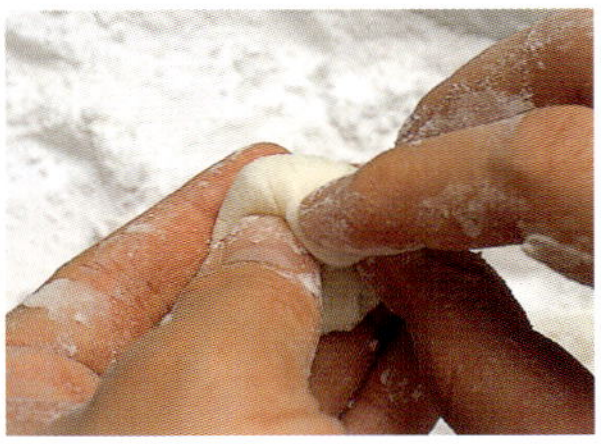

7　指先で生地をまとめる。

8　生地を手の平で押し広げ、表面の粉を刷毛ではらう。餡玉をのせ、包餡する。包餡の方法→P.10

❖生地が薄いので破らないように注意して包餡する。餡を押し込むつもりで包餡すると、生地に薄い所と厚い所ができる。

9　準備したせいろにセパレートペーパーを敷き、饅頭の表面の粉を刷毛ではらってから並べる。

蒸して仕上げる

10　霧を吹き、12分間蒸す。

❖霧を吹くと表面に艶が出て、亀裂が入りにくくなる。

11　蒸しあがれば、指先に少量のサラダ油をぬり、底を押さえてかたくなっているかどうか確認する。

❖押さえた時にへこむようなら、さらに蒸す。

12　そのままおいて粗熱を取り、巻きすに移して冷ます。

蒸し菓子

饅頭物 4

薯蕷饅頭

饅頭の中では高級品。山の芋と砂糖の力で膨らませる。関東式もあるが、ここでは関西式で作る。関西では「上用」の字をあてることも。山の芋が多いほど、しっとりと仕上がる。

〈材料　30個分〉

● 薯蕷生地

山の芋……100g

上白糖……200g

上用粉……120g

● 中餡

小豆漉し餡……810g

● 食用色素

挽き茶色（応用1・織部薯蕷用）……少量

水紅色（応用2・桜薯蕷用）……少量

● 分量外

上用粉（手粉）、酢、サラダ油

〈分割〉

生地……13g

餡玉（小豆漉し餡）……27g

〈準備〉

・中餡用の小豆漉し餡を1個27gずつに分けて丸め、餡玉を作る。

・せいろにぬらして軽く絞ったさらしを敷く。

薯蕷生地を作る

1　山の芋の皮をむき、目の細かいおろし金で軽く円を描くようにすりおろす。

2　山の芋に上白糖を2～3回に分けて加え、混ぜ合わせていく。

3　空気を抱かせるようにして、写真右のように白っぽくなるまで手で混ぜ合わせる。

❖関東式は、上用粉と砂糖を混ぜた中に、すりおろした山の芋を混ぜる。

4　上用粉をボウルに入れ、その中に3を移す。芋のかたまりの片側を持ち、外側から内側に折りたたみながら、まわりについた粉を混ぜ込んでいく。

5　粉が半量程度混ざり、生地がしっかりすれば、両手を使って折りたたみながら混ぜ込む。

6　生地が耳たぶぐらいのかたさになるまでくり返す。＝薯蕷生地

分割・包餡する

7　生地を手粉（上用粉）に取り、数回軽く折りたたみ、分割しやすいようにまとめる。

8　生地を13gに分割する。分割の方法→P.10

9　生地を平らに広げて餡玉をのせ、指先で餡を押さえ、生地を回しながら包む。包餡の方法→P.10

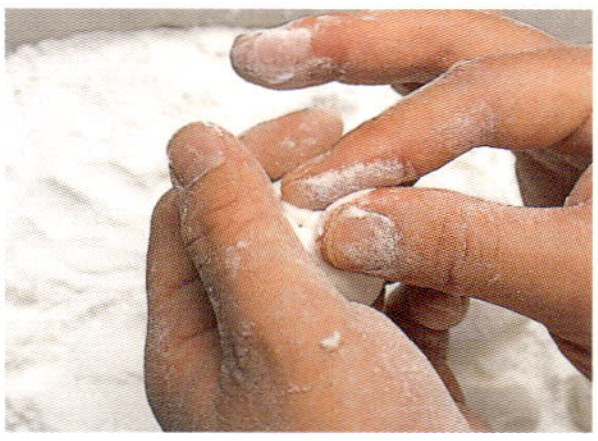

10　餡の2/3が包めれば、指先で生地の口をすぼめるように包み、最後は指先でつまんでしっかりと口を閉じる。

11　準備したせいろにセパレートペーパーを敷き、饅頭の表面の粉を刷毛ではらってから並べる。

蒸して仕上げる

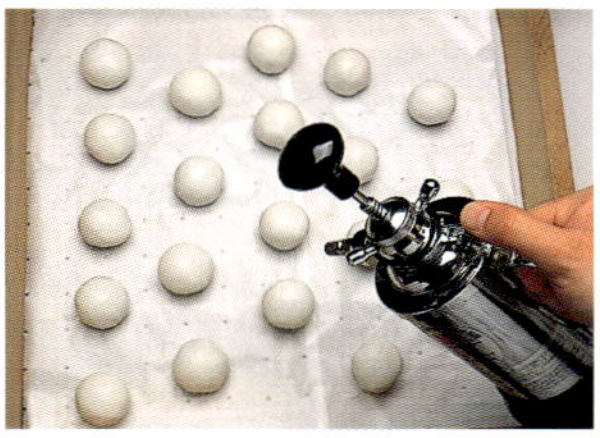

12　酢を少量加えた霧を吹き、12分間蒸す。解説→P.39

❖霧を吹くと表面に艶が出て、亀裂が入りにくくなる。

13　蒸しあがれば、指先にサラダ油をぬり、裏を割って底が蒸せているかどうか確認する。

❖芋が入っているので、蒸し足りないと粘りがある。

14　そのままおいて粗熱を取り、巻きすに移して冷ます。

●仕上がりのよい例・悪い例

中央：砂糖が多すぎて表面に大きな亀裂が入り、生地が下に落ちている。右：粉が少なく、表面に細かい亀裂が出ている。

織部薯蕷

【薯蕷饅頭の応用1】

1　薯蕷生地を約50g取り、挽き茶色の食用色素をつけてよくこね、全体に色をつける。着色の方法→P.12

2　薯蕷生地を13gに分割し（分割の方法→P.10）、そこから約1/5を取り分ける。残りは平らに広げる。

3　広げた生地の中央を少しくぼませ、1の色生地を小豆大取ってのせ、上から2で取り分けた生地をのせてはりつける。のばしながら生地をなじませる。＝包みぼかし

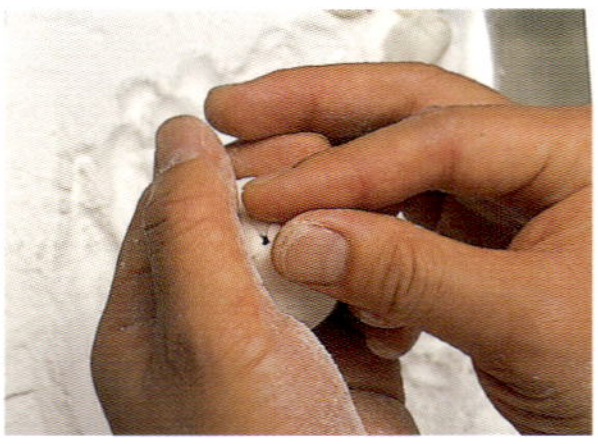

4　P.37の9〜13と同様に、餡玉を包み（包餡の方法→P.10）、粉をはらい、霧を吹き、12分間蒸す。

5　粗熱が取れたら巻きすに移して冷まし、焼ごてで模様をつける。

桜薯蕷

【薯蕷饅頭の応用2】

1　薯蕷生地を少量取り、水を少しずつ加えて刷毛でぬれる程度のかたさに調節する。

2　水紅色の食用色素で着色する。着色の方法→P.12

3　包餡した薯蕷饅頭の表面の粉をはらい、霧を吹き、着色した生地を刷毛でぬる（＝筆ぼかし）。12分間蒸す。

4　粗熱が取れたら巻きすに移して冷まし、焼印で模様をつける。

山芋の特性と扱い方

◆山芋の材料解説

ヤマノイモ科。和菓子では薯蕷饅頭、かるかんなどに広く使用する。山芋には、自然に自生する自然《じねん》薯《じょ》と栽培して作る山の芋（捏芋《つくねいも》、大和芋《やまといも》）、いちょう芋（銀杏芋、仏掌芋《ぶっしょういも》）、長芋などがあるが、地域によって呼び方は様々である。これらの芋には「薯」の字をあてることもある。和菓子では、粘りがあり、きめの細かい山の芋（関西でよく使用されている球形のもの）や、いちょう芋（関東でよく使用されるいちょう形のもの）などを主に使い、場合によってはいちょう芋と山の芋を混ぜて用いることもある。関西で使われる山の芋の一種に伊勢芋というものもある。これは山の芋に比べると表面のでこぼこが多く、色も薄茶色をしており、粘りも多少強い。

一般に、夏場に収穫された芋には水分が多く、粘りが少ないものが多い。薯蕷饅頭には粘りが強いものが向き、練切には粘りの少ないものが向くので、用途によって使い分ける。

山の芋

◆薯蕷饅頭を作る時の山芋の扱い方

・山芋はなるべくきめ細かくすりおろすと、なめらかな生地に仕上がる。きめが粗いと、蒸している間に割れやすい。

・山芋は産地によって水分の多いものがあるので、その際は使用する前日にすりおろし、分量の砂糖と混ぜておくと、砂糖が水分を吸収して粘りが出やすい。芋と砂糖を合わせたものは、空気に触れないようにラップフィルムなどで密閉すると、約10日間は冷蔵保存ができる。また、真空処理すれば、約1ヶ月間冷凍保存ができる。

◆薯蕷饅頭を蒸す前には酢を少量加えた霧を吹く

一般的に饅頭を蒸す時には霧を吹くが、薯蕷饅頭のように山芋の粘りを利用して膨らませる饅頭の場合は、酢を加えた霧を吹くとよいとされている。その理由は、山芋の成分に関係している。山芋に含まれる粘りの物質には、マンナンや糖たんぱく質などがあるが、粘りの強さは、糖たんぱく質を形成しているシアル酸の含有量によって変わり、シアル酸が多いほど粘りが強くなる。糖たんぱく質は、pH5より酸性になると溶けなくなり、粘りがなくなる。このことから、薯蕷饅頭を蒸す前に酢を少量加えた霧を吹くと、起泡性が低下して亀裂が入りにくくなると考えられる。

芋類の扱い方と注意点

◆鉄や銅は芋を変色させる

芋類は鉄製の包丁で切ったり、銅製のおろし金ですりおろしたりすると、芋の表面が変色する。変色の理由としては、芋に含まれるポリフェノール系の色素と酸化酵素が空気にふれることで酸化反応を起こすのを金属イオンが促進すること、また、芋の中に含まれるクロロゲン酸と、金属イオンが反応することなどが挙げられる。

◆芋は熱い間に裏漉しする

芋類のでんぷんは、ペクチン（食物繊維の一種）で囲まれた細胞の中に存在しており、芋が加熱されて温かい状態では、ペクチンがやわらかく、力を入れなくても裏漉しできる。しかし、芋が冷めてペクチンがかたくなった状態で裏漉ししようとすると、芋が温かい時よりも強い力でなければ裏漉しできず、でんぷんが存在する細胞を壊してしまう。そうなると、一度加熱されて糊化したでんぷんが細胞の外へ出てしまい、これが粘りの原因となる。このようなことから、火を通した芋を裏漉しする場合は、冷めると粘りが出て漉しにくくなるので、熱くてやわらかい間に裏漉ししなくてはならない。

蕎麦薯蕷

薯蕷饅頭の生地をもとに、蕎麦《そば》粉を加えて風味豊かに。通常、饅頭といえば餡を生地で包むが、蒸した生地で餡をはさみ、表面に焼印を入れ、表情に変化をつける。

〈材料　15個分〉

● 生地

山の芋……100g
上白糖……200g
そば粉……20g
上用粉……90g

● 中餡

小豆漉し餡……225g

● 分量外

上用粉（手粉）

〈分割〉

生地……20g
餡玉（小豆漉し餡）……15g

〈準備〉

・中餡用の小豆漉し餡を1個15gずつに分けて丸め、餡玉を作る。
・P.36の1〜3と同じ要領で、山の芋をすりおろして上白糖と混ぜ合わせる。
・せいろにぬらして軽く絞ったさらしを敷く。

生地を作る

1　ボウルにそば粉と上用粉を入れて混ぜ合わせ、準備しておいた上白糖入りの山の芋を加える。芋のかたまりの片側を持ち、外側から内側に折りたたみながら、まわりについた粉を混ぜ込んでいく。

2　粉が半量程度混ざり、生地がしっかりすれば、両手を使って折りたたみながら混ぜ込む。

3　生地が耳たぶぐらいのかたさになるまでくり返す。

分割して蒸す

4　生地を手粉（上用粉）に取り、数回軽く折りたたみ、分割しやすいようにまとめる。

5　生地を20gに分割する。分割の方法→P.10

6　生地の端を内側に折り込むようにして表面をなめらかにし、俵形にする。

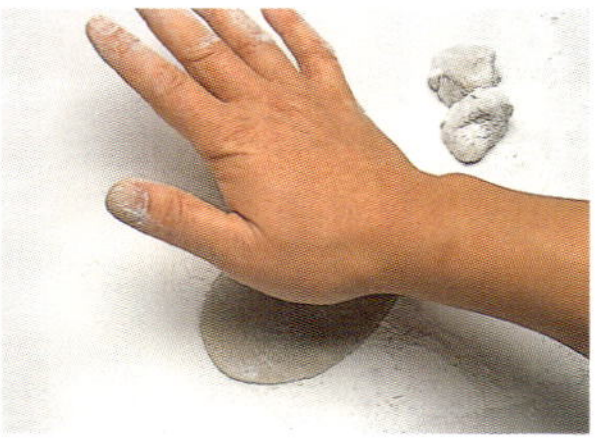

7　手の平で押し広げ、平らな小判形にする。

8　準備したせいろに、生地の粉を刷毛ではらってから並べる。

9　霧を吹き、12分間蒸す。

❖霧を吹くと表面に艶が出て、亀裂が入りにくくなる。

10　蒸しあがれば、上からぬらしたさらしをかぶせ、裏返す。

仕上げる

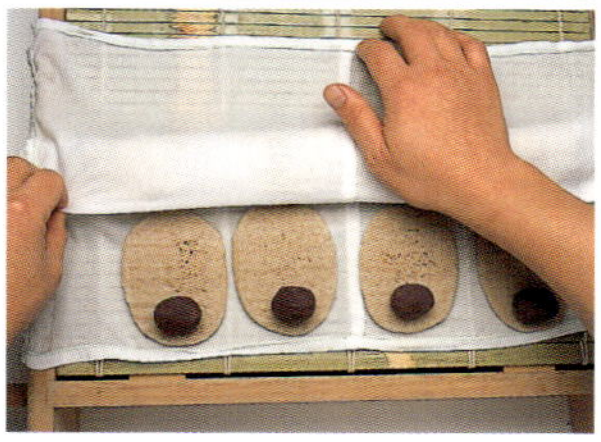

11　生地が熱い間に餡玉をのせ、さらしを使って生地を折り返し、手の平で軽く押さえるようにたたむ。

12　写真のように、下側の生地が上側の生地よりも出っぱらないように気をつけながら餡を包む。

13　巻きすに移して冷まし、焼ごてで模様をつけて仕上げる。

黄味時雨

ほろほろとくずれるような口当たりが秋の時雨《しぐれ》を思わせる。蒸すと表面に亀裂が入り、中の赤い生地が見える姿は稲光を表す。また、花にたとえ、黄味牡丹《きみぼたん》と呼ばれることも。

〈材料　40個分〉

● 生地

グラニュー糖	360g
白生餡（→P.23の12）	600g
卵黄	6個
上新粉	20g
イスパタ	2g

● 中餡

小豆漉し餡	600g

● 食用色素

本紅色	少量

〈分割〉

生地	20g
餡玉（小豆漉し餡）	15g

〈準備〉

・中餡用の小豆漉し餡を1個15gずつに分けて丸め、餡玉を作る。
・せいろに乾いたさらしを敷く。

生地を作る

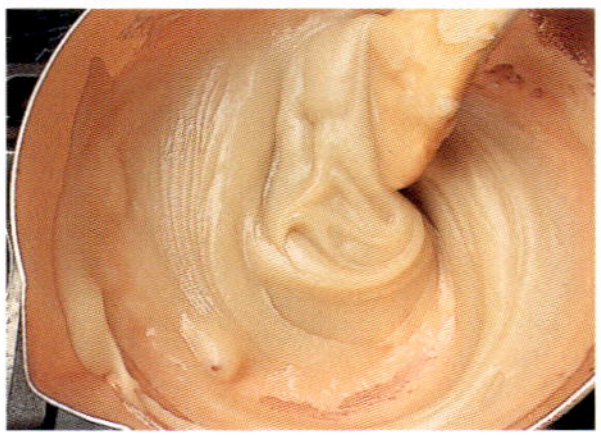

1　鍋にグラニュー糖と水適量（約400ml）を入れて火にかけ、強火で沸騰させてグラニュー糖を溶かす。白生餡を加え、木杓子でかき混ぜながら少しかたくなるまで炊く。

2　溶いた卵黄に1の餡を少量を加えて混ぜ合わせる。この卵黄の半量を1の鍋に戻し、木杓子で練りながら炊く。

3　餡がかたくなってきたら、残りの卵黄を加えて練り、手につかなくなるまで炊く。

4　ぬらしてかたく絞ったさらしの上に裏漉し器を置き、3の餡が熱い間に裏漉しする。

5　さらしで包むようにしてひとつにまとめる。

6　5の餡を小分けにし、ぬらしてかたく絞ったさらしをかぶせ、常温で冷ます。

7　上新粉とイスパタを混ぜ合わせ、6の餡に混ぜ入れる。粉気がなくなるまで、もみ込むようにして混ぜる。生地を2割弱取り分け、本紅色の食用色素で着色する。着色の方法→P.12

分割・包餡する

8　染めていない生地を20gに、本紅色の生地を大豆大に分割する（分割の方法→P.10）。右の餡玉は中餡用の小豆漉し餡（15g）。

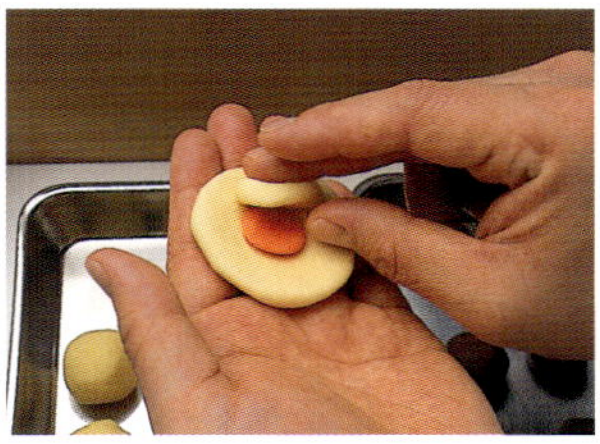

9　染めていない生地を3：1に分ける。大きな方を丸めて平らにし、中央に本紅色の生地をのせ、残りの染めていない生地をかぶせて平らにする。

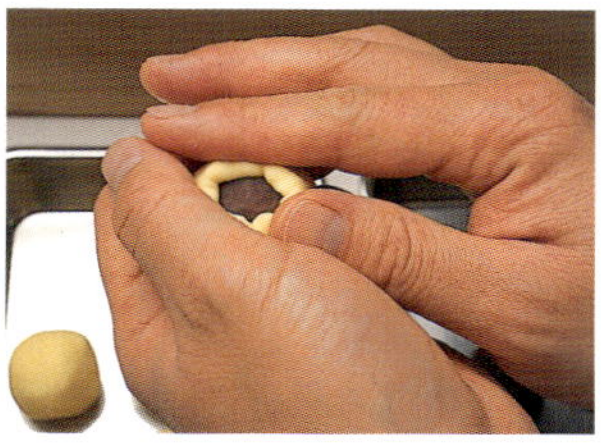

10　9に餡玉をのせて包む。生地を指先でつまみ上げ、しっかりと口を閉じる。包餡の方法→P.10

蒸して仕上げる

11　準備したせいろに、10の閉じ口を下にして間隔をあけて並べ、約5分間蒸す。

12　表面に亀裂が入れば蒸しあがり。そのままおいて粗熱を取り、巻きすに移して冷ます。

● 仕上がりのよい例・悪い例

中央：包み方が悪く、表面まで赤い生地が浮き出てしまっている。右：生地に水分が多く、表面が割れずに蒸しあがり、泣いた状態。

わらび饅頭

弾力のあるやわらかな生地で繊細な漉し餡を包み、深煎りのきな粉をまぶして風味よく仕上げる。生地に水分が多いため、中餡には少し水分を減らしたかための餡が向く。

〈材料　約28個分〉

● 生地

わらび粉	100g
水	300ml
上白糖	200g
熱湯	200ml

● 中餡

小豆漉し餡	700g

● 分量外

上白糖、きな粉（手粉）

〈分割〉

生地	15g
餡玉（小豆漉し餡）	25g

〈準備〉

・中餡用の小豆漉し餡を1個25gずつに分けて丸め、餡玉を作る。

・シロップを作る。上白糖（分量外）1：水2を合わせ、火にかけて砂糖を溶かし、冷ます。

生地を作る

1　わらび粉に分量の水の1/3量を加えて溶き、鍋に漉しながら入れる。残りの水で器についたわらび粉をすすぎ、漉しながら鍋に入れる。

2　上白糖を加え、全体がなじむように木杓子で混ぜ、火にかける。鍋底からしっかり混ぜながら練る。

3　写真のようなかたまりができてきたら、分量の熱湯を一気に加える。

❖生地が固まってしまってからでは熱湯が混ざりにくいので、このような状態になったら、分量の熱湯を一気に加える。

4　鍋中全体をしっかり混ぜ、写真のように生地に艶と粘りが出るまで火を通す。

仕上げ方1――粉取り法

5　きな粉の手粉に生地を移す。

6　手で生地をまとめながら、15gに分割する。分割の方法→P.10
❖生地の中にきな粉がたくさん入るとかたくなるので、できるだけ入れないように注意する。

7　分割した生地の上に餡玉をのせて包む。包餡の方法→P.10
❖少し生地を引っ張りながら、生地と生地をくっつけるつもりで包餡する。

8　包み終わったら、形を整える。

9　きな粉をふりかけて仕上げる。

仕上げ方2――蜜取り法

5　木杓子と竹べらを使って4の生地を15g分取り、丸くする。

6　手に準備したシロップをつけ、生地を取る。

7　手の中の生地に、餡玉をのせる。

8　親指と人差し指を使って、上から生地をかぶせるように餡を包み込む。

9　きな粉の手粉へ落とし、きな粉をまぶしながら成形し、上からもきな粉をふりかけて仕上げる。

蒸し菓子

枠物 1

浮島

卵を使った代表的な蒸し菓子。きめ細かくしっとりとしているのは、卵白を泡立てて加えているため。薄く蒸して巻いたり、幾重にも重ねたりと応用がきく。

〈材料　18×18cmの蒸し物枠1台分〉

● 小豆餡生地

小豆漉し餡……200g
卵黄……2個
卵白……2個分
上白糖……60g
薄力粉……15g
上新粉……15g
イスパタ……1g

● 白餡生地

白漉し餡……170g
卵黄……2個
卵白……2個分
上白糖……25g
薄力粉……8g
上新粉……10g

● 食用色素

黄色……少量
本紅色……少量

〈準備〉

・18×18cmの蒸し物枠に上質紙を敷く。
・小豆餡生地の粉類（薄力粉、上新粉、イスパタ）を合わせてふるう。
・白餡生地の粉類（薄力粉、上新粉）を合わせてふるう。
・せいろに乾いたさらしを敷く。

小豆餡生地を作る

1　ボウルに小豆漉し餡と卵黄を入れ、泡立て器でしっかり混ぜる。

2　別のボウルで卵白を泡立てる。泡立て器にまとわりつくくらいになったら、上白糖を約1/3量入れて泡立てる。

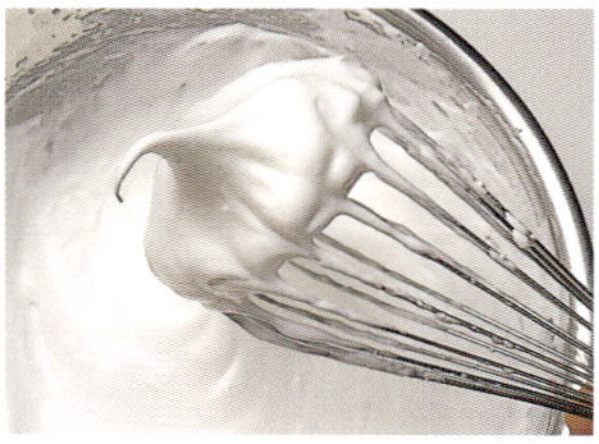

3　艶が出てきたら、残りの上白糖を2回に分けて加える。すくい上げた時、メレンゲの先が軽く曲がるくらいまでしっかり泡立てる。

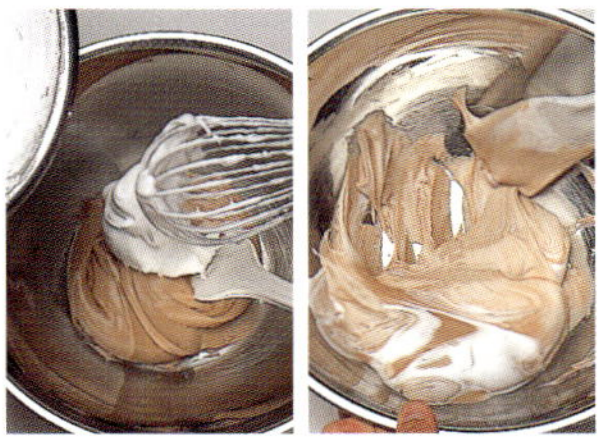

4　1に3のメレンゲを1/3量加え、メレンゲが完全に見えなくなるまでゴムベラで混ぜる。

5　残りのメレンゲを加え、メレンゲが少し残っている状態まで混ぜる。

6　ふるった粉類を加え、さっくりと混ぜ、粉のダマが残らないように、少し艶が出るまで混ぜる。

小豆餡生地を蒸す

7　準備したせいろに、上質紙を敷いた蒸し物枠を置き、小豆餡生地を流し入れる。

8　表面を平らにならし、約10分間蒸す。

白餡生地を作る

9　ボウルに白漉し餡と卵黄を入れ、泡立て器でしっかり混ぜる。黄色の食用色素で着色する。着色の方法→P.12
❖色素は色を見ながら、少しずつ加える。

10　2〜6と同じ要領で、メレンゲを作って9に混ぜ入れる。ふるった粉類を加え、ゴムべらでさっくりと混ぜ、粉のダマが残らないように、少し艶が出るまで混ぜる。

11　10の生地の約1/3量を取り、本紅色の食用色素で着色する。着色の方法→P.12
❖色素は色を見ながら、少しずつ加える。

蒸して仕上げる

12　蒸した小豆餡生地の上に、黄色に着色した白餡生地の半量を流し入れ、カードでならす。その上に、本紅色の白餡生地を所々にのせる。

13　残りの黄色の白餡生地を流し入れ、表面を平らにする。20分間蒸す。

14　写真が蒸しあがり。熱い間に枠を外し、紙をつけたまま巻きすにのせ、常温で冷ます。

15　冷めれば紙をはがし、端を切り落とし、3等分に切り分ける。
❖包丁についた生地を軽く絞ったぬれ布巾で拭き取りながら作業する。

棹物 ❷

栗蒸し羊羹

歴史は練り羊羹より古く、鎌倉時代に中国から伝来した羹《あつもの》に由来するとか。栗の甘露煮を混ぜ込み、実りの秋を堪能できる素朴な味わい。9月から11月ごろまで作られる。

〈**材料**　12×15×4.5cmの流し缶1台分〉

小豆漉し餡……430g
三温糖……40g
薄力粉……20g
葛粉……7g
水……100ml
栗の甘露煮……100g
栗の甘露煮（飾り用）……15個（Mサイズ）

● **艶寒天**

糸寒天……4g
水……約200ml
グラニュー糖……180g

〈**準備**〉

・糸寒天をたっぷりの水に約6時間つけて戻す。寒天の戻し方→P.116・117

・飾り用の栗の甘露煮を殺菌のために熱くなるまで蒸す。

・流し缶にクッキングペーパーを敷く。右ページの5の写真を参照して、ペーパーを型の底の大きさに合わせてきっちりと折り、型の隅までぴったり敷き込む。

羊羹を作る

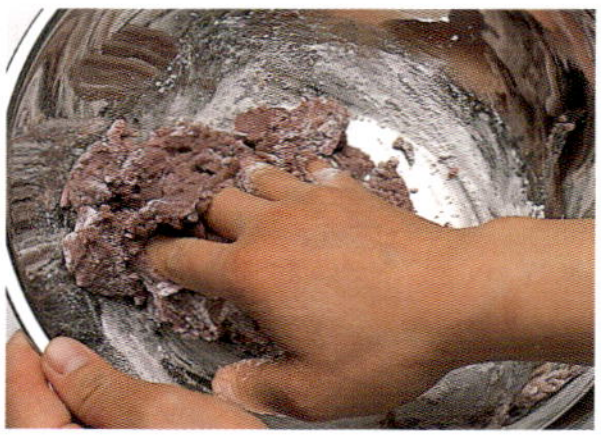

1　小豆漉し餡に三温糖を加え、手でよく混ぜる。混ざったら薄力粉を加えてさらに混ぜる。

2　葛粉を分量の水の1/3量で溶き、1に漉し入れる。残りの水で器についた葛粉をすすぎ、漉しながらボウルに加え、全体を手で混ぜる。

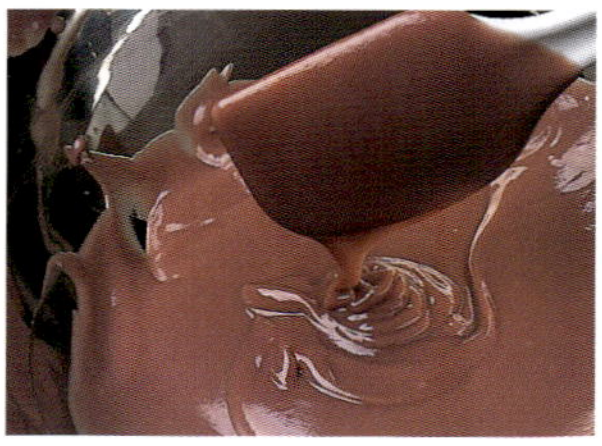

3　生地をすくってたらすと少し山ができ、その形がしばらく残っている程度のかたさにする。

❖かたければ、水を加えて調節する。

4　栗の甘露煮を適当な大きさに割って加え、ゴムべらで全体を混ぜる。

5　せいろに準備しておいた流し缶を置き、4の羊羹生地を流し入れ、中火で約50分間蒸す。
❖強火で蒸すと、羊羹が型から流れ出てしまう。また、十分に蒸さないと、かたくなるのが早い。

6　蒸しあがったら、表面にたまった水分をカードなどで取り除く。

7　羊羹が熱い間に、飾り用の栗の甘露煮をのせる。

艶寒天を作る

8　鍋に戻した糸寒天と分量の水を入れ、火にかけて寒天を煮溶かす。木杓子で液体をすくい上げ、溶け残りがないか確認する。グラニュー糖を加えて溶かす。

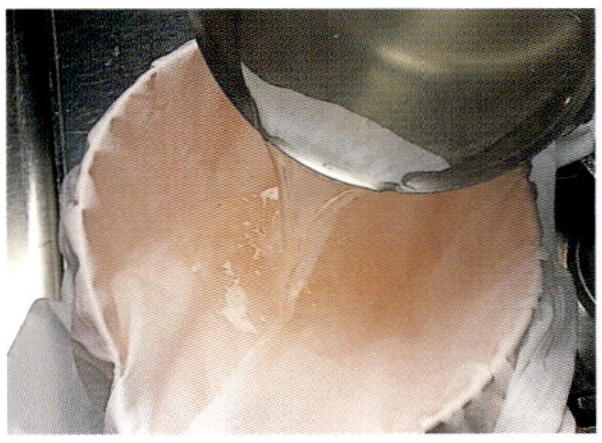

9　さらしで漉して不純物を取り除く。再び熱して102℃まで煮詰め、粗熱を取る。
❖寒天液は102℃まで煮詰めないと濃度がつかず、羊羹にぬった時に中に染み込んでしまう。

仕上げる

10　7の羊羹が冷めれば、9の艶寒天をぬる。
❖羊羹が冷めない間にぬると、寒天が固まらず、流れてしまう。

11　艶寒天が固まれば、流し缶の縁に沿って一文字を差し込んで空気を入れる。両端のクッキングペーパーを持ち上げ、流し缶から取り出す。

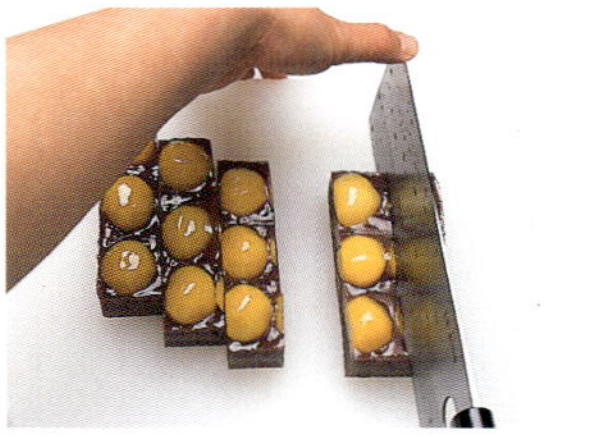

12　15等分に切り分ける。

枠物 ❸

冬のおとずれ

かるかんは、本来山の芋と砂糖を使い、焼酎《しょうちゅう》で風味をつけるしっとりとした食感の菓子。ここでは栗蒸し羊羹と抱き合わせて、初冬を思わせるやわらかな印象に仕上げた。

〈材料　15×15×5cmの蒸し物枠1台分〉

● かるかん生地

山の芋 ……………60g
上白糖 ……………130g
水 …………………70ml
[かるかん粉 ……80g
[イスパタ …………1g

● 栗蒸し羊羹

白漉し餡 …………300g
上白糖 ……………60g
薄力粉 ……………20g
葛粉 ………………10g
水 …………………70ml
水紅色の食用色素 ……………少量
栗の甘露煮 ………150g

〈準備〉

・かるかん粉とイスパタを合わせてふるっておく。
・せいろにぬらしてかたく絞ったさらしを敷いて、15×15×5cmの蒸し物枠を置き、ぬらしたさらしを敷く。

栗蒸し羊羹を作る

1　白漉し餡に上白糖を加え、手でよく混ぜる。さらに薄力粉を加え、粉気がなくなるまで混ぜる。

2　葛粉を分量の水の1/3量で溶き、1に漉しながら加える。残りの水で器についた葛粉をすすぎ、漉しながらボウルに加え、全体を手で混ぜる。

3　水紅色の食用色素で着色する（着色の方法→P.12）。生地をすくってたらすと少し山ができ、その形がしばらく残っている程度のかたさにする。
❖水分が少なめの配合なので、かたければ水を加えて調節する。

4　栗の甘露煮を適当な大きさに割って加え、木杓子で全体を混ぜる。

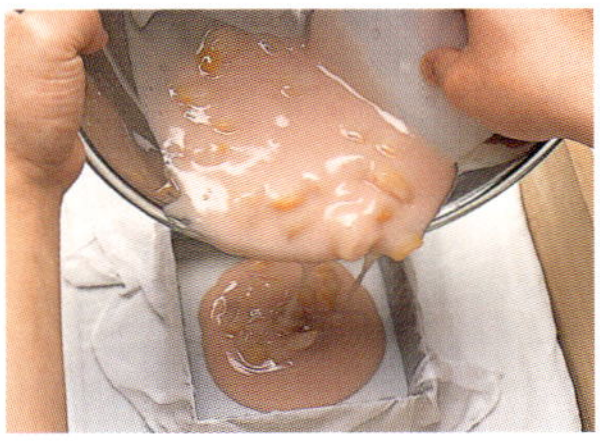

5　準備した蒸し物枠に4を流し入れ、50分間蒸す。

6　蒸しあがったら、表面にたまった水分をカードなどで取り除く。

かるかん生地を作る

7　山の芋の皮をむき、目の細かいおろし金で円を描くようにすりおろす。

8　上白糖を2〜3回に分けて加え、すりこ木ですり混ぜながら、写真のように白くもったりするまで山の芋のこしを抜き、空気を含ませる。

9　分量の水を2〜3回に分けて加え、さらにすりこ木でよく混ぜる。

10　ふるっておいたかるかん粉とイスパタを加えて木杓子で手早く混ぜ合わせ、写真のような状態にする。
❖この状態のまま時間をおくと、粉が水分を吸収して生地がかたくなり、状態が悪くなる。

蒸して仕上げる

11　6の蒸し羊羹が熱い間に、上に10のかるかん生地を流し、約20分間蒸す。常温で冷ます。

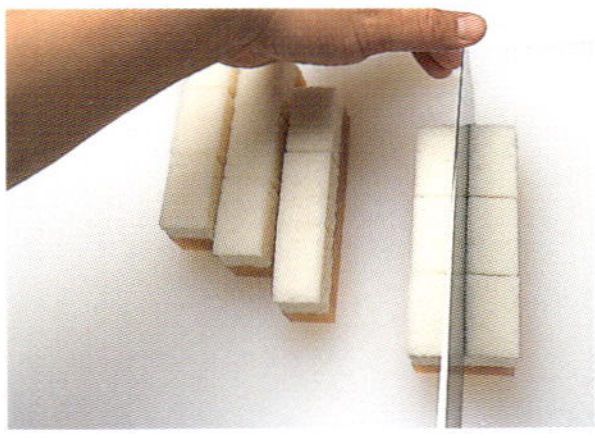

12　枠から外して端を切り落とし、15等分に切り分ける。
❖包丁についた生地を軽く絞ったぬれ布巾で拭き取りながら作業する。

◎かるかん生地は、時間をおくとかたくなって状態が悪くなるため、混ぜあがったらすぐに枠に流し込み、時間をおかずに蒸す。

枠物 4

小夜時雨

豊臣秀吉の朝鮮出兵の折、陶工が伝えた高麗《こうらい》餅《もち》が変化したといわれる。本来はそぼろ生地を時雨《しぐれ》や村雨《むらさめ》というが、材料や製法が異なってもそぼろ生地の菓子をこのように呼ぶ。

〈材料　15×15×5cmの蒸し物枠2台分〉

● 小豆火取り餡

グラニュー糖 …350g
赤生餡（P.17の13） …650g

● 村雨生地

小豆火取り餡 …800g
上白糖 ……50g
上新粉 ……50g
餅粉 ……20g

● 栗入り小倉羊羹

錦玉羹：
- 糸寒天 ……4g
- 水 ……300ml
- グラニュー糖 ‥200g

小豆（乾物） …200g
（上がり目方 …780g）
栗の甘露煮 …160g

〈分割〉

村雨生地 ……200g×4枚（2台分）
栗入り小倉羊羹 ……400g×2枚（2台分）

〈準備〉

・栗入り小倉羊羹用の小豆をゆでる（P.13～15の1～17参照）。
・せいろに乾いたさらしを敷く。

小豆火取り餡を作る

1　鍋にグラニュー糖と赤生餡を1/3量入れる。中火弱の火にかけ、木杓子でかき混ぜながら沸騰させる。

2　全体が沸騰したら残りの赤生餡の半量を加えて練る。再度沸騰したら、残りの赤生餡を加え、餡全体が熱くなるまで練る。

3　餡が完全に手につかなくなるまで水分を飛ばし、かために炊きあげる。

4　バットに小分けにして取り、細かくくずして冷ます。

村雨生地を作る

5　小豆火取り餡800gに上白糖、上新粉、餅粉を加え、粉気がなくなるまで手で混ぜる。写真下のようにダマがなくなるまでしっかり混ぜる。

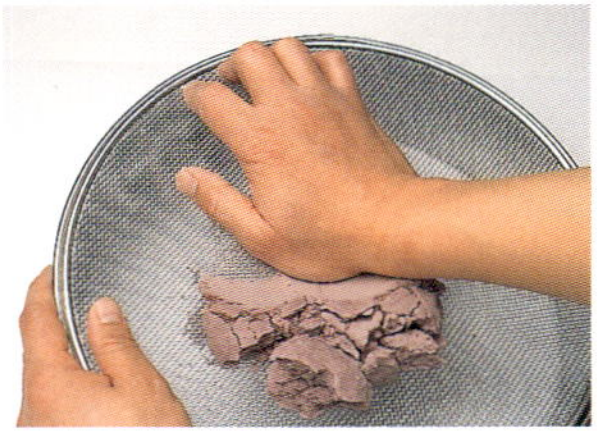

6　上質紙を敷いてそぼろ漉しを置き、5の生地を200gずつ、手の平で一気に押し出して漉す。

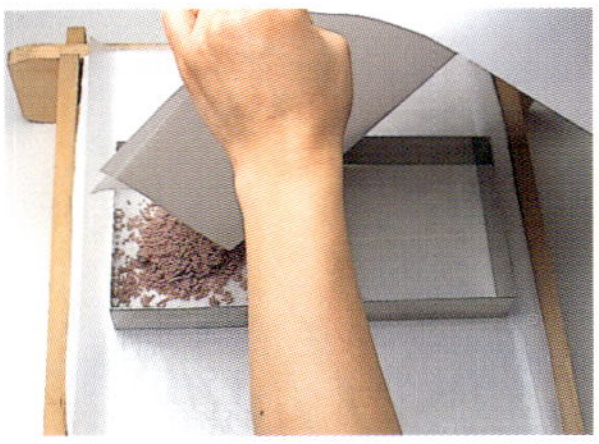

7　準備したせいろにクッキングペーパーを敷き、15×15×5cmの蒸し物枠を置き、6を枠の中に200gずつ入れる。

8　箸で四隅がやや高くなるように広げる。

9　平らな板で押さえ、厚みを均一にする。枠を外し、強火で15～20分間蒸す。7～9をくり返して村雨生地4枚を蒸す。
❖蒸し器のふたに布巾をかませ、水滴が生地の上に落ちないようにする。

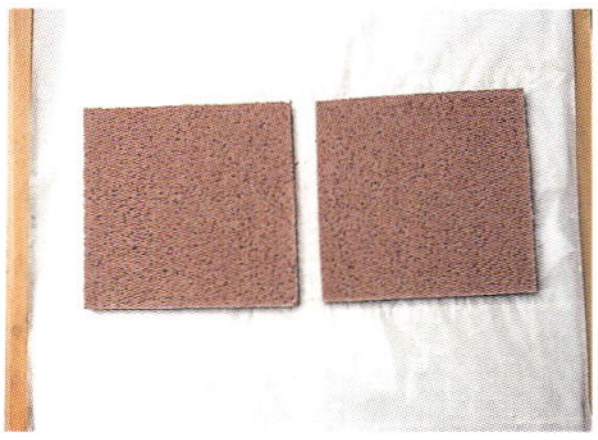

10　蒸しあがれば、板に取ってそのまま冷ます。冷めたら裏返し、2枚は再び枠に入れる。

栗入り小倉羊羹を作る

11　P.116の1～3を参照して錦玉羹を作り、沸騰したら準備しておいたゆで小豆を加える。途中アクを取りながら、上がり目方780gになるまで煮詰める。

12　栗の甘露煮を適当な大きさに割って加え、再度沸騰させる。

13　火から下ろして氷水にあて、ゴムべらで混ぜながら少しとろみがつくまで粗熱を取る。
❖粗熱が取れた後、いつまでも氷水につけて混ぜていると、寒天のこしが切れて固まらなくなる。

仕上げる

14　枠に入れた村雨生地の上に13の羊羹を400g流し入れ、表面を平らにならす。

15 枠に入っていない村雨生地を表を上にしてのせ、板などで均一に押さえる。冷やし固める。

16 好みの大きさに切り分ける。

◎53ページの工程9で村雨生地を板で押さえる際、押す力が強すぎると口当たりがかたくなり、弱すぎると蒸しあげた後でくずれてしまう。
◎ここでは村雨生地2層の間に羊羹をはさんで仕上げたが、村雨生地だけでも菓子に仕立てられる。例えば、生地をもっと薄く蒸し、巻きすで巻いて仕上げてもいい。

枠物 5

外郎粽

端午《たんご》の節供や祇園祭《ぎおんまつり》の行事菓子。古来、真菰《まこも》や茅《ちがや》などの葉は清浄で神聖なものとされ、厄《やく》除《よ》けや食物を包むのに使われた。茅の葉で巻いたところから「ちまき」と呼ばれる。

〈材料　約37本分〉

● 外郎

上新粉……560g
上白糖……620g
葛粉……55g
ぬるま湯……700ml

● 分量外

笹の葉、いぐさ（乾燥）

〈分割〉

外郎……50g

〈準備〉

・いぐさを湯か水につけて戻す。
・笹の葉を水で洗い、表面の汚れを落とす。
・せいろに蒸し物枠（30×30×5cm）を置き、枠にぬらしてかたく絞ったさらしを敷く。

外郎を作る

1　ボウルに上新粉と上白糖を入れ、泡立て器で混ぜる。葛粉を分量のぬるま湯の1/3量で溶き、漉しながら加える。

2　残りのぬるま湯の半量で器についた葛粉をすすぎ、漉しながらボウルに加え、全体をよく混ぜる。
❖一度にぬるま湯を加えるとダマになりやすいので、数回に分けて加える。

3　残りのぬるま湯を加えて混ぜ、泡立て器からさらりと流れ落ちる濃度にする。

4　準備した蒸し物枠に3の生地を流し入れ、20分間蒸す。

5　白く濁った部分が残らないように完全に火を通す。

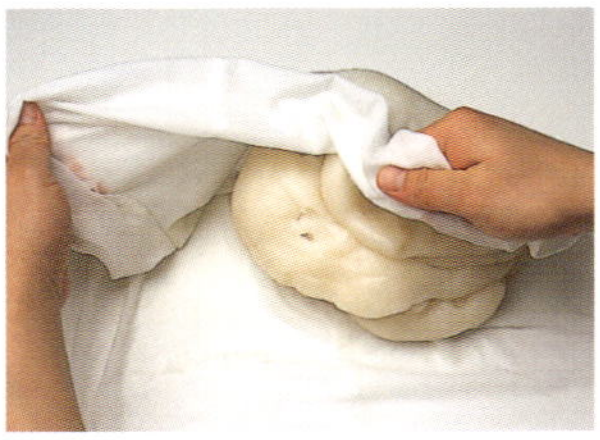

6　蒸しあがったら、さらしごと取り出し、さらしを使ってまとめる。

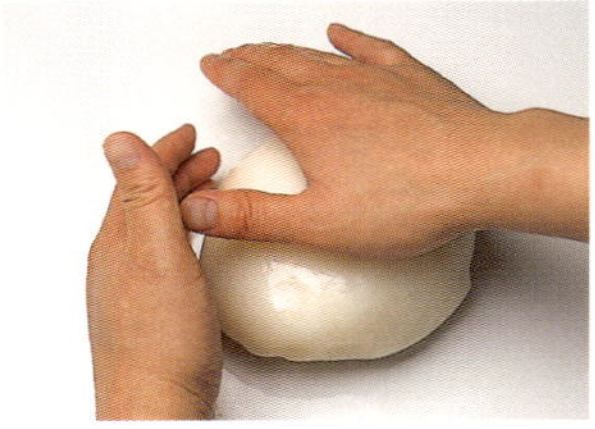

7　水を打った台に移し、表面がなめらかな状態になるまで練る。

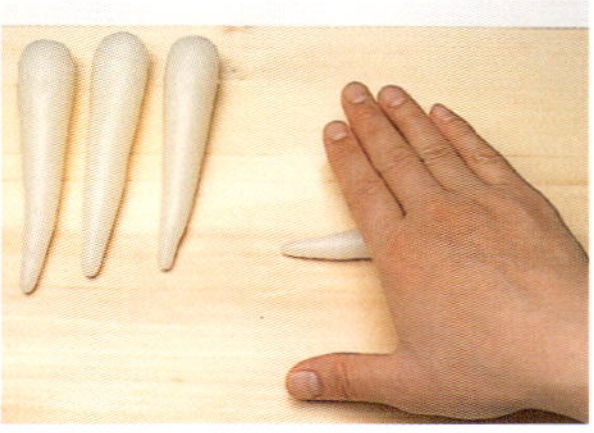

8　手に水をつけながら1個50gずつに分け、長さ約13cmの円錐形に整える。

笹の葉で外郎を包む

9　水気を拭き取った笹の葉3枚を扇形（一番上の葉だけ表にする）に重ね、表にした葉に8の外郎をのせる。ただし、葉の茎側は人差し指の幅程度あけておく。

10　外郎をのせた葉の茎を短く切って目印にする。

11　写真左手の親指と人差し指で笹の軸の元をしめ、葉の右端から巻いていく。

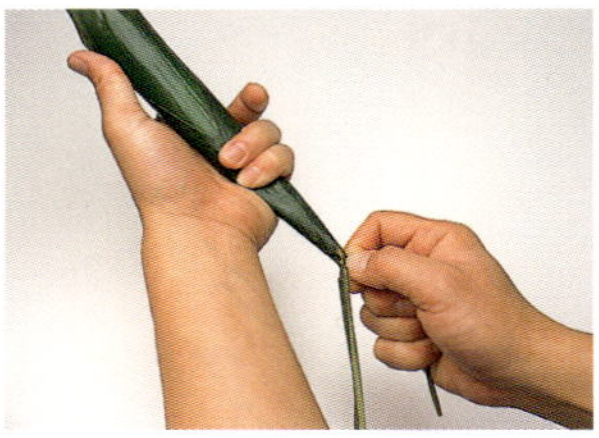

12　目印に短くしておいた茎を引き、たるみがないようにしめる。

13　葉を左右から折り込んで、外郎の上部を親指で押さえる。

14　さらに右側の葉を左へ折り込んで押さえ（写真左）、その上に、左側の葉を右へ折り込んで押さえる（写真右）。

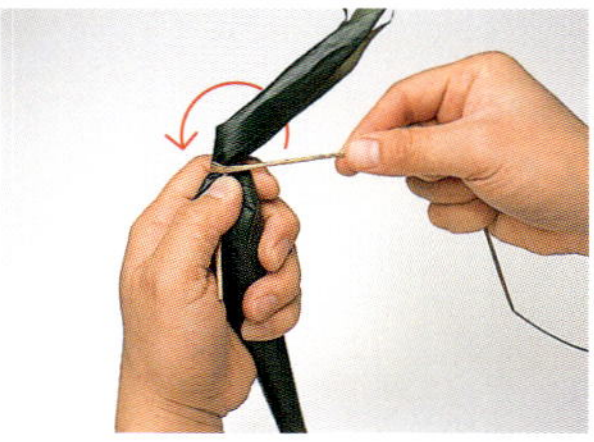

15 折った所に水気をきったいぐさを当て、左まわりにしっかりと2回巻く。

16 葉先を手前に折り、葉のまわりをいぐさで左まわりに巻きあげる。

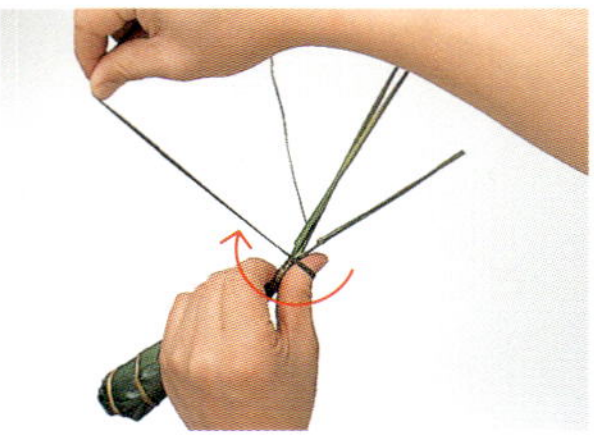

17 巻き終わりを親指に巻きつける。

18 親指に巻きつけて作った輪に、いぐさの先を通して縛る。

蒸して仕上げる

19 せいろに入れ、15分間蒸す。
❖蒸すことにより殺菌できるし、笹の香りもつく。

20 氷水につけて冷まし、外郎に歯ごたえを出す。

21 冷ました粽5本をいぐさで束ねる。

22 いぐさを5本用意し、21の上にあてがう。

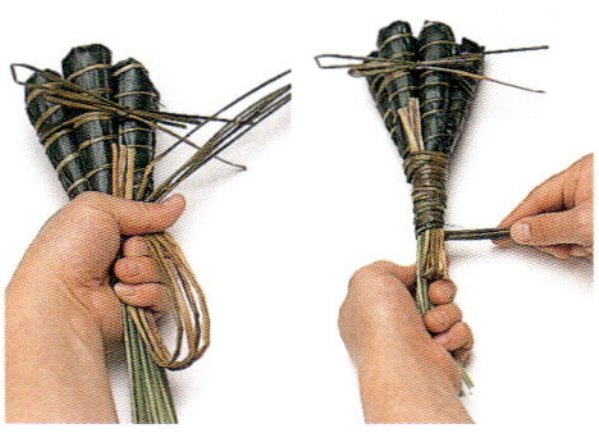

23 いぐさで輪を作り（写真左）、いぐさの先を約5cm残し、親指の側から2回巻いたら、指を離しながらたるまないようにしっかりと巻きあげる（写真右）。

24 いぐさの巻き終わりを輪に通す。

25 5cm残しておいたいぐさを引っ張ってしめる。余分な笹の茎といぐさを切る。

枠物 6

夏越し

水《み》無《な》月《づき》晦《みそ》日《か》の「夏《な》越《ご》しの祓《はら》え」に因む菓子。赤色が邪気払いとなるため小豆を散らし、氷《ひ》室《むろ》の氷を象《かたど》って三角形に仕上げた。

〈**材料** 18×18×4.5cmの蒸し物枠1台分〉

薄力粉	200g
上用粉	20g
浮き粉	10g
上白糖	350g
水	590ml
小豆の蜜漬け（右ページ）	200g

生地を作る

1　ボウルに薄力粉、上用粉、浮き粉、上白糖を入れてよく混ぜ合わせる。
❖応用：ここで抹茶を加えると、抹茶風味の生地ができる。

2　分量の水の半量を少しずつ加えながら泡立て器で混ぜる。
❖水を一度に加えると、粉類がダマになってしまう。

3　残りの水を加え、しっかりと混ぜる。

蒸す

4　せいろにぬらしてかたく絞ったさらしを敷いて、蒸し物枠（18×18×4.5cm）を置き、枠にぬらして軽く絞ったさらしを敷く。

5　生地を50ml残して枠に流し入れ、40分間蒸す。

6　蒸しあがったら、表面にたまった水分をカードで取り除く。

❖水分が残っていると、あとで表面がひび割れる。

仕上げる

7　小豆の蜜漬けを散らす。

8　残しておいた50mlの生地を均一に流し入れ、さらに10分間蒸す。

9　冷めたら枠から外し、まず対角線で4等分に切り分ける。

10　三角形になるように16等分に切り分ける。

●小豆の蜜漬けの作り方

〈材料　作りやすい分量〉

水1.5ℓ／グラニュー糖1.5kg／
水飴100g／ゆで小豆（P.15の17）1.4kg

[1日目]

1　鍋に分量の水とグラニュー糖500gを入れ、沸騰させてシロップを作る。

2　ゆで小豆を加え、沸騰すれば火を止めて、紙蓋をして表面が乾かないようにして一晩おく。

[2日目]

3　豆を引き上げ、シロップにグラニュー糖500gを加えて沸騰させ、火を止める。豆を戻し入れ、沸騰させ、紙蓋をして一晩おく。

[3日目]

4　豆を引き上げ、シロップにグラニュー糖500gと水飴を加えて沸騰させ、火から下ろして豆を戻し入れ、紙蓋をして一晩おく。

わらび餅

わらびや葛の根は、飢饉《ききん》の際の大切な食料として貧しい人々の命をつないだ。今では数が少ないため、高価な材料。夏向きの菓子。

〈**材料** 36×18×厚さ約1cm大1枚分〉

● 生地

わらび粉……………………………200g
水 …………………………………800ml
上白糖………………………………400g

● 分量外

きな粉（手粉）

〈**準備**〉

・せいろにぬらしてかたく絞ったさらしを敷き、36×18×3.5cmの羊羹舟を置く。

生地を作る

1　わらび粉に分量の水の1/3量を入れて溶き、漉しながら鍋に入れる。残りの水で器についたわらび粉をすすぎ、漉しながら鍋に加える。

2　上白糖を加え、全体がなじむように泡立て器で混ぜ、中火にかける。

3　鍋底からしっかり混ぜながら練る。写真のようにかたまりができてきたら、弱火にするか、または火を止めて混ぜ続ける。

❖火加減が強いと生地に粘りが出て、流しにくくなる。

4　かたまりがなくなり、写真のように少しとろみがつく状態まで練る。

5　準備した羊羹舟に生地を1cm強の厚みに流し入れ、1時間蒸す。そのままおいて粗熱を取り、冷蔵庫に入れて冷やす。

仕上げる

6　きな粉の手粉に生地を取り出す。

7　上からもきな粉をかけて全体にまぶす。

8　好みの大きさに切り分ける。

◎葛粉で作る菓子は、冷蔵庫に30分以上入れると葛が老化してかたくなってしまうが、わらび粉で作る菓子は、冷蔵庫で冷やしてもかたくならない。
◎黒蜜をかけて食べるのもよい。

葛桜

葛独特のつるりとした食感を楽しめる夏向きの菓子。桜の青葉が瑞々《みずみず》しさを引き立てる。本返《ほんがえ》しでは作業しにくいので半返《はんがえ》しで作る。

〈材料　約30個分〉

● **葛生地**

葛粉 ··········· 100g

水 ············ 500ml

上白糖 ········· 250g

● **中餡**

小豆漉し餡 ····· 600g

● **分量外**

桜の葉

〈分割〉

中餡（小豆漉し餡）························ 20g

〈準備〉

・せいろにぬらしてかたく絞ったさらしを敷く。

・中餡用の小豆漉し餡を1個20gずつに分けて丸め、手の平にのせ、片側を押さえ（写真左）、写真右のような形にする。

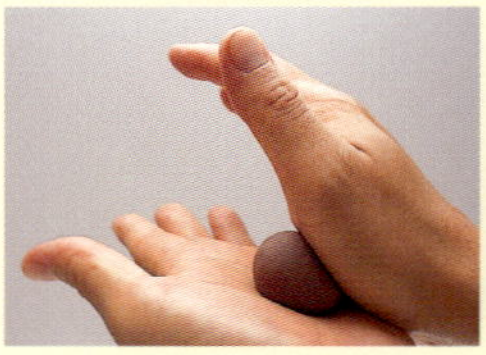

葛生地を作る

1　葛粉を分量の水の1/3量で溶き、漉しながら鍋に入れる。残りの水で器についた葛粉をすすぎ、漉しながら鍋に加える。

2　上白糖を加え、全体がなじむように木杓子で混ぜ、火にかける。鍋底からよく混ぜながら練る。写真のように所々固まりかけたら、火から外す。

3　余熱で素早く練り、全体をなめらかにする。写真のような状態（＝半返し）になるまで練る。

❖火を通しすぎると生地がかたくなり、作業しにくくなる。

分割・包餡する

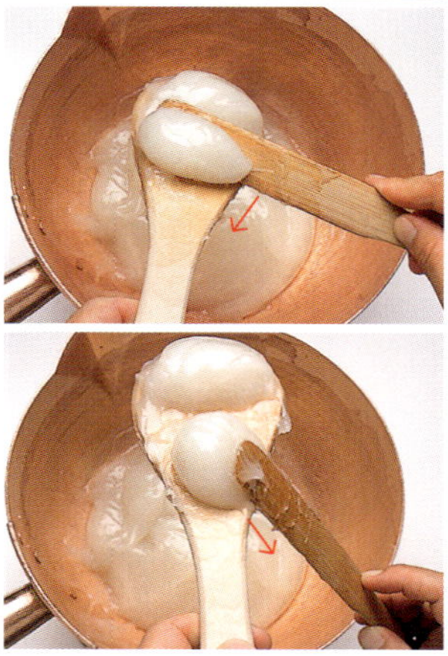

4　竹べらと木杓子を使い、ピンポン玉くらい（約20g）の大きさにまとめる。

5　水をつけた手で生地を取る。

6　準備しておいた片側を押さえた中餡の厚みのある方に生地をのせる。

7　生地を下にのばして餡をおおう。

8　手の平にのせ、余分な生地を手で寄せて切り落とす。

❖余分な生地が多く残らないように包む。生地を切り落とすと同時に、口をしっかり閉じる。

9　上から水をかけ、生地の手離れをよくする。

蒸して仕上げる

10　準備したせいろに移し、葛全体が透明になるまで強火で蒸す。

❖蒸しすぎると生地に割れ目が入り、餡が白っぽくなってしまう。

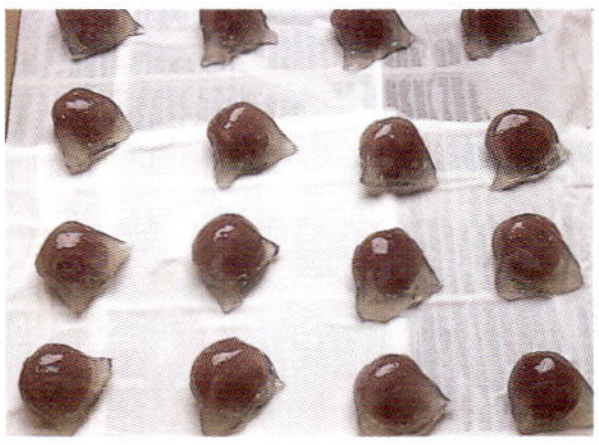

11　写真のように葛が透明に蒸しあがったら、せいろに入れたまま冷ます。

12　完全に冷めたら、桜の葉で包む。

葛物 ❷

葛饅頭

代表的な葛菓子で、見た目に涼しく、夏の茶席菓子には欠かせない。葛の香りを損なわないよう香りの強いものは生地に入れない。ここでは作業しやすい半返《はんがえ》しで作る。

〈材料　約30個分〉

● 葛生地

葛粉……110g
水……500ml
上白糖……250g
カップリングシュガー……120g

● 紅餡

白漉し餡：
- グラニュー糖……300g
- 水……適量
- 白生餡……500g

水紅色の食用色素……少量

● 抹茶餡

- 抹茶……6g
- 熱湯……50ml

白漉し餡：
- グラニュー糖……300g
- 水……適量
- 白生餡……500g

〈分割〉

生地……25g
中餡（紅餡、抹茶餡）……各15g

〈準備〉

・せいろにぬらして軽く絞ったさらしを敷く。

紅餡を作る

1　P.23～24の13～15を参照して白漉し餡をやわらかめに炊く。

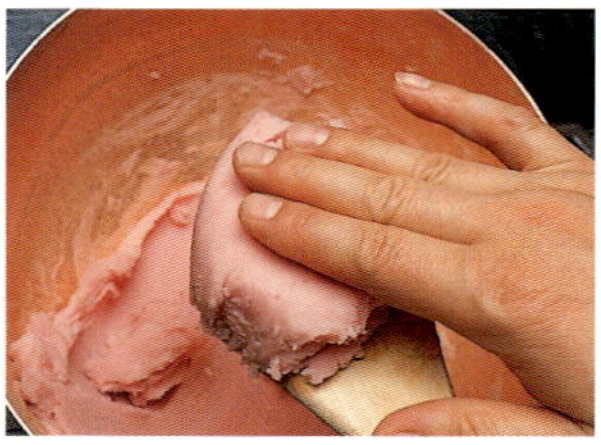

2　水紅色の食用色素で着色する（着色の方法→P.12）。木杓子でたえずかき混ぜながら、手につかなくなるかたさまで炊く。バットに取り、ぬらしてかたく絞ったさらしをかけ、常温で冷ます。15gの餡玉に分割する。分割の方法→P.10

抹茶餡を作る

3　抹茶に分量の熱湯を加え、茶筅でダマができないように溶く。1と同様に白漉し餡をやわらかめに炊き、溶いた抹茶を加える。

4　木杓子でたえずかき混ぜながら、手につかなくなるかたさまで炊く。バットに取り、ぬらしてかたく絞ったさらしをかけ、常温で冷ます。15gの餡玉に分割する。分割の方法→P.10

葛生地を作る

5　葛粉を分量の水の1/3量で溶き、漉しながら鍋に入れる。残りの水で器についた葛粉をすすぎ、漉しながら鍋に加える。

6　上白糖とカップリングシュガーを加え、全体がなじむように木杓子で混ぜる。火にかけて、鍋底からしっかり混ぜながら練り、写真のように半分くらい固まりかけたら、火を止め、余熱で素早く練る。

7　写真のように全体が白濁して、もったりとなめらかになるまで練る。＝半返し

分割・包餡する

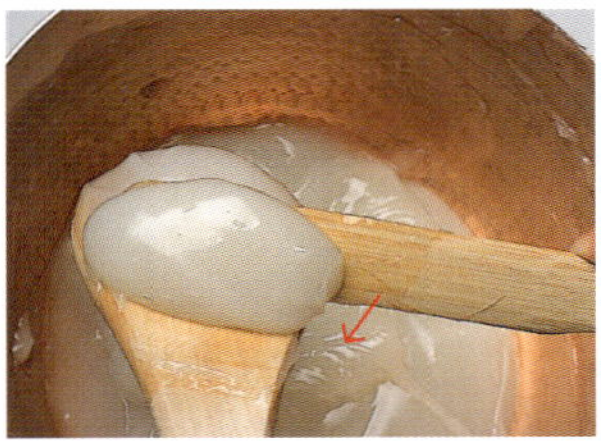

8　竹べらと木杓子を使ってピンポン玉くらいの大きさにまとめる。

9　8を竹べらでポリシートの中央に1個ずつ置く。ポリシートごと手の平にのせ、餡玉をのせて少し押し込む。

10　ポリシートを使って生地を寄せて餡を包み、シートの端を絞り、ワイヤー入りリボンでとめる。

11　氷水に入れて冷やし固める。

蒸して仕上げる

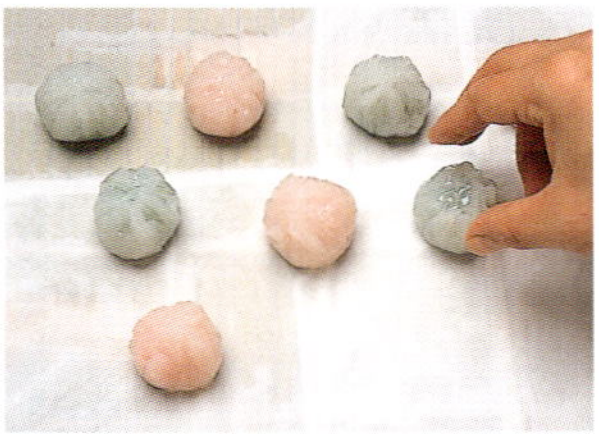

12　ポリシートを外し、準備したせいろに間隔をあけて並べる。全体が透明になるまで7〜8分間蒸す。そのまま常温で冷まし、粗熱が取れたら巻きすに移して冷ます。

◎葛生地は冷めるとかたくなるため、生地が温かい間に分割・包餡する。
◎食べる直前の30分間冷蔵庫に入れるとおいしく食べられるが、それ以上冷やすと、葛が老化してかたくなってしまう。

葛物 3

葛焼き

葛のおいしさが率直に出る素朴な菓子。シンプルなだけに、素材の質、練り加減、蒸し加減、切り方などがそのまま現れる。夏から秋にかけてよく作られる。

〈材料　12×15×4.5cmの流し缶1台分〉

● 生地

葛粉……85g
水……420ml
グラニュー糖……210g
小豆漉し餡……210g

● 分量外

上用粉または片栗粉（手粉）、ショートニング

〈準備〉

・せいろにぬらして軽く絞ったさらしを敷く。
・平鍋を弱火で温めておく。

生地を作る

1　葛粉を分量の水の1/3量で溶き、漉しながら鍋に入れる。残りの水で器についた葛粉をすすぎ、漉しながら鍋に加える。

2　グラニュー糖を加えて混ぜる。小豆漉し餡を小さく割って加える。

3　泡立て器で混ぜて全体をなじませ、火にかける。鍋底からしっかり混ぜながら練り、写真のように少しとろみつける。

蒸す

4 流し缶（12×15×4.5cm）を水でぬらして3の生地を流し入れ、準備したせいろに入れて表面を平らにし、50分間蒸す。

焼いて仕上げる

5 水でぬらしたカードで表面の水分や凹凸を取り除き、流し缶の縁に沿ってカードを底まで差し込み、生地を離す。約1日常温におき、しっかり固める。

❖葛のでんぷんは老化しやすいので、夏場でも冷蔵庫に入れてはいけない。

6 流し缶から取り出す。

7 細くて丈夫なワイヤーを板に張り、ワイヤーで4.5×2.5cmに切り分ける。

8 表面に手粉（上用粉または片栗粉）をつけ、余分な粉をはらう。

9 温めておいた平鍋にショートニングを均一に薄くぬる。8をのせ、6つの面の表面を順にさっと焼く。

❖転がすようにしながら狭い4面を焼き、それから広い2面を焼くとよい。

10 焼きあがったら巻きすの上に移し、冷ます。

◎蒸す前の生地（工程3）の火の通し方で、仕上がりの食感が変わる。半返しにすると少しかたくなり、本返しにすると若干やわらかくなる。

◎ここではグラニュー糖を使ったが、砂糖の種類を変えるとまた違った風味が楽しめる。

餅菓子

餅物

みたらし団子

柏餅

関西風桜餅

草餅

いちご大福

おはぎ

練り物

はなびら餅

うぐいす餅

餅菓子

餅物 1

みたらし団子

京都下鴨《しもがも》神社の神饌《しんせん》菓子として始まったみたらし団子。たれに昆布の風味を加えて。胡麻団子は和三盆糖を混ぜて上品に、餡団子は餡の甘味を控えて小豆の風味を引き出す。

〈材料　18本分〉

● 生地

上新粉 ········500g
ぬるま湯 ······400ml

● 醤油だれ
（みたらし団子用）

┌ 昆布 ··········15g
└ 水 ··········600ml
上白糖 ·········400g
水飴 ············30g
濃口醤油 ······100ml
┌ 葛粉 ··········50g
└ 水 ··········150ml

● まぶし粉
（胡麻団子用）

黒胡麻 ·········150g
和三盆糖 ·······300g

● 葛だれ（胡麻団子用）

葛粉 ············25g
水 ············400ml
グラニュー糖 ···200g

● 餡（餡団子用）

小豆粒餡（やわらかめ）
················500g

〈準備〉

・鍋に醤油だれの材料の水600mlと昆布を入れて一晩おく。
・せいろにぬらしてかたく絞ったさらしを敷く。

醤油だれを作る

1　水につけておいた昆布を鍋ごと火にかけ、沸騰直前に昆布を引き上げる。
❖昆布は長く煮るとえぐみが出てくるので、沸騰直前に引き上げる。

2　上白糖と水飴を加えて溶かす。濃口醤油を加え、沸騰させる。
❖醤油を加えたら長く煮ない。香りが飛んでしまう。

3　葛粉を水150mlでよく溶いて、目の細かい裏漉し器で漉し、木杓子で混ぜながら鍋に加える。
❖水溶き葛粉は鍋中を混ぜながら少しずつ加える。慣れないうちは、火を止めて加えるとダマになりにくい。

4 水溶き葛粉を加えた後は、必ずいったん沸騰させる。写真は沸騰後のたれの状態。

❖沸騰させないと、粉臭さが残るし、固まり方が弱くなる。

生地を作る

5 上新粉にぬるま湯400mlを加え、しっかりと手で混ぜる。写真が混ぜあがりの状態。

6 準備したせいろに生地を小分けにして並べる。これを20分間蒸す。

❖生地の大きさや火加減によって蒸す時間は多少変わる。

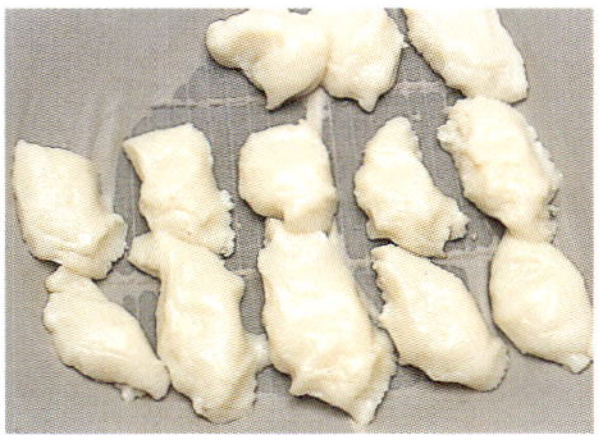

7 蒸しあがった生地。

❖蒸しあがりの目安は、写真のように生地が半透明になり、中心を食べてみてざらつきがなければよい。

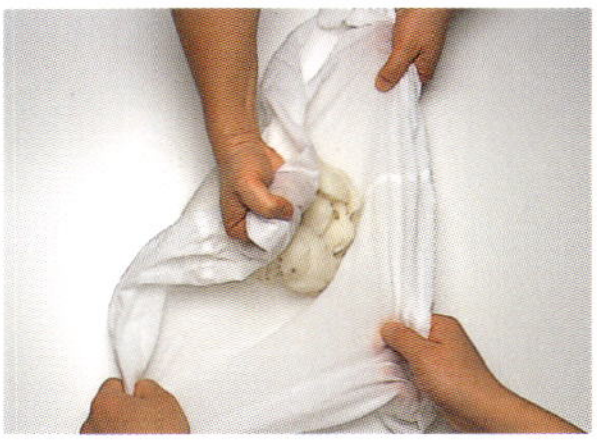

8 さらしごと取り出し、さらしを使って表面がなめらかになるまでしっかり練る。

❖さらしの四隅を使い、生地の真ん中を交互に突くようにして練る。

9 生地を冷水につけて冷ます。

❖急冷すると弾力が出て、歯ごたえがよくなる。

10 生地を取り出し、水をかけて調節しながら、耳たぶぐらいのかたさになるまで練る。

成形する

11 生地を太さ約3cmの棒状にのばし、三角棒で転がしながら球状に成形して切る。これを竹串に刺す。

球断器で団子を作る場合

10の生地を適当な太さの棒状にのばし、球断器の上にのせ、蓋をして前後に動かすと、均一な大きさの団子が作れる。

仕上げる

12 団子を網の上で直火で焼き、きれいな焼き色をつける。

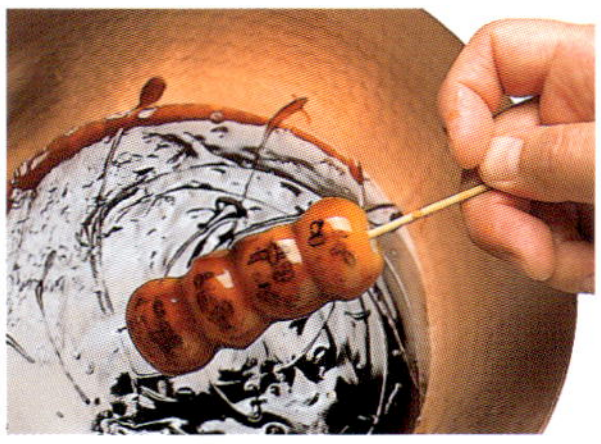

13 醤油だれをつけて仕上げる。

胡麻団子
【みたらし団子の応用1】

1 黒胡麻は手鍋で煎って香りを引き出す。胡麻がぱちぱちとはじけるぐらいまで煎る。すり鉢に移し、適度にすりつぶす。

2 和三盆糖を加え、混ぜ合わせる。

3 葛だれ：葛粉を分量の水でよく溶き、目の細かい裏漉し器で漉す。グラニュー糖を加え、火にかけて沸騰させ、写真のようなとろみをつける。

4 串に刺した団子の表面に、刷毛で葛だれをぬる。

❖葛だれは冷めると固まるので、熱い間にぬる。

5 団子に2のまぶし粉をまぶしつける。

餡団子
【みたらし団子の応用2】

1 やわらかめに炊きあげた小豆粒餡を竹べらですくい、串に刺した団子にぬる。

柏餅

一般に、小豆漉し餡と味噌餡の2種類を作るが、一方の生地を着色したり、柏の葉を裏返して包んだりして区別する。白玉粉を使って食感よく。

〈材料　33個分〉

● 生地

上新粉……………………………500g
餅粉………………………………50g
水…………………………………500ml
白玉粉……………………………50g
水…………………………………75ml

● 中餡

小豆漉し餡………………………480g
味噌餡：
白漉し餡…………………………350g
水…………………………………約80ml
上白糖……………………………40g
白味噌……………………………50g

● 食用色素

黄色……………少量

● 分量外

柏の葉

〈分割〉

生地………………………………35g
餡玉（小豆漉し餡、味噌餡）……各15g

〈準備〉

・せいろにぬらしてかたく絞ったさらしを敷く。
・中餡用の小豆漉し餡を1個15gずつに分けて丸め、餡玉を作る。

味噌餡を作る

1　鍋に白漉し餡、水、上白糖を入れ、中火にかけて並餡程度に炊く。

2　白味噌を加え、並餡程度まで炊き直す。
❖味噌を加えたら長く火にかけない。味噌の風味がなくなってしまう。

3　木杓子ですくって手でさわり、手に餡がつかないぐらいまで炊きあげる。小分けにして冷まし、15gに分割して丸め、餡玉を作る。分割の方法→P.10

生地を作る

4　上新粉と餅粉をよく混ぜ合わせ、水500mlを加えて手でしっかりと混ぜる。写真が混ぜあがりの状態。

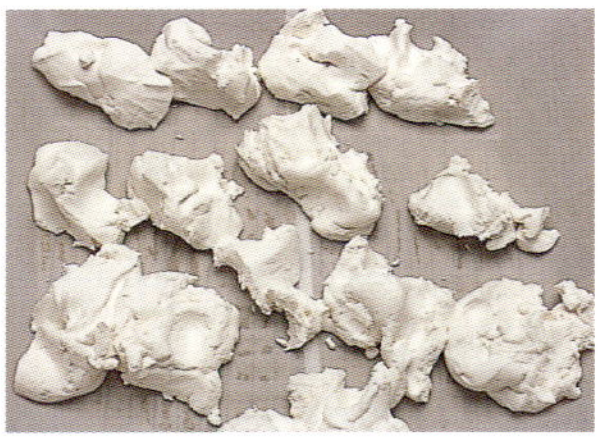

5　準備したせいろに生地を小分けにして並べる。これを20分間蒸す。
❖生地の大きさや火加減によって蒸す時間は多少変わる。

6　蒸しあがった生地。
❖蒸しあがりの目安は、写真のように生地が半透明になり、中心を食べてみてざらつきがなければよい。

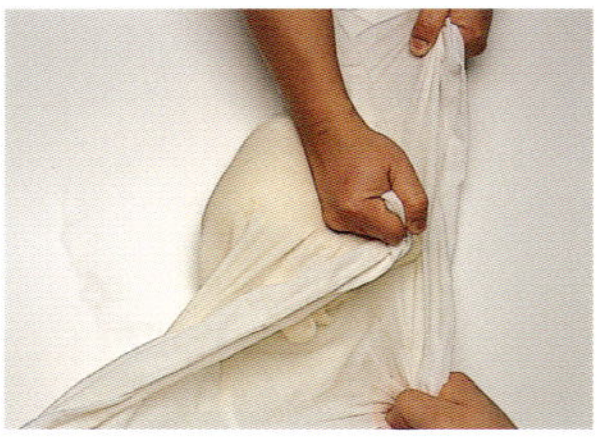

7　さらしごと取り出し、さらしを使ってなめらかになるまでしっかり練る。
❖さらしの四隅を使い、生地の真ん中を交互に突くようにして練る。

8　生地を冷水につけて冷ます。
❖急冷すると生地に弾力が出て、歯ごたえがよくなる。

9　ボウルに白玉粉を入れ、水75mlの一部を加える。よく練って耳たぶくらいのかたさにし、ダマを完全につぶしてなめらかにする。

10　残りの水を加えて溶きのばし、ここに冷ましておいた8の生地を加え、しっかりと混ぜ込む。引っ張ると少しのびるような状態になるまで混ぜる。

分割・包餡する

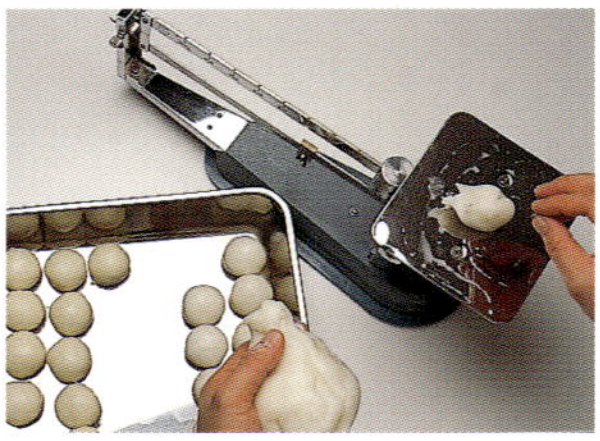

11　生地を半分に分ける。片方を味噌餡用に黄色の食用色素で薄く着色する（着色の方法→P.12）。それぞれ35gに分割する。分割の方法→P.10

12　手に水をつけ、生地を俵形に成形する。

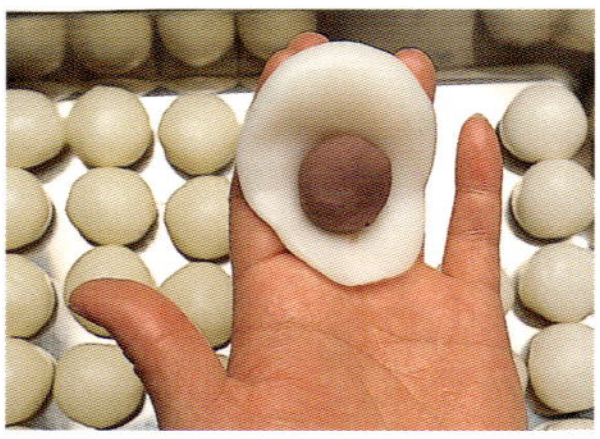

13　生地を手の平で押さえて、手前2/3が薄く、向こう側1/3が厚くなるようにのばし、餡玉をのせる。（味噌餡の餡玉は、同様にして黄色で薄く着色した生地で包む。）

14　指で生地の端を引っかけるようにして半分に折りたたむ。

15　手の平の側面を使い、生地の合わせ目をしっかり押さえて閉じる。

蒸して仕上げる

16 準備したせいろに並べる。これを6〜7分間蒸すが、途中2〜3回蓋を開ける（＝泡切り）。

❖途中で蓋を開けて温度を下げないと、生地の表面に細かい穴があいてしまう。

17 蒸しあがれば、すぐに上から冷水をかけて冷ます。

❖冷水をかけると艶が出る。

18 全体が冷めて表面の水気がなくなったら、ぬらしてかたく絞ったさらしをかけて裏返し、底も冷ます。

19 柏の葉で巻く。

❖完全に冷めてから葉を巻く。熱がある間に巻くと、葉が生地にくっついてしまう。

関西風桜餅

桜葉の香りがほんのり漂う春を代表する餅菓子。関西では道明寺粉を使うのが一般的だが、もち米で作る方法も。春の深まりとともに色を濃くする。餅生地のため、日持ちはしない。

〈**材料**　約45個分〉

● **生地**

ぬるま湯 ……720ml

水紅色の食用色素 ……少量

道明寺粉（四つ割）……525g

上白糖 ………105g

● **中餡**

小豆粒餡 ……675g

● **分量外**

上白糖、桜の葉の塩漬け

〈**分割**〉

生地 ……………30g

餡玉（小豆粒餡）……………15g

〈**準備**〉

・シロップを作る。上白糖（分量外）1：水2を合わせ、火にかけて砂糖を溶かし、冷ます。

・中餡用の小豆粒餡を1個15gずつに分けて丸め、餡玉を作る。

・せいろにぬらしてかたく絞ったさらしを敷く。

・桜の葉の塩漬けは、軸を持ってふり洗いして塩分を洗い流し（写真）、水気をきる。

生地を作る

1　分量のぬるま湯を水紅色の食用色素で薄いピンク色に着色し（着色の方法→P.12）、道明寺粉を加える。色むらができないように木杓子でしっかり混ぜる。

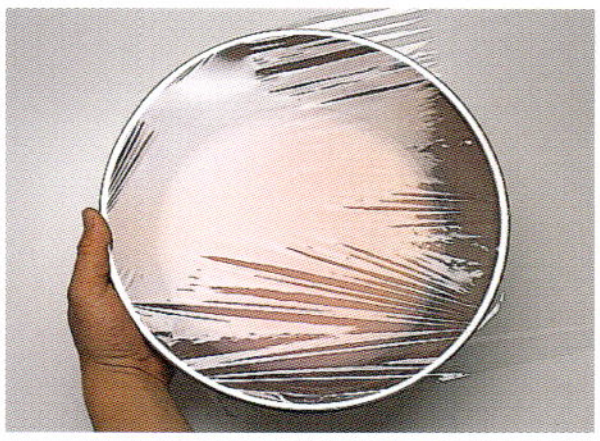

2　ラップフィルムで密閉し、水分がなくなるまで15～20分間蒸らす。写真下が蒸らしあがり。

3　準備したせいろに道明寺粉を移す。これを強火で20分間蒸す。

4　ボウルに移して上白糖を加え、道明寺粉の粒をつぶさないように混ぜる。

5　ぬらしてかたく絞ったさらしの上に移し、粗熱を取る。

分割・包餡して仕上げる

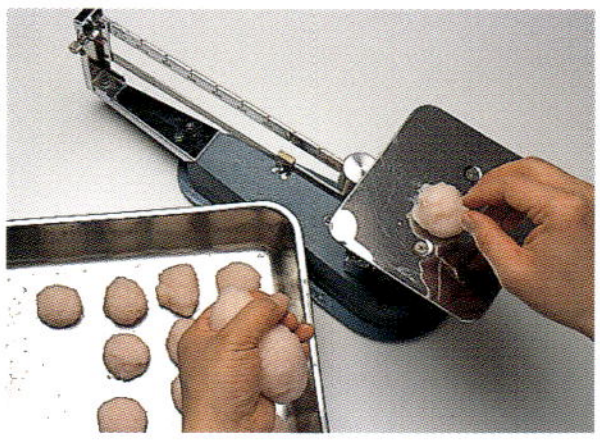

6　手に準備したシロップをぬり、生地を軽く折りたたんで分割しやすいようにまとめ、30gに分割する。分割の方法→P.10

❖生地が冷めない間に作業する。冷めるとかたくなってしまう。

7　生地を手の平の親指の下あたりで押さえて平らにし、餡玉をのせる。包餡の方法→P.10

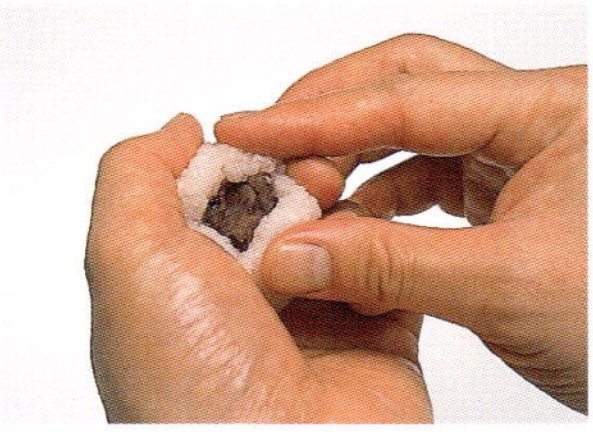

8　指先で生地の口をすぼめるようにして包む。

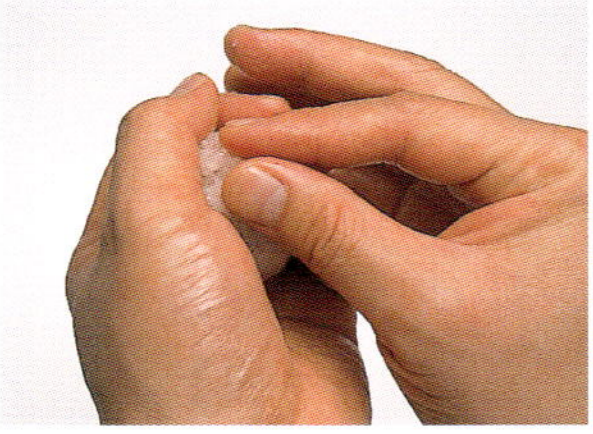

9　親指と人差し指でしっかり押さえ、口を閉じる。

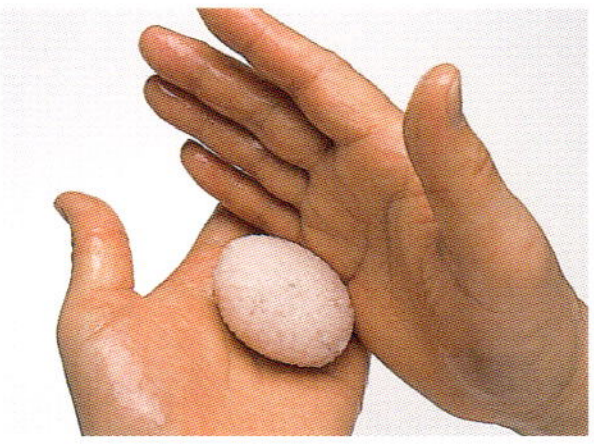

10　俵形に成形する。

11　塩分を抜いておいた桜の葉の表側に10をのせ、巻く（葉の裏側が表にくる）。

草餅

若草色やよもぎの香りが春を思わせる。もとは母子草《ははこぐさ》（御形《ごぎょう》）で作り、雛節供に邪気《じゃき》払いとして供えた。餅とはいうが、うるち米の粉を蒸して生地を作る。

〈**材料** 30個分〉

● 生地

上新粉 ･････････350g
餅粉 ････････････90g
上白糖 ･･････････80g
ぬるま湯 ･･････530ml
よもぎ（冷凍）････25g

● 中餡

小豆粒餡 ･･･････550g

● 分量外

上白糖、きな粉

〈**分割**〉

生地 ･････････････････････････････････28g
餡玉（小豆粒餡）･･････････････････････18g

〈**準備**〉

・中餡用の小豆粒餡を1個18gずつに分けて丸め、餡玉を作る。
・シロップを作る。上白糖（分量外）1：水2を合わせ、火にかけて砂糖を溶かし、冷ます。
・せいろに蒸し物枠（30×30×5cm）を置き、ぬらしてかたく絞ったさらしを敷く。
・よもぎを解凍し、水気をきる。

生地を作る

1　上新粉、餅粉、上白糖をよく混ぜ合わせ、分量のぬるま湯から約450mlを加え、泡立て器でしっかりと混ぜ、ダマを溶きのばす。

2　残りのぬるま湯を加え、写真のように泡立て器からとろとろと流れ落ちる状態になるまで混ぜる。

3　準備した蒸し物枠に生地を流し入れ、25分間蒸す。

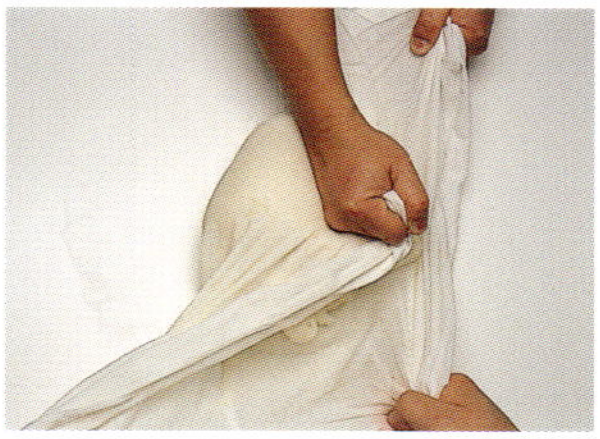

4 さらしごと取り出し、さらしを使って生地がなめらかになるまでしっかり練る。
❖さらしの四隅を使い、生地の真ん中を交互に突くようにして練る。

5 手と台の上に準備したシロップをぬり、生地を置く。準備したよもぎをのせ、全体に行き渡るように混ぜる。

分割・包餡して仕上げる

6 手にシロップをつけ、生地を28gに分割する。分割の方法→P.10
❖生地が冷めない間に作業する。冷めるとかたくなってしまう。

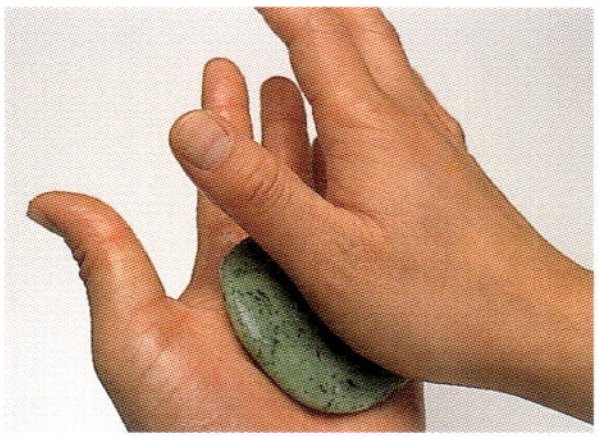

7 手にシロップをつけ、手の平の親指の下あたりで押さえて平らにする。包餡の方法→P.10
❖シロップをつけすぎると、生地がすべって包餡しにくくなる。

8 生地に餡玉をのせる。

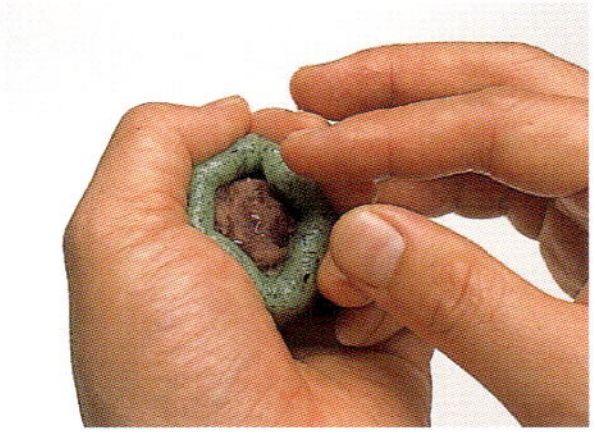

9 指先で生地の口をすぼめるようにして包む。

10 親指と人差し指でしっかり押さえ、口を閉じる。
❖完全に生地同士をつけておかないと、時間がたつとひび割れができる。

11 中指と人差し指で閉じ口を少しはさんでつまみ上げ、くわいの形にする。

12 バットにきな粉を薄く引き、できあがった草餅を置く。
❖直接置くと、生地がバットにくっついてしまう。

いちご大福

ここで使ういちごは、甘味の強いものより、少し酸味勝ちの方が、餡の甘さを引き立てる。餅生地は日持ちしないので、できるだけ作りたてを提供したい。

〈材料　40個分〉

● 生地
もち米 ········1000g
上白糖 ·········100g

● 中餡
小豆粒餡 ····約800g
いちご ··········40個

● 分量外
片栗粉（手粉）

〈分割〉

生地 ·······································35g
餡玉（小豆粒餡＋いちご）······いちご込みで30g

〈準備〉

・もち米を洗い、たっぷりの水につけて一晩おく。
・せいろに餅網を敷く。
・いちごはへたを取り、小豆粒餡で包んで1個30gの餡玉を作る。

生地を作る

1　水につけたもち米をざるにあけて水気をきり、準備したせいろに移して中央に蒸気の通り穴をあける。この状態で50分間蒸す。

2　もち米を指先でつまんで、芯がなくなっていれば蒸しあがり。

3　蒸したもち米が熱い間に餅搗き機に移し、写真下のようにきめが細かくなめらかになるまで搗きあげる。これをせいろに移して20分間蒸す。
❖2度蒸すことで、生地のこしが抜けてなめらかになる。

4　再度蒸した生地を餅搗き機に戻す。

5　上白糖を少しずつ加えながら搗く。途中で熱湯を適宜加えてかたさを調節する。

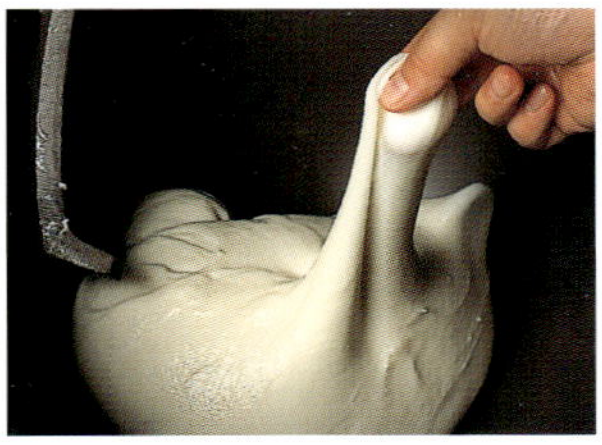

6　写真のように、よくのびる状態になるまで搗く。

分割・包餡して仕上げる

7　生地を手粉（片栗粉）に取り、手粉が生地の間に入らないように軽く折りたたみ、分割しやすいようにまとめる。
❖生地に手粉が入ると、かたくなってしまう。

8　生地を35gに分割する。分割の方法→P.10
❖生地が冷めない間に作業する。冷めるとかたくなってしまう。

9　手の平の親指の下あたりで押し広げて平らにする。表面の粉を刷毛ではらう。包餡の方法→P.10

10　生地に餡玉をのせ、指先で餡を押さえて生地を回しながら包む。餡の2/3が包めれば、指先で生地の口をすぼめるように包む。

11　最後は指先でつまみ、しっかりと口を閉じる。

12　腰高に整える。成形の方法→P.1

餅菓子

餅物 6

おはぎ

春は牡丹《ぼたん》に似せて丸く作って牡丹餅《ぼたもち》、秋は俵《たわら》形にして秋の七草の萩《はぎ》の花に因んでおはぎと呼ぶ。作りやすさから庶民に親しまれ、江戸時代に普及した。

〈**材料**　13個×4種類＝52個分〉

● **生地**

もち米……700g

熱湯……680ml

● **餡**

小豆漉し餡（ややかため）……420g

小豆粒餡（ややかため）……820g

● **仕上げ**

きな粉、黒胡麻、上白糖

〈**分割**〉

● **小豆漉し餡・小豆粒餡のおはぎ**

生地……25g

餡（小豆漉し餡、小豆粒餡）……各30g

● **きな粉・黒胡麻のおはぎ**

生地……35g

餡（小豆粒餡）……15g

〈**準備**〉

・もち米を洗い、たっぷりの水につけて一晩おく。

・餡を分割する。小豆漉し餡は30gずつに分ける。小豆粒餡は30gのかたまりを13個、15gの餡玉を26個作る。

・せいろに餅網を敷く。

もち米を蒸す

1　水につけておいたもち米をざるにあけて水気をきり、準備したせいろに移して中央に蒸気の通り穴をあける。この状態で50分間蒸す。

2　蒸しあがったもち米をボウルに移し、分量の熱湯を加える。木杓子で手早く混ぜ、熱湯を全体になじませる。

3　ラップフィルムで密閉し、水分がなくなるまで蒸らす。写真が蒸らしあがりの状態。

4　3のもち米生地を餅網に移し、均一に広げて15分間蒸し、蒸しあがったらそのままおいて粗熱を取る。

❖もち米は2度蒸しすると十分にやわらかくなる。

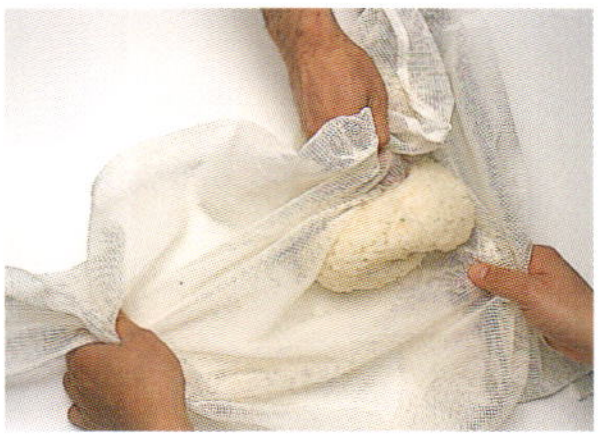

5　餅網ごと取り出し、餅網を使って少し粘りが出るくらいまで練る。

❖餅網の四隅を使い、生地の真ん中を交互に突くようにして練る。

分割する

6　手に水をつけながら生地を分割する。小豆漉し餡・小豆粒餡のおはぎ用は25g、きな粉・黒胡麻のおはぎ用は35g。分割の方法→P.10

小豆漉し餡・小豆粒餡のおはぎ

7　30gに分けた小豆漉し餡を平らにし、生地（25g）をのせる。包餡の方法→P.10

8　指先で餡の口をすぼめるようにして包む。

9　俵形に整える。小豆粒餡のおはぎも、同様に粒餡で生地を包む。

きな粉のおはぎ

【おはぎの応用1】

1　生地（35g）を平らにし、餡玉（小豆粒餡15g）をのせて包む。包餡の方法→P.10

2　きな粉に2割の上白糖を混ぜ、これを1にまぶして俵形に整える。

3　きな粉を上からふりかける。

黒胡麻のおはぎ

【おはぎの応用2】

1　上記1と同様に生地で餡玉を包む。炒ってすった黒胡麻に2割の上白糖を混ぜ、これをまぶして俵形に整える。

餅菓子

練り物 1

はなびら餅

宮中や神社などの正月行事に使われた菱葩《ひしはなびら》に由来する名。今では茶道の初釜《はつがま》に供される茶席菓子の代表。外郎生地で作るものもある。新春を寿《ことほ》ぐ格調高い行事菓子。

〈材料　30個分〉

● 生地

白玉粉……135g
水……425ml
上白糖……315g
上新粉……205g
片栗粉……25g
カップリングシュガー……60g

● 紅色味噌餡（中餡）

白漉し餡……500g
白味噌……80g
水紅色の食用色素……少量

● ごぼうの蜜漬け

ごぼう……5本
米ぬか……50g
蜜：
- 水……1000ml
- グラニュー糖……995g
- 黒砂糖……5g

● 分量外

片栗粉（手粉）

〈分割〉

生地……35g
餡玉（紅色味噌餡）……15g

〈準備〉

・せいろに蒸し物枠（30×30×5cm）を置き、ぬらしてかたく絞ったさらしを敷く。

ごぼうの蜜漬けを作る

1　ごぼうを水で洗い、約10cm長さに切る。米ぬかを加えた水で、竹串が刺さる程度にやわらかくゆでる。

2　一度水洗いしてぬかを取り除き、流水にさらし、ぬかの臭みを取る。

3　鍋に蜜の材料（水、グラニュー糖、黒砂糖）を入れ、火にかけて溶かす。ごぼうを加え、沸騰させてから火を止めて、紙蓋をして一晩おく。

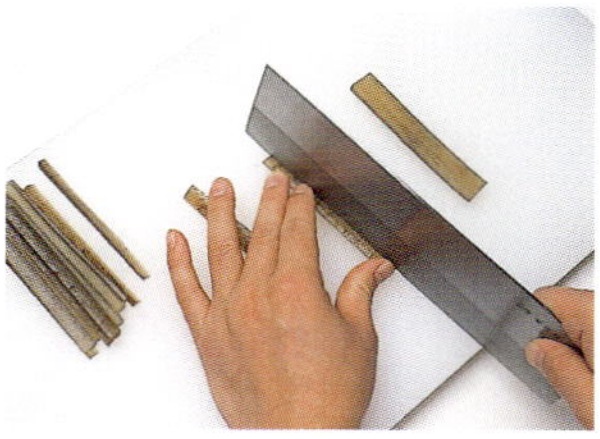

4　ごぼうの汁気をきり、6〜8等分の細さに切る。

紅色味噌餡を作る

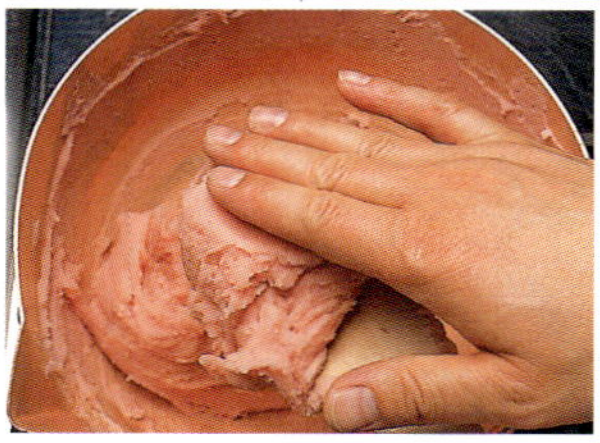

5　白漉し餡に水適量（約200ml）を加えて炊き直す。水紅色の食用色素で着色し（着色の方法→P.12）、手につかなくなるまで炊き、白味噌を加えてさらに手につかなくなるまで炊きあげる。

生地を作る

6　白玉粉に分量の水の一部を加える。耳たぶぐらいのかたさになるまで練り、指先でダマを完全につぶす。

❖指先で確認しながらつぶす。

7　残りの水を数回に分けて加え、溶きのばす。

8　別のボウルに上白糖、上新粉、片栗粉を入れて混ぜ合わせ、ここに7を少量ずつ加えながら混ぜる。カップリングシュガーも加え、写真のようになめらかな状態になるまで混ぜる。

9　準備した蒸し物枠に生地を流し入れ、20分間蒸す。

10　蒸しあがりの状態。

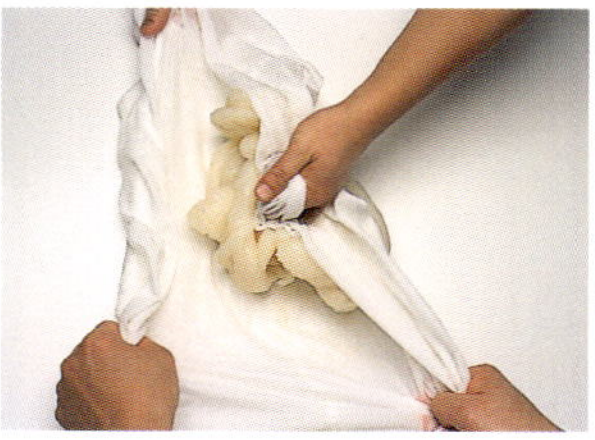

11　さらしごと取り出し、さらしを使ってなめらかになるまでしっかり練る。

❖さらしの四隅を使い、生地の真ん中を交互に突くようにして練る。

分割して仕上げる

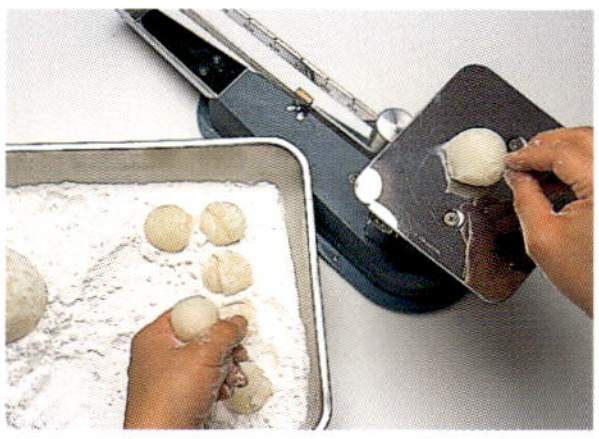

12　生地を手粉（片栗粉）に移し、30gに分割する。5の紅色味噌餡は15gの餡玉にする。分割の方法→P.10

❖生地が冷めない間に作業する。冷めるとかたくなってしまう。

13　生地を手で押さえて小判形に成形する。

14　表面の片栗粉を刷毛ではらい、手前に餡玉とごぼうの蜜漬けをのせる。

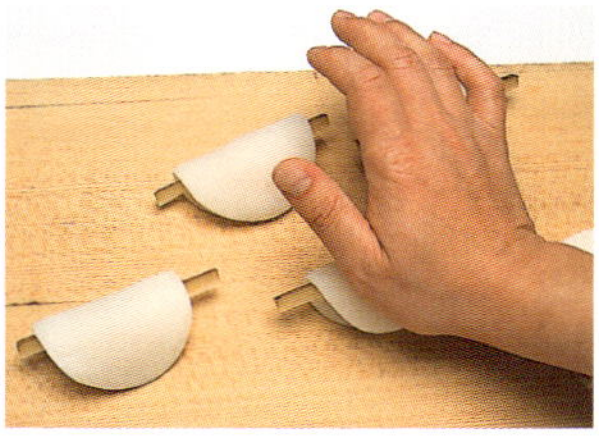

15　生地を半分に折り、手の平のつけ根で軽く押さえる。

うぐいす餅

春の訪れを伝える鶯《うぐいす》を象《かたど》った菓子。生地は求肥で作るが、卵白を用いて歯切れよくやわらかに。挽きたてのうぐいす粉を使うと、いっそう風味が増す。

〈材料　約30個分〉

● 生地

餅粉	230g
水	200ml
上白糖	400g
┌ 卵白	30g
└ 上白糖	45g
草色の食用色素	少量

● 中餡

小豆粒餡	600g

● 分量外

うぐいす粉（手粉）

〈分割〉

生地	25g
餡玉（小豆粒餡）	20g

〈準備〉

・中餡用の小豆粒餡を1個20gずつに分けて丸め、餡玉を作る。

生地を作る

1　餅粉に分量の水を加え、耳たぶぐらいのかたさにこねる。写真がこねあがり。

2　1の生地を4つに分け、平たくのばして真ん中に穴をあける。鍋で湯を沸かし、生地を入れて約5分間ゆでる。

❖平たいドーナツ状にするのは、早くゆであげるため。

3　鍋にゆであげた生地を入れ、弱火で練りながらひとつにまとめる。

4　上白糖400gを3～4回に分けて加えながら練る。時々、ぬらしたさらしを巻きつけた木杓子で、鍋肌についた生地をぬぐい取る。

5　手にくっついてこなくなるまで炊く。＝求肥生地

❖生地がかたい場合は、2のゆで汁を加えてかたさを調節する。十分に熱を加えた生地は、手にくっつかない。

6　卵白を溶きほぐして泡立て、上白糖45gを2回に分けて加え、写真のようにとろりと落ちるくらいのメレンゲを作る。

7　メレンゲを草色の食用色素で着色し（着色の方法→P.12）、5の求肥生地に加える。

8　弱火にかけ、木杓子で手早く練り混ぜ、写真のようになめらかで艶のある状態に練りあげる。＝雪平《せっぺい》生地

9　手粉（うぐいす粉）に移し、生地を折りたたみながら粗熱を取る。

分割・包餡して仕上げる

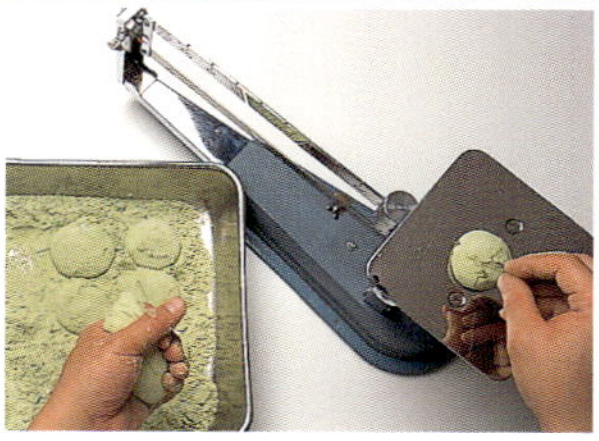

10　生地を25gに分割する。分割の方法→P.10

❖生地が冷めない間に作業する。冷めるとかたくなってしまう。

11　生地を平らにして餡玉をのせ、生地を少し引っ張るようにしながら包餡し（包餡の方法→P.10）、俵形に成形する。

❖雪平生地はこしのない、やわらかな生地なので、上に引っ張り上げるような気持ちでのばしながら包餡する。

12　両端をつまんでふっくらとした形にする。

13　上からうぐいす粉をふりかける。

生菓子

上生菓子

〈練切〉

桜

青かえで

玉菊

田舎屋

〈こなし〉

笹

波

秋山路

寒牡丹

〈外郎〉

青梅

水鳥

まさり草

水仙

〈きんとん〉

桜山

紫陽花

紅葉

雪うさぎ

上生菓子 1

生菓子

練切

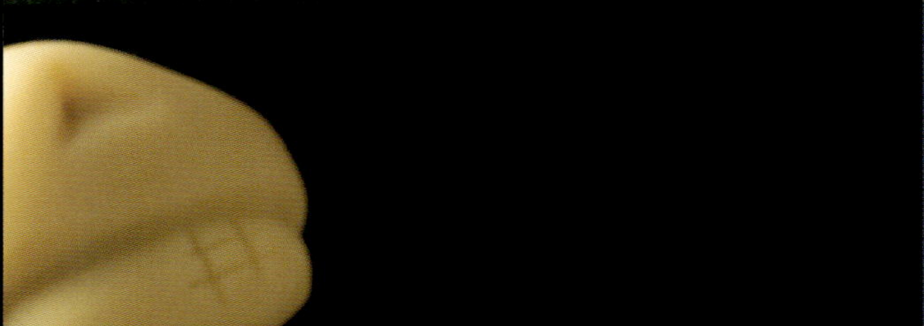

関東の茶席菓子の代表。餡に餅生地を加えて練りあげる。四季折々の風物に題材を取る。
色彩にも変化がつけられ、作り手の創意工夫で自由に表現できる菓子。

〈材料　36個分〉

● 練切生地

餅粉……30g

水……25ml

白漉し餡：

- グラニュー糖……360g
- 水……適量
- 白生餡……600g

● 食用色素

水紅色、草色、黄色……各少量

● 中餡

小豆漉し餡……720g

〈分割〉

生地……25g

餡玉（小豆漉し餡）……20g

〈準備〉

・中餡用の小豆漉し餡を1個20gずつに分けて丸め、餡玉を作る。

◎練切生地の着色方法

生地に直接食用色素を落とし、台の上（またはボウルの中など）でもみ込んでむらなく染める。

練切生地を作る

1　餅粉に分量の水を加えてこね、耳たぶくらいのかたさにする。火が通りやすいように薄くのばし、中央に穴をあける。

2　白漉し餡の材料を鍋に入れ、手につかなくなるまで、並餡より少しかために炊きあげる。

3　別の鍋に湯を適量沸かし、1の餅を入れて表面に浮き上がるまでゆでる。これを炊きあげた2の餡の中に加える。

❖餡が熱い間に餅を加えないと、なめらかな生地に仕上がらない。

4　餅が餡全体にしっかり混ざるように木杓子を使って練る。つまんでのばし、生地に均一に粘りが出ていれば練りあがり。

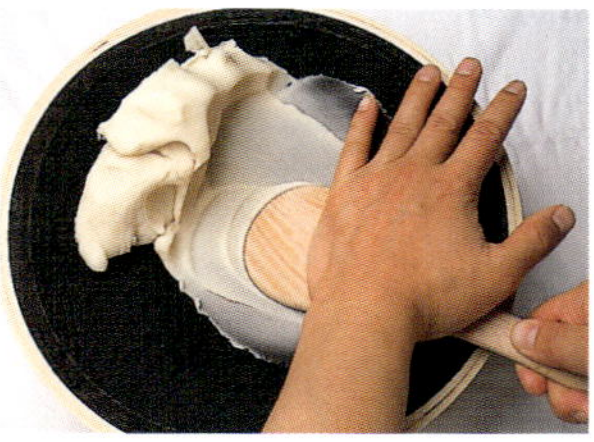

5　ぬらしてかたく絞ったさらしを敷き、生地が熱い間に裏漉し器で漉す。

❖漉してダマを取り除き、なめらかにする。冷めると漉しにくくなる。

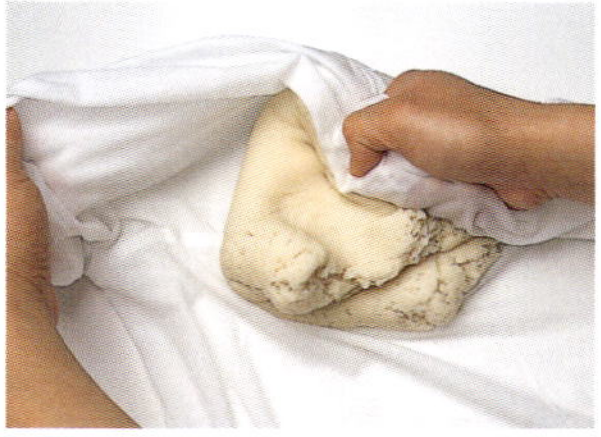

6　さらしを使ってなめらかになるまでしっかりもみ込む。

❖もみ込むことにより、粘りが出る。

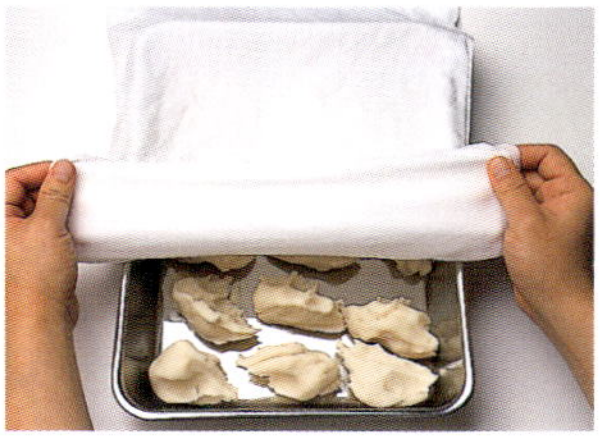

7　ちぎって小分けにし、表面が乾燥しないよう、ぬらしてかたく絞ったさらしをかけて冷ます。粗熱が取れたら、6・7の作業を数回くり返して生地全体を冷ます。

❖小分けにすると、熱が抜けやすくなる。

桜

【練切—春】

着色する

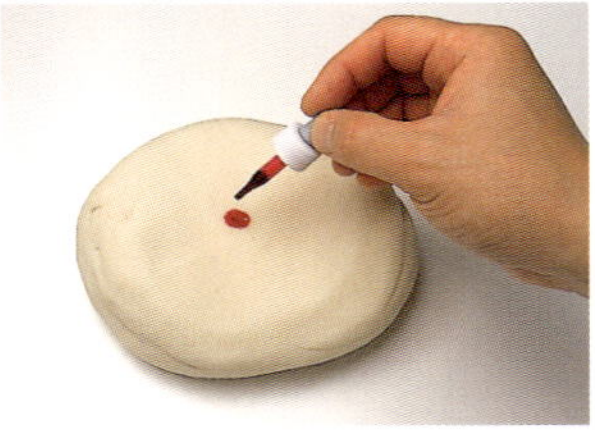

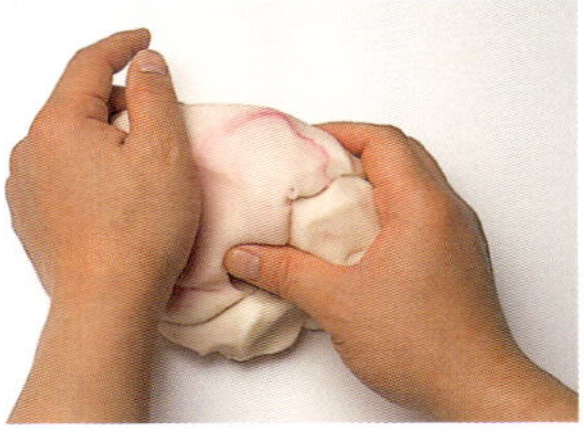

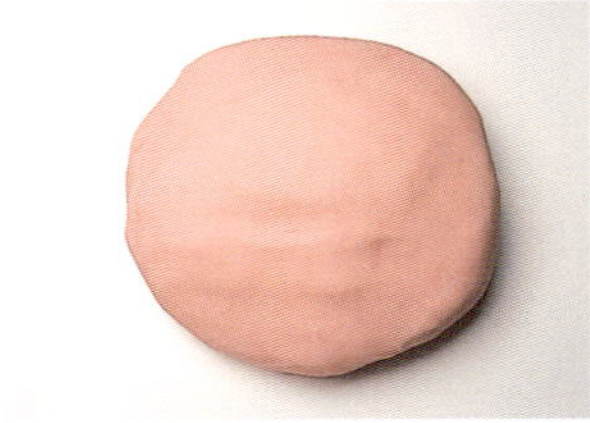

1　練切生地全体をまとめるように練り、本体用と花心用（ごく少量）に分ける。本体用生地に水紅色の食用色素を落とし、全体を練り混ぜて写真下のような色にする。花心用の生地は、同様に黄色に着色する。

分割・包餡する

2　水紅色生地を25gに分割する。分割の方法→P.10

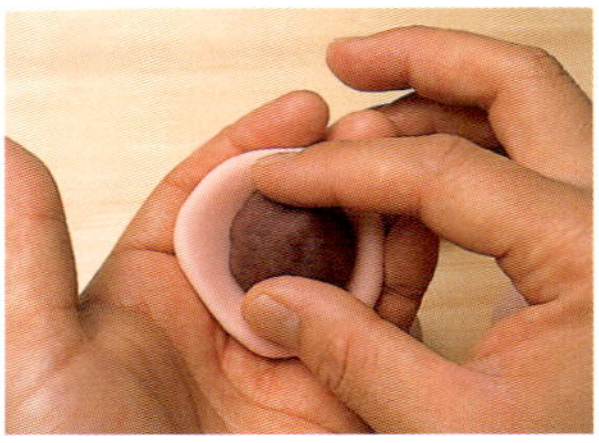

3　生地を押し広げて平らにし、小豆漉し餡の餡玉（20g）をのせて包み、丸く整える。包餡の方法→P.10

仕上げる

4　三角棒の鋭角の辺を使い、中心から5等分に筋をつける。

5　筋で区切られた5つの部分の端を指先でつまんで引っ張り出し、花びらのように形作る。

6　花びらの中央に、三角棒で上から浅いきざみを入れる。

7　黄色生地を裏漉し器に通し、箸で花心として飾る。

青かえで

【練切──夏】

着色・分割する

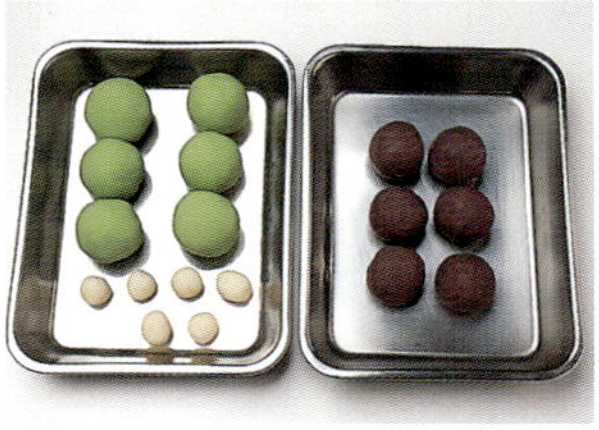

1　練切生地を4：1の割合に分け、4の方を草色の食用色素で薄緑色に着色し（着色の方法→P.91）、1の方は白いままで使う。薄緑色生地は20gに、白生地は5gに分割し、小豆漉し餡は20gの餡玉にする。分割の方法→P.10

包餡する

2　薄緑生地を押し広げ、白生地をはりつける。白生地の周囲を指先でこすり、薄くのばす。

3　生地を裏返し、白生地をはりつけた面を外側にして包餡する。包餡の方法→P.10

❖餡を包むと生地が薄くのび、色の境目が淡くぼける。

仕上げる

4　できあがりの形を考えながら、三角棒で6ヶ所に筋をつける。

5　筋で区切られた部分を指先でつまんで引っ張り出し、先をとがらせ、形を整える。

6　竹べらで葉脈の筋を入れ、葉のまわりのぎざぎざをつける。

玉菊

【練切――秋】

着色・分割する

1　練切生地を白いまま25gに分割し、小豆漉し餡は20gの餡玉にする（分割の方法→P.10）。その他、生地を水紅色の食用色素でピンク色に着色して小豆大に丸めたもの、葉用の緑色生地と花心用の黄色生地少量を用意する。着色の方法→P.91

包餡する

2　白生地25gから1/3程度を取り分け、残りをのばし、ピンク色生地をのせ、取り分けた白生地を重ねてはりつける。

3　はりつけた生地の上に餡玉をのせ、包餡する。包餡の方法→P.10

仕上げる

4　三角棒の鋭角の辺を使い、中心からまず4等分に筋をつける。さらに筋で区切られた部分をそれぞれ3等分し、全体に12等分の筋をつける。

5　三角棒の先に黄色生地をつける。4の中央に押し当て、花心をつける。

6　薄緑色生地を麺棒で薄くのばし、葉の抜き型で抜く。花に添え、竹べらで葉脈の筋をつける。

田舎屋

【練切――冬】

着色・分割する

1　練切生地を黄色の食用色素で着色し（着色の方法→P.91）、25gに分割する。小豆漉し餡は20gの餡玉にする。分割の方法→P.10

包餡する

2　黄色生地を押し広げ、餡玉を包む。包餡の方法→P.10

仕上げる

3　押し型で押して三角形のような面を3面作る。

4　押し型の角を押し当ててくぼませ、棟の形をつける。

5　屋根のてっぺんから約2/3の位置を押し型でぐるりと押し、軒の形をつける。

6　竹べらで格子状に筋をつけ、垣根にする。

7　竹べらで屋根に細かい筋を幾筋もつけ、茅葺き屋根のように仕上げる。

◎練切生地を扱う時は、ぬれ布巾で手を拭きながら作業する。
◎三角棒や竹べらなどは、使用する前に水につけておき、水気を布巾で拭き取りながら使う。

生菓子

上生菓子 2

こなし

関西の茶席菓子の主流。季節の変化を表現する。発祥は京都とも。少しもっちりとした歯ごたえがある。漉し餡を主材料に小麦粉、上用粉、上白糖などを混ぜて蒸しあげる。

〈材料　笹・波・寒牡丹各6個分＋秋山路12個分〉

● こなし生地

白漉し餡（少しかため）……………………850g
薄力粉……………………………………60g
上白糖……………………………………60g
上用粉……………………………………36g
シロップ（グラニュー糖1：水2）……………適量

● 食用色素

草色、水色、挽茶色、黄色、本紅色　………各少量

● 中餡

小豆漉し餡
……90〜230g（各菓子の必要量は分割欄参照）
栗の甘露煮（秋山路用）……………………70g

● 分量外

片栗粉（打ち粉）、氷餅

〈分割〉

● 笹〈6個分〉

生地（緑）……160g
生地（白）………80g
中餡…………108g

● 波〈6個分〉

生地（青）……150g
生地（白）……100g
中餡……………90g

● 秋山路〈12個分〉

生地（本紅）……100g
生地（黄）………100g
生地（緑）………100g
中餡（栗70g入り）
……………………300g

● 寒牡丹〈6個分〉

生地…………150g
中餡…………120g

〈準備〉

・笹、波、寒牡丹の中餡用の小豆漉し餡を必要量ずつに分け、丸めて餡玉を作る。
・秋山路の中餡用の栗入り小豆漉し餡を用意する。小豆漉し餡（230g）の炊きあがりにきざんだ栗の甘露煮を加え、並餡のかたさに炊きあげる。
・シロップを作る。グラニュー糖1：水2の割合で合わせ、火にかけて砂糖を溶かし、冷ます。
・せいろにぬらしてかたく絞ったさらしを敷く。

こなし生地を作る

1　少しかために炊きあげた白漉し餡に、薄力粉、上白糖、上用粉を加える。手で材料をよく混ぜ合わせ、粉気がなくなるまで完全に混ぜる。

2　準備したせいろに生地を小分けにして並べ、30分間蒸す。

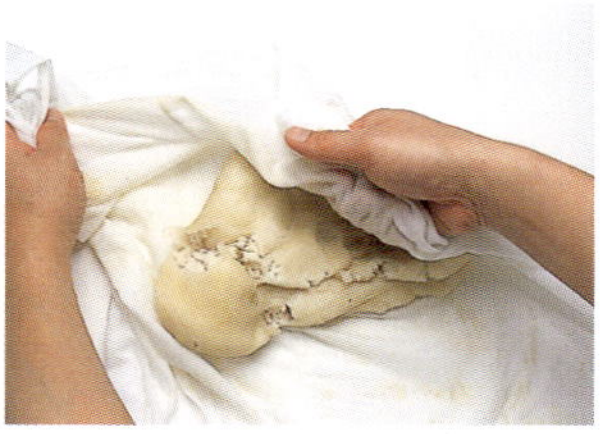

3　さらしごと取り出し、熱い間にさらしを使ってひとつにまとめる。

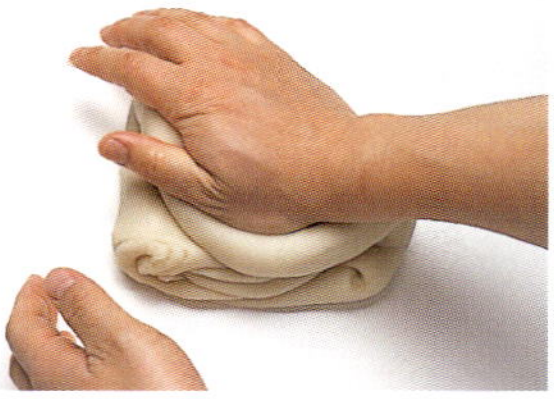

4　作業台と手にシロップをつけ、生地が熱い間に均一な状態になるまでもみ込む。軽く平らにし、表面にシロップをぬり、常温で冷ます。

◎こなし生地の着色の方法

生地に直接食用色素を落とすのではなく、作業台の上にシロップをぬって食用色素を落とし、この上で生地をもみ込むようにして染める。台の上でもみ込むほどの量がない場合は、着色したシロップを手につけてこねながら染める。生地に直接食用色素を落として染めようとすると、時間がかかって生地がやわらかくなり、食感も悪くなる。

笹

【こなし——春】

霞ぼかし技法

1　こなし生地160gを草色の食用色素で着色し（着色の方法→P.97）、2等分する。白生地は80g用意する。この他、6gと15gの白生地をあとで使用する。

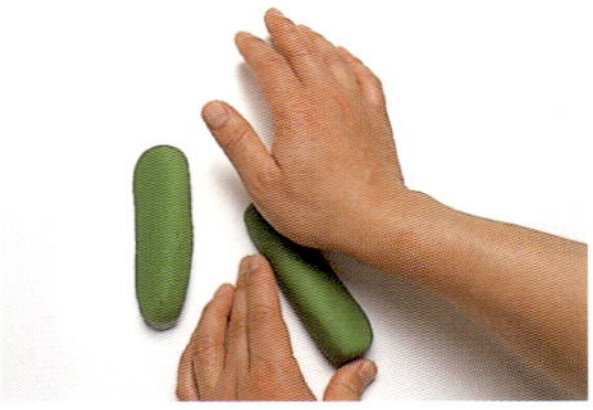

2　2つの緑色生地と白生地を12～13cmの長さの棒状にのばし、それぞれ一方の端を親指のつけ根で押しつぶし、断面が涙形になるように傾斜をつける。緑色生地を内側が低くなるように2本並べ、谷の部分に白生地の涙形の頂点を組み合わせるように置く。

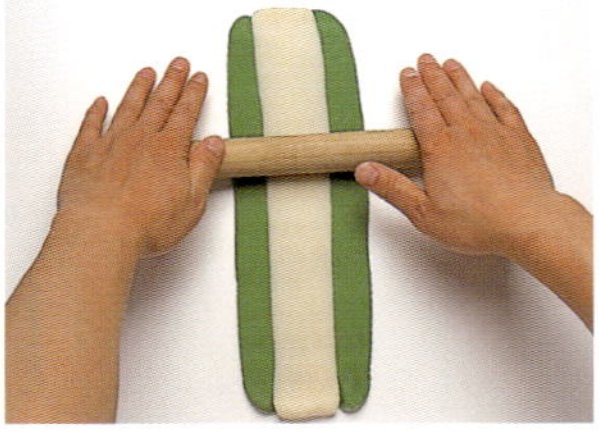

3　打ち粉（片栗粉）をしながら麺棒で厚みが約5mmになるように縦にのばす。

4　長さを半分に切り、ぬらしてかたく絞ったさらしで表面の粉気を拭き取る。2枚の生地を重ねる。

❖下になる生地も上に重ねる生地も白い面を上にして重ねる。

5　再度5mmの厚みにのばし、3等分に切る。粉気を拭き取り、3枚の生地を重ねる。

❖生地はすべて白い面を上にして重ねる。こうすると緑と白の層ができる。

6　生地を真ん中の白い部分で2等分に切り分ける。

7　生地断面（層になっている部分）を上にして置き、片側を細くとがらせて整える。もうひとつの生地も同様に行う。

8　白生地6gを7の生地の幅に合わせて薄くのばし、2つの生地の間にはさんで密着させ、笹の形に整える。

9　白生地15gを8の生地の幅に合わせて薄くのばし、ぐるりと周囲を包み、笹の形に整える。30分〜1時間、常温でねかせる。

10 5mm厚さに切る（1枚20g）。

11 小豆漉し餡を18gの俵形に丸め、10を巻く。

◎生地にふった打ち粉（片栗粉）は、組みあげていく途中でこまめにぬれ布巾で拭き取る。そのままにしておくと、仕上がりの食感がかたくなってしまう。

波

【こなし——夏】

分割・着色する

1　こなし生地を150gと100gに分け、150gの方を水色の食用色素で着色する。着色の方法→P.97

仕上げる

2　白生地に打ち粉（片栗粉）をしながら、麺棒で約3mm厚さの長方形にのばし、水色生地は約4mm厚さの長方形にのばす。ぬらしてかたく絞ったさらしで粉気を拭き取る。

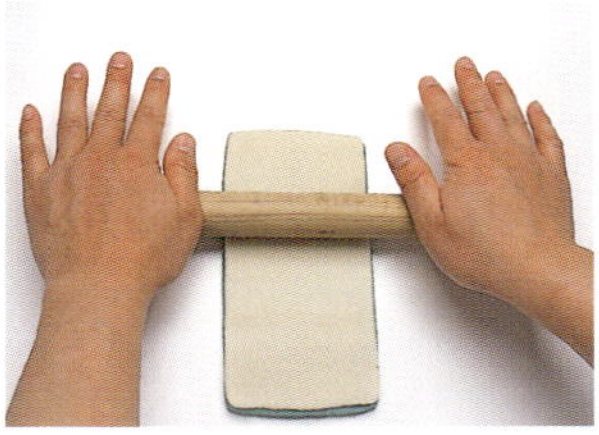

3　空気が入らないように2枚を重ね、約5mm厚さにのばしていく。

4　ある程度薄くなってきたら、両脇に5mm厚さの板を置いてのばし、均一な厚みにする（12.5×29cmの長方形）。

5　生地の短辺を12cmに切り揃えてから、4cm×12cmの長方形に切り分ける。

❖上、下、左端を切り落とし、ものさしを当てて左側から4cm幅に切っていく。

6　水色面を下にして千筋の押し板にのせ、筋をつける。生地の端を切り落として4cm×11cmの長方形に整える。

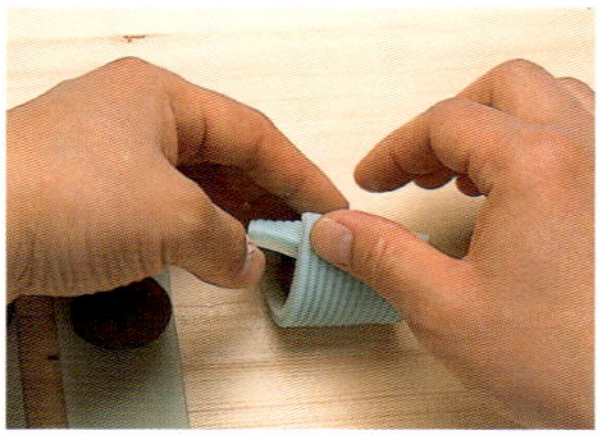

7　小豆漉し餡を15gの俵形に丸め、6の生地の白い面にのせ、角をずらして巻く。

8　2つの角を少し立て、波の形に仕上げる。

秋山路

【こなし――秋】

餡を成形する

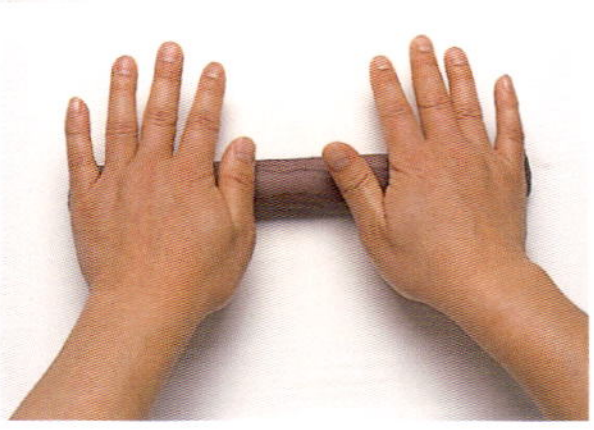

1　栗入り中餡300gを全体がなじむようにもみ込み、ラグビーボールの形に整える（写真上）。ぬらしてかたく絞ったさらしにのせて転がし、長さ28cmの棒状にする（写真下）。

❖餡をもみ込んでラグビーボールの形にするのは、いきなり棒状にのばそうとすると餡に亀裂が生じ、きれいな棒状にならないため。

分割・着色する

2　こなし生地100gを3つ用意し、挽茶色、黄色、本紅色の食用色素で着色する。着色の方法→P.97

仕上げる

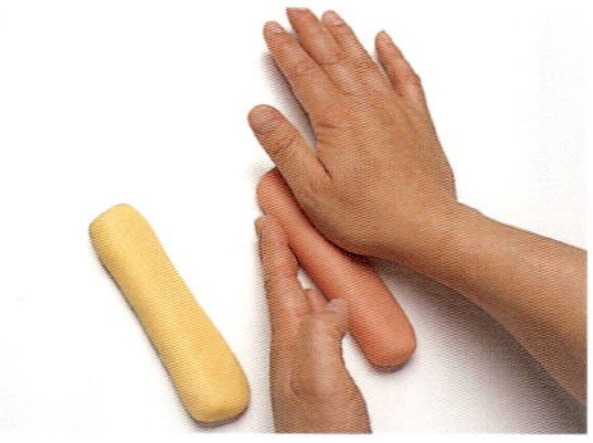

3　黄色と本紅色の生地を約12～13cmの棒状にのばし、それぞれ一方の端を親指のつけ根で押しつぶし、断面が涙形になるように傾斜をつける。

4　3の2色の生地の薄い部分同士を少し重ねてはり合わせ、厚い部分を平らにのばす。

5　打ち粉（片栗粉）をしながら、麺棒で生地が約2mm厚さになるまでのばす。

6　ぬらしてかたく絞ったさらしで粉気を拭き取り、色の境目を少しずらして3つ折りにする。また麺棒でのばして3つ折りにする。色の境目が自然な感じでぼけるまで、のばして折る作業をくり返す（3～4回）。

7　挽茶色で着色した緑色生地を6と同じ大きさの長方形にのばし、6の生地とはり合わせる。12.5×28cmの長方形にのばす。

8　生地を巻いた時に端同士がうまく合うように、長辺の両端を同じ傾きに斜めに切る。

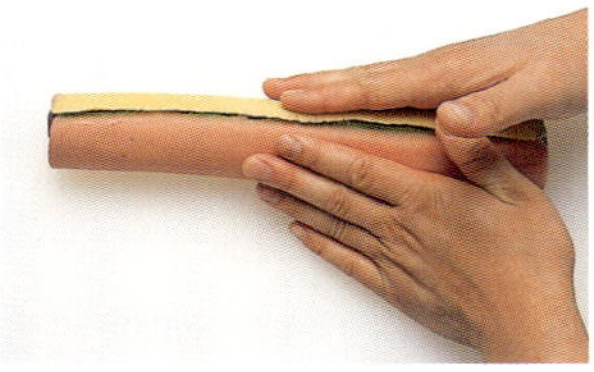

9　表面の粉気を拭き取り、棒状にした中餡を端にのせる。空気が入らないように巻き、しっかりと閉じる。

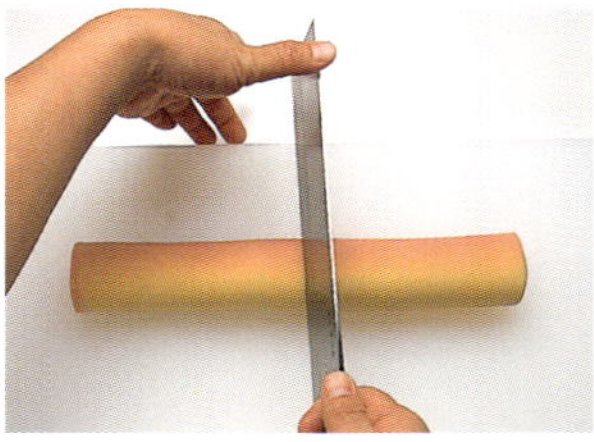

10 軽く転がして少しのばし、半分の長さに切る。さらに転がしながらのばし、17.5cmの長さに切り分ける。
❖力を入れて転がすと餡と生地がはがれる上、餡の中心に亀裂が入る。

11 合わせ目を下にして置き、細い麺棒で上部を2ヶ所押さえて山形に整える。乾燥しないようにラップフィルムなどで包み、30分～1時間常温でねかせる。

12 ものさしを当て、左側から2.5cm幅に切り分ける。

寒牡丹

【こなし――冬】

着色・分割する

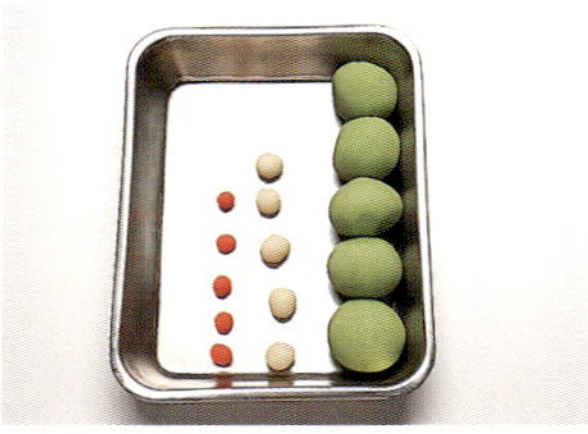

1　こなし生地を10:2:1に分け、10に分けた生地を草色の食用色素で、1に分けた生地は本紅色で着色する（着色の方法→P.97）。2に分けた白生地はシロップをつけた指先でよく練ってやわらかくする。草色生地を1個20gに分割し、紅色生地は小豆大、白生地は大豆大に丸める。分割の方法→P.10

包餡する

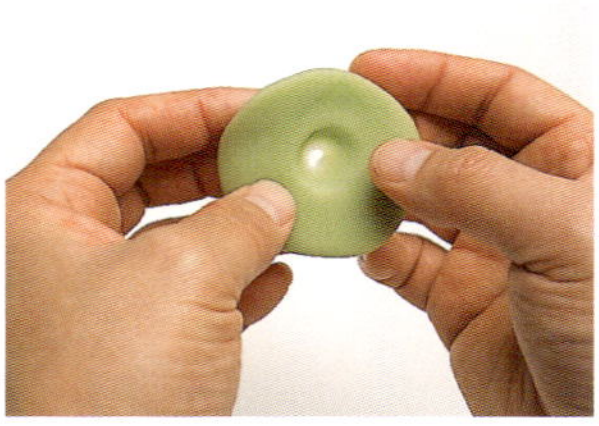

2　草色生地の1/4を取り分け、残りを手の平で押さえて厚めにのばし、中央に穴を開ける。

3　白生地で2の穴をふさぎ、紅色生地をのせ、取り分けた草色生地を重ねる。

4　生地を直径4～5cmの円形にのばし、20gの餡玉（小豆漉し餡）を包む。包餡の方法→P.10

仕上げる

5　ぬらしてかたく絞った薄手のさらしに、白い部分が上になるようにのせる。さらしを絞り、絞り口をつまんでしわを作る。

❖絞り口をねじってしまうと中心がずれるので、ねじらずにつまむだけにする。

6　絞り口を指で押さえたまま、底を押さえて形を整える。

7　氷餅をふりかける。

外郎

米粉、上白糖、葛粉を使い、生地を蒸しあげたあっさりした甘味の菓子。
一般に「棹蒸し外郎」が多いが、ここでは餡を包んで茶席にも向く「上生菓子」に仕上げた。

〈材料　40個分〉

● 外郎生地

上用粉 ……………………………… 210g
餅粉 ………………………………… 60g
上白糖 ……………………………… 420g
葛粉 ………………………………… 25g
水 …………………………………… 350ml
シロップ（グラニュー糖1：水2）………… 適量

● 食用色素

草色、水色、水紅色、紫色、黄色 ……… 各少量

● 中餡

黄味餡 ……………………………… 800g

● 分量外

片栗粉（手粉）、黒胡麻、練切生地（P.91）

〈分割〉

生地 ………………………………… 25g
餡玉（黄味餡）……………………… 20g

〈準備〉

・中餡用の黄味餡を1個20gずつに分けて丸め、餡玉を作る。
・シロップを作る。グラニュー糖1：水2の割合で合わせ、火にかけて砂糖を溶かし、冷ます。
・せいろに蒸し物枠（30×30×5cm）を置き、ぬらしてかたく絞ったさらしを敷く。

◎外郎生地の着色方法

青梅（下）のような単色菓子の場合は、左下3の液状生地に食用色素を落とし、思う色に染めてから蒸す。複数の色を使う菓子の場合は、3の液状生地を着色せずに蒸し、蒸しあがった白生地を着色する。その場合の着色方法は、作業台の上にシロップをぬって食用色素を落とし、この上で生地をもみ込むようにして染める。台の上でもみ込むほどの量がない場合は、着色したシロップを手につけ、こねながら染める。生地に直接食用色素を落として染めようとすると、色むらが出やすい。

外郎生地を作る

1　ボウルに上用粉、餅粉、上白糖を入れ、泡立て器でしっかりと混ぜ合わせる。

2　分量の水の一部で葛粉を溶き、1に漉し入れる。器に残った葛を残りの水の半量ですすぎ、これも漉し入れる。

3　泡立て器でしっかりと混ぜ、生地のダマを溶きのばす。残りの水を加え、とろとろと流れ落ちる状態にする。

着色して蒸す

1　草色の食用色素で左段3の生地を着色する。

2　準備した蒸し物枠に流し入れ、25分間蒸す。
❖蒸しあがりの目安は、生地の中心を少量食べてみて、粉気がなくなっていればよい。

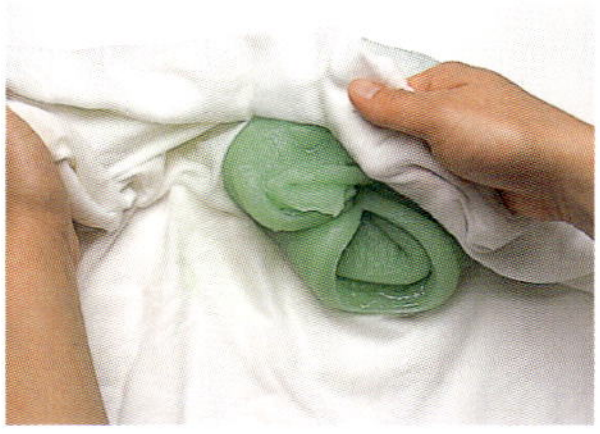

3　2をさらしごと取り出し、さらしを使ってなめらかになるまでしっかり練る。

4　表面がなめらかになったらさらしを外し、手と台にシロップをぬり、生地をまとめる。

分割・包餡する

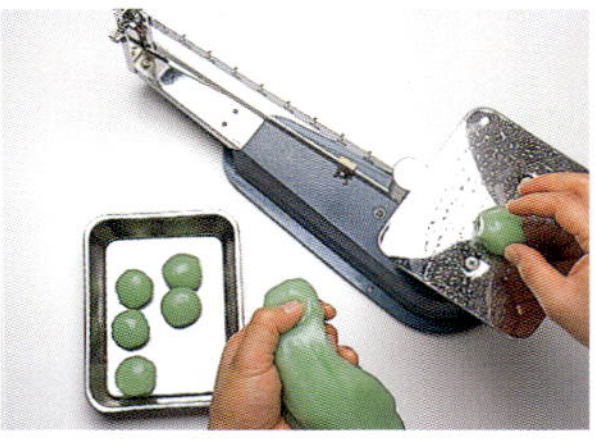

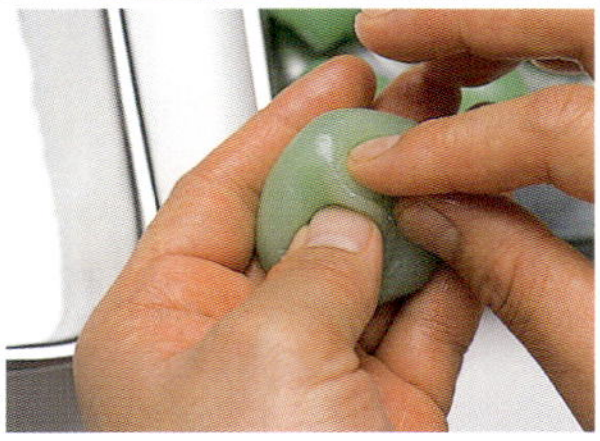

5　生地を25gに分割し（分割の方法→P.10）、指先を使って外側の生地を中心にたたみ込んでまとめる。
❖外側の生地を中心にたたみ込むことで、生地表面がなめらかになる。

6　生地を広げ、黄味餡の餡玉を包み、指先でつまんでしっかりと口を閉じる。包餡の方法→P.10

仕上げる

7　丸く整え、上部を指先でつまみ出す。
❖2回に分けて4方向から生地を持ち上げるようにつまむ。手にシロップをぬりすぎるとすべるので注意する。

8　手粉（片栗粉）に移して粉をつけ、余分な粉を刷毛ではらう。

9　三角棒を傾け、下から上に向かって円を描きながら筋をつける。

10　丸箸の頭でくぼませる。

◎蒸しあげた外郎生地は、熱い間に練る。冷めてから練ると、生地のこしが抜けて仕上がりの食感が悪くなる。もし冷めてしまったら、ラップフィルムなどに包んで蒸し直すことで作業ができる。

【外郎――春】 水鳥

1　外郎生地を準備した蒸し物枠に流し入れ、25分間蒸す。さらしごと取り出し、さらしを使ってなめらかになるまでしっかり練る。表面がなめらかになったらさらしを外し、手と台にシロップをぬり、生地をまとめる。

着色・分割・包餡する

2　生地の約1/5量を水色の食用色素で着色する（着色の方法→P104）。残った白生地を20gに分割し、水色生地は5gに分割する（分割の方法→P10）。白生地の1/4を取り分け、残りを平らにのばし、水色生地をのせ、取り分けた白生地を重ねる。

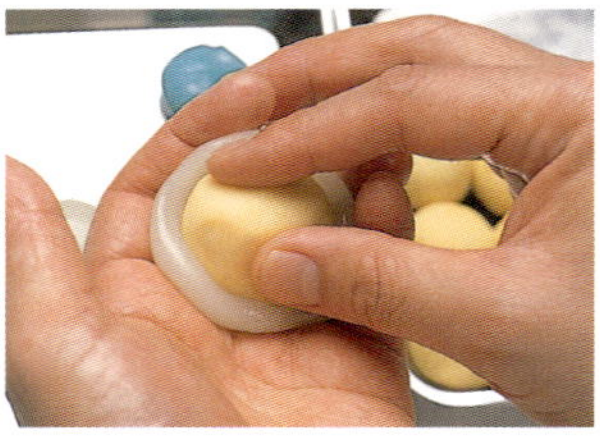

3　黄味餡の餡玉（20g）をのせて包む。包餡の方法→P.10

仕上げる

4　俵形に整える。

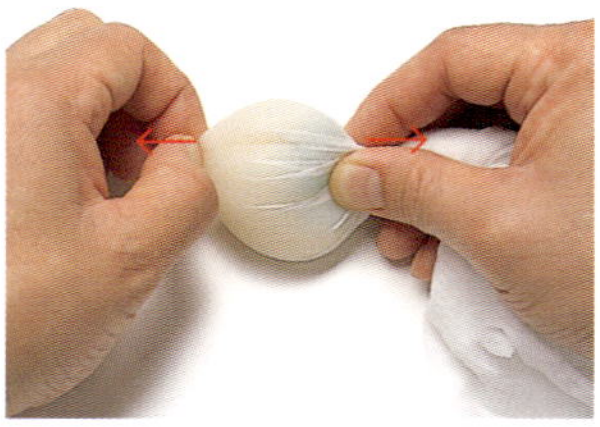

5　ぬらしてかたく絞った薄手のさらしに包み、写真のように両側を指先でつまみ、引っ張って筋をつける。

6　手粉（片栗粉）に移して片面に粉をつけ、余分な粉を刷毛ではらう。

7　黒胡麻を目としてつける。

まさり草

【外郎——秋】

1　外郎生地を準備した蒸し物枠に流し入れ、25分間蒸す。さらしごと取り出し、さらしを使ってなめらかになるまでしっかり練る。表面がなめらかになったらさらしを外し、手と台にシロップをぬり、生地をまとめる。

着色・分割する

2　生地の半量を水紅色の食用色素で着色する（着色の方法→P.104）。ピンク色生地と白生地をそれぞれ約14gに分割し（分割の方法→P.10）、はり合わせる。

仕上げる

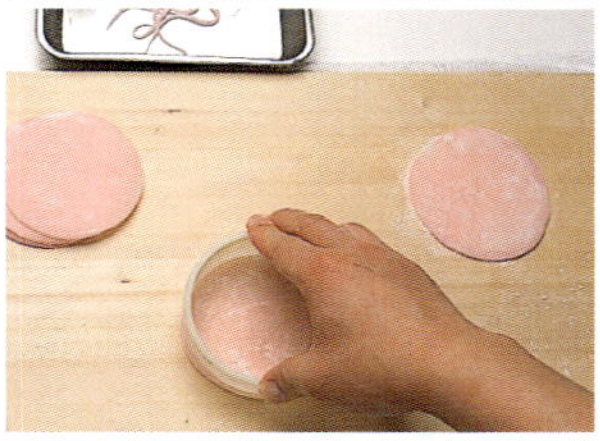

3　表面に打ち粉（片栗粉）をつけ、麺棒で直径9.5cmにのばし、直径9cmの円形抜き型で抜く。

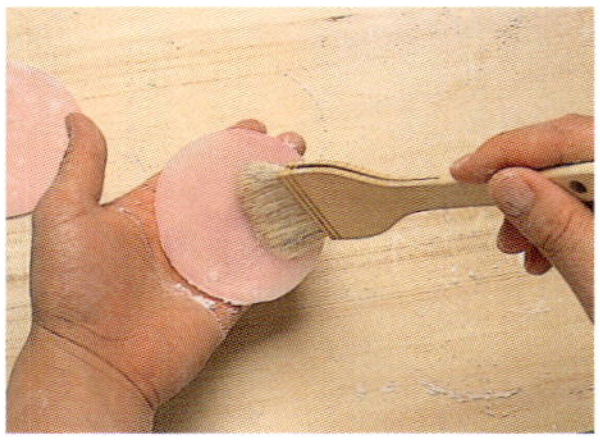

4　両面の余分な粉を刷毛ではらう。

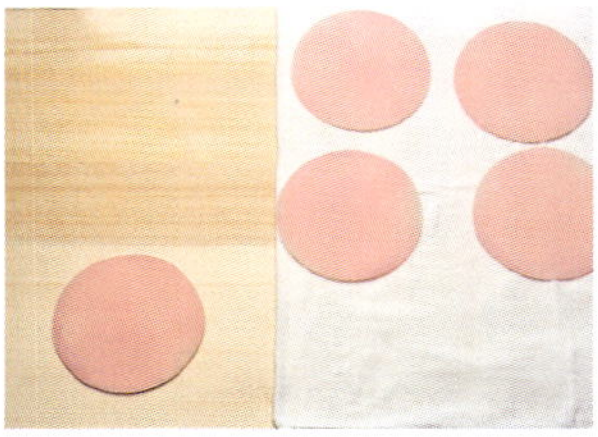

5　ぬらしてかたく絞ったさらしの上に、ピンク色の面を下にして置く。

❖ピンク色の面を下にするのは、この面を餡と密着させるので粉気をしっかりと取っておくため。

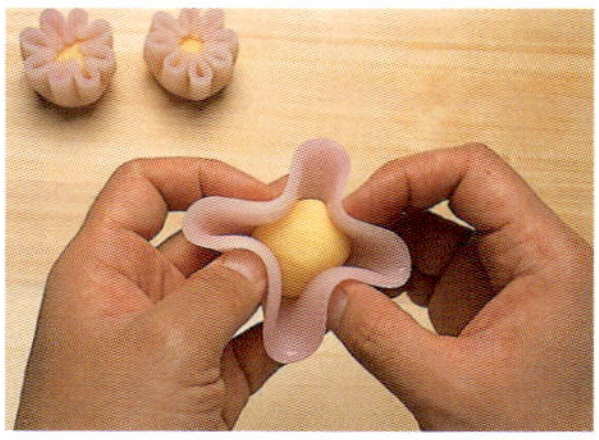

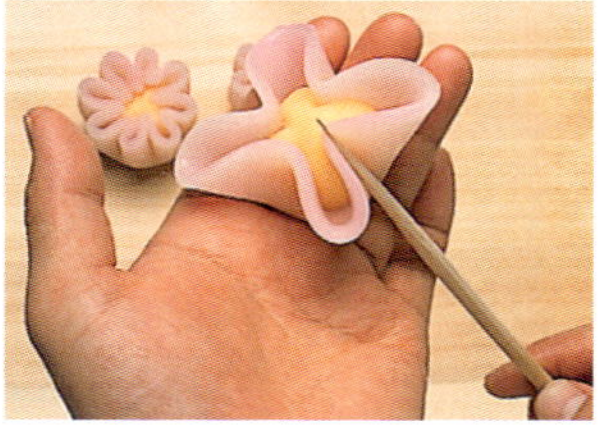

6　ピンク色の面を上にして手の平にのせ、中央に黄味餡の餡玉（18g）を置く。指で等分に4ヶ所を軽く押さえ、箸先でしっかりと押さえる。さらに4つの花びらの中央をそれぞれ箸先で押さえて8つの花びらを作る。

7　少量の練切生地を用意し、半分を紫色の食用色素で着色する（着色の方法→P.91）。白と紫色の練切生地を重ねて裏漉し器で押し出し、花心としてつける。

水仙

【外郎——冬】

1　外郎生地を準備した蒸し物枠に流し入れ、25分間蒸す。さらしごと取り出し、さらしを使ってなめらかになるまでしっかり練る。表面がなめらかになったらさらしを外し、手と台にシロップをぬり、生地をまとめる。

仕上げる

2　生地を25gに分割し（分割の方法→P.10）、打ち粉（片栗粉）をして麺棒で直径約10cmにのばし、直径10cmの円形抜き型で抜く。両面の余分な粉を刷毛ではらう。

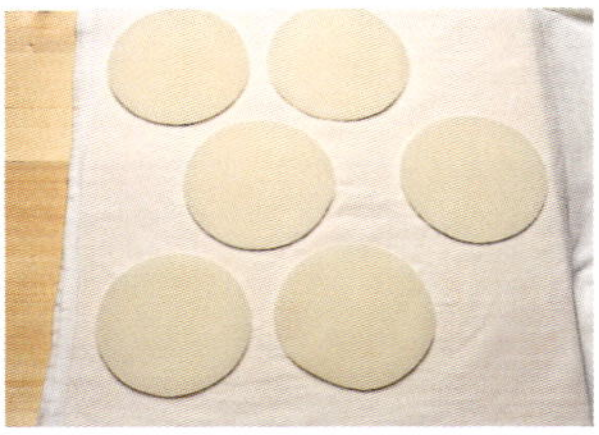

3　ぬらしてかたく絞ったさらしの上に置く。

❖餡をきちんと包めるように、餡と密着する面の粉気をしっかりと取っておく。

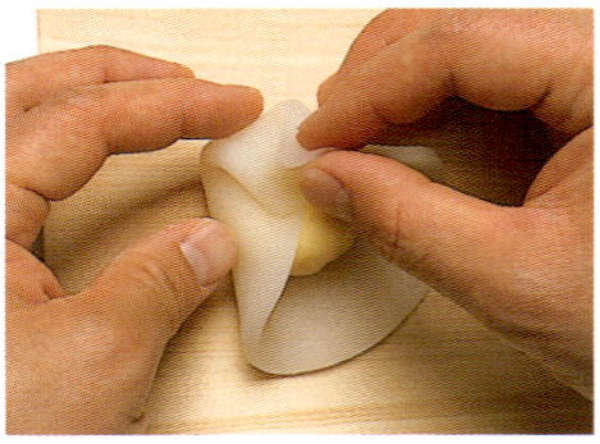

4　さらしにふれていた面を上にして、中央に黄味餡の餡玉（20g）を置き、ひだを等間隔で6回たたむ。

5　最後のひだは、指先で軽く押さえてくぼませる。

6　少量の練切生地を黄色と草色の食用色素で着色する（着色の方法→P.91）。黄色生地は丸箸の頭にかぶせ、5の中央にのせて花心にする。緑色生地は細い葉形に切り、これをつけて仕上げる。

上生菓子 4

きんとん

唐菓子《とうがし》の混沌《こんとん》に由来する名といわれる。一般的には餡を主体とするが、ここでは山の芋を使って、しっとりと風味豊かに。彩りや飾りで変化をつけて季節感を表現する。

〈材料　約25個分〉

● 薯蕷きんとん生地

山の芋……………………………………600g

上白糖……………………………………300g

白漉し餡…………………………………240g

● 中餡

小豆粒餡…………………………………375g

● 食用色素

水紅色、草色、水色、黄色、本紅色　………各少量

● 分量外

錦玉羹（P.116）、練切生地（P.91）

〈分割——1個分の量〉

生地　……………………………………25〜30g

餡玉（小豆粒餡）…………………………15g

〈準備〉

・山の芋の皮をむき、約1cmの厚さに切って一晩水にさらす。

・中餡用の小豆粒餡を1個15gずつに分けて丸め、餡玉を作る。

・せいろにぬらしてかたく絞ったさらしを敷く。

薯蕷きんとん生地を作る

1　準備したせいろに水にさらした山の芋を並べ、約20分間蒸す。

2　熱い間に馬毛の裏漉し器で裏漉しする。さらしを使ってひとつにまとめ、表面をなめらかにする。

❖冷めると粘りが出て漉せなくなる。解説→P.39

3　鍋に山の芋の1/3量と上白糖を入れて炊き、沸騰したら残りの山の芋を2回に分けて加え、さらに炊く。

4　写真のようにひとまとまりになるまで練ったら、バットに移し、ひとまとめにして冷ます。

❖ひとまとめにして冷ますのは、表面積を小さくして水分の蒸発を防ぐため。山の芋を含む生地はでんぷんが多いので、冷めるとかたくなる。

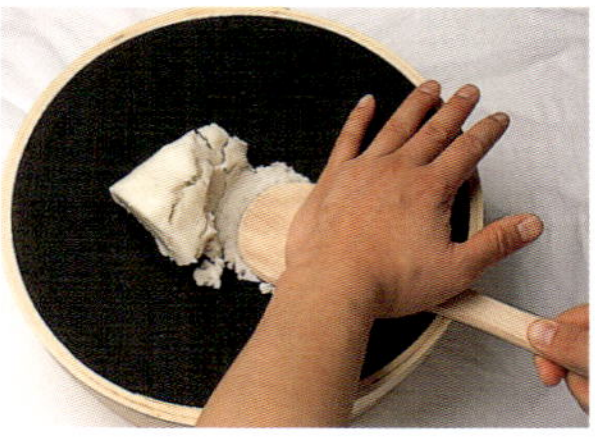

5　冷めた生地をもう一度馬毛の裏漉し器で裏漉しする。

❖再度裏漉しするのは、口当たりをなめらかにするため。

6　5の生地をボウルに入れ、白漉し餡を加えてむらなく混ぜる。

◎きんとん生地の着色方法

生地に直接食用色素を落とし、台の上（またはボウルの中など）でもみ込んでむらなく染める。

桜山

【きんとん——春】

着色する

1　きんとん生地を2:1:1の割合に分け、1に分けた生地の片方を水紅色の食用色素で、2に分けた生地は草色の食用色素で着色する（着色の方法→P.110）。残りは白いまで使う。

仕上げる

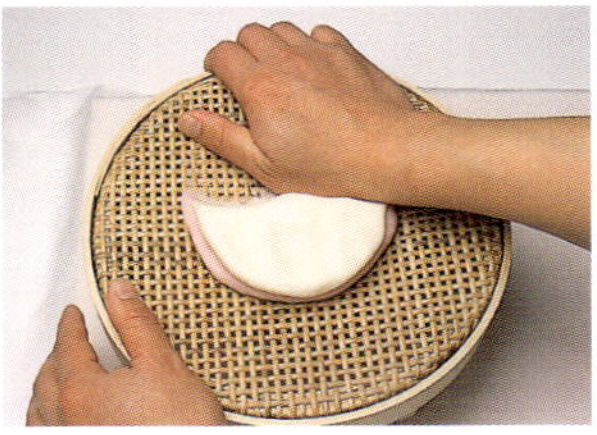

2　ピンク色生地に白生地を重ね、そぼろ漉しで漉してそぼろにする。

❖白生地を上にした方が淡い色合いになる。

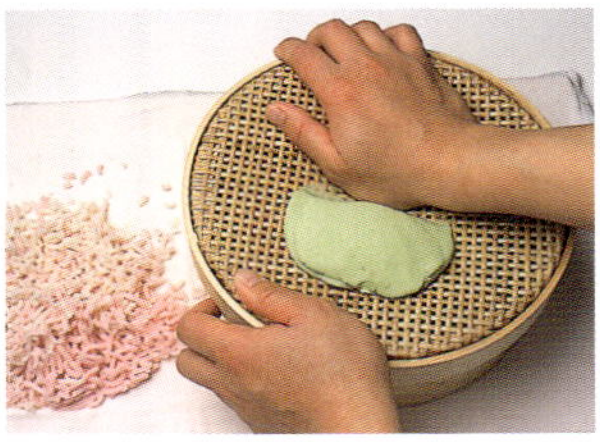

3　緑色生地もそぼろ漉しで漉してそぼろにする。

4　小豆粒餡の餡玉の周囲に、箸でピンク色と緑色のそぼろをつける。

❖そぼろは下から上に向かってつけるとよい。下の部分は、さらしの上に置いて餡玉を持って回しながらつける。

5　餡玉の周囲についたら指の上にのせ、全体を確認しながら、餡玉が見えなくなるまで、そぼろを下から上に向かって軽く押さえるようにしてつける。ひと通りつけたら、隙間やバランスをみて形を整える。

●仕上がりのよい例・悪い例

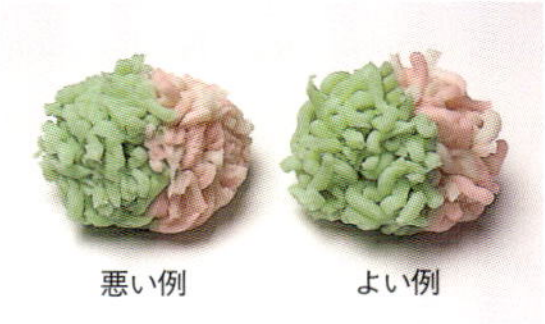

左が悪い例。そぼろを強く押さえてつけたので、全体的につぶれている。

●きんとんの扱い方

きんとんはくずれやすいので、移動させる時は箸で底の方を横から刺して扱う。

紫陽花

【きんとん——夏】

着色して仕上げる

1　きんとん生地を半分に分け、片方を水色の食用色素で着色する（着色の方法→P.110）。水色生地に白生地を重ね、そぼろ漉しで漉してそぼろにする。

❖白生地を上にした方が淡い色合いになる。

2　小豆粒餡の餡玉（15g）に1のそぼろをつける。餡玉の周囲についたら指の上にのせ、全体を確認しながら、餡玉が見えなくなるまでつけ、バランスよく整える。

3　錦玉羹を小さなさいの目に切り、所々につける。

紅葉

【きんとん——秋】

着色して仕上げる

1　きんとん生地を半分に分け、一方は黄色の食用色素で着色し、もう一方は黄色と本紅色の食用色素を使ってオレンジ色に着色する（着色の方法→P.110）。オレンジ色生地に黄色生地を重ね、そぼろ漉しで漉してそぼろにする。

2　小豆粒餡の餡玉（15g）に1のそぼろをつける。餡玉の周囲についたら指の上にのせ、全体を確認しながら、餡玉が見えなくなるまでつけ、バランスよく整える。

雪うさぎ

【きんとん――冬】

仕上げる

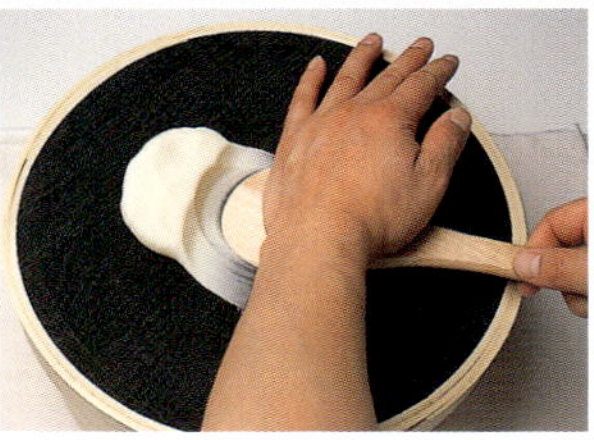

1　きんとん生地を馬毛の裏漉し器で漉して細かいそぼろにする。

2　小豆粒餡の餡玉（15g）を俵形に整え、1のそぼろをつける。餡玉の周囲についたら指の上にのせ、全体を確認しながら、餡玉が見えなくなるまでつけ、俵形になるようにバランスよく整える。

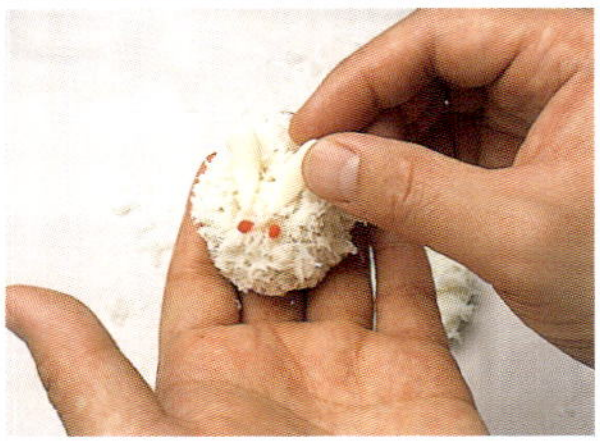

3　ごく少量の練切生地を本紅色の食用色素で着色して（着色の方法→P.91）うさぎの眼を作り、箸先でつける。耳も練切生地で作り、これもつける。

流し菓子

流し物

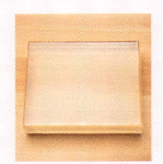

錦玉羹

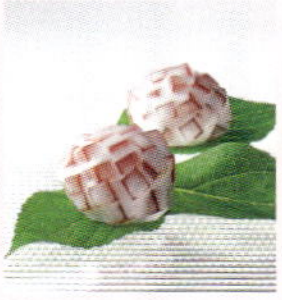
あじさい

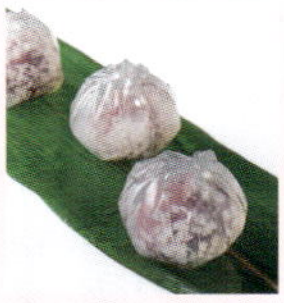
みぞれ羹

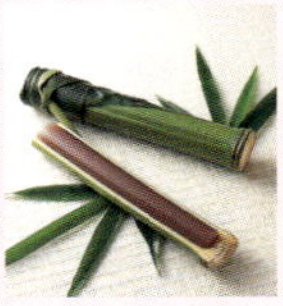
水羊羹

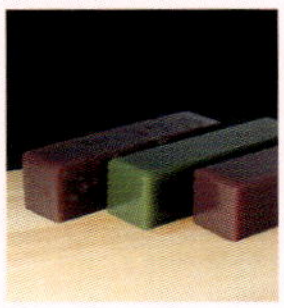
羊羹

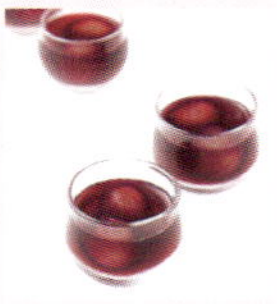
ぶどうゼリー

流し物 1

錦玉羹

寒天液に甘味を加えて固めたもの。流し物の基本。菓子屋ではこれを作り置きし、必要な分だけ取り出して使用する。着色した液を型に流し固めると一品にも。

〈材料　12×15×4.5cmの流し缶1台分〉

糸寒天（または棒寒天）…………………7.5g
水……………………………………500ml
グラニュー糖……………………………350g
水飴…………………………………50g

〈準備〉

・流し缶を水にくぐらせ、ふせて置いて余分な水気を取る。❖ぬらしておくと、錦玉羹を取り出す時に作業しやすい。

【寒天の戻し方】

1　糸寒天をたっぷりの水に約6時間つけて戻す。棒寒天を使う場合も、同様にたっぷりの水につけて戻す。

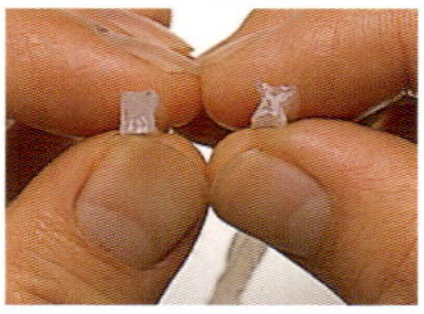

❖乳白色になるまで完全に戻す。左が完全に戻った糸寒天、右が戻り方が不十分なもの。

2　鍋に分量の水と水気をきった寒天を入れ、沸騰させて寒天を完全に煮溶かす。
❖完全に溶かさないと凝固力が弱くなる。木杓子にすくってみて、かたまりが残らなくなればよい。
❖寒天が溶けていないと、すくい取った時に、写真のようにかたまりが残る。

3　寒天が完全に溶けたらグラニュー糖を加え、再度沸騰させる。砂糖が溶けたら、さらしで漉して絞り、不純物を取り除く。

❖寒天が完全に溶ける前にグラニュー糖を加えると、写真のようにさらしに寒天が残る。

4　再び火にかけ、102～103℃になるまで煮詰め、水飴を加える。水飴が混ざったら火を止める。

5　準備しておいた流し缶に4を流し込む。
❖流し缶をぬらしておくと、錦玉羹を取り出しやすい。

6　表面に泡があれば霧を吹き、そのまま常温において完全に固める。

◎錦玉羹の使い方
錦玉羹はそのまま好みの形に切って菓子として提供することもあるし、中に小豆の蜜煮を入れて固めたりすることもある。また、小さくきざんで生菓子の飾りに使うこともできる。

寒天の注意点

◆寒天の選び方——糸寒天、棒寒天の場合
・色が白いものがよい。黄色っぽくなっているものは避ける。
・握ってみて弾力があるものがよい。
　寒天の質が悪いと、いくら水につけても戻りが悪く、凝固力も弱い。

◆寒天の戻し方
　完全に戻すことが何より大切である。寒天は産地や気候などによって戻し時間が変わるため、本書に記した水につける時間はあくまで目安とし、状態を見て判断する。
　断面が四角形に戻ることがひとつの目安だが、ものによっては完全な四角形に戻らない場合もあり、以下のような確認方法も知っておきたい。

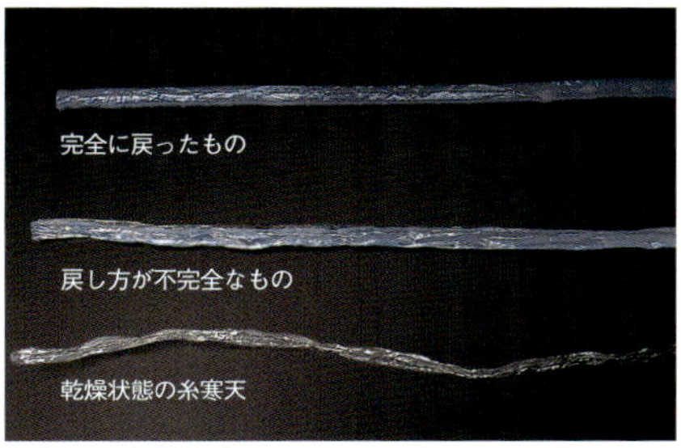

上：完全に戻ったもの。中心部分まで半透明になっている。台に置くと真っすぐになる。
中：戻し方が不完全なもの。中心部分に乾燥状態と同じかたまりのようなものが残り、光が反射するように見える。台に置くと波打った状態になる。
下：乾燥状態の糸寒天。

◆寒天を戻す時の温度
・夏場は常温では腐りやすいので、水につけ、戻れば冷蔵庫に入れる。
・冬場はぬるま湯につけて戻す。

◆寒天は沸騰させて溶かす
　寒天を完全に溶かすには、沸騰してから5～10分間は煮立たせる必要がある。

◆寒天は酸に弱い
　寒天は酸に弱いので、柑橘類などの酸味の強い材料とともに使用する場合は、凝固力を保つために火を止めてから加える。この時、寒天液と酸味の強い液体の両方が80℃以下になってから合わせる。なお、酸味を含むものと合わせた後、沸騰させると固まらなくなるので十分注意が必要。

◆寒天の凝固点、融点
　一般的に、寒天が固まる温度（凝固点）は33～45℃、溶ける温度（融点）は85～93℃。

流し物 ❷

あじさい

梅雨にしっとりと咲く紫陽花《あじさい》を、錦玉羹《きんぎょくかん》と淡《あわ》雪羹《ゆきかん》で華やかに表現。淡雪羹はメレンゲの作り方と、メレンゲと錦玉羹の合わせ方がポイント。

〈材料　25個分〉

● 赤ワインの錦玉羹
（12×15×4.5cmの流し缶2台分）

A
- 糸寒天 ··········8g
- 水 ··········500ml
- グラニュー糖 ·············200g
- トレハロース ···80g
- カップリングシュガー ·············100g

（上がり目方 ···850g）
赤ワイン ·······70ml

● 淡雪羹

錦玉羹：
- 糸寒天 ········7.5g
- 水 ··········500ml
- グラニュー糖 ·············200g
- トレハロース ·············150g
- カップリングシュガー ·············50g

メレンゲ：
- 卵白 ·········2個分
- グラニュー糖 ···70g

● 中餡
白漉し餡 ·······400g

〈分割〉

餡玉（白漉し餡）························15g

〈準備〉

・糸寒天をたっぷりの水に約6時間つけて戻す。寒天の戻し方→P.116・117
・中餡用の白漉し餡を1個15gずつに分けて丸め、餡玉を作る。
・流し缶を水にくぐらせ、ふせて置いて余分な水気を取る。❖ぬらしておくと、錦玉羹を取り出す時に作業しやすい。

赤ワインの錦玉羹を作る

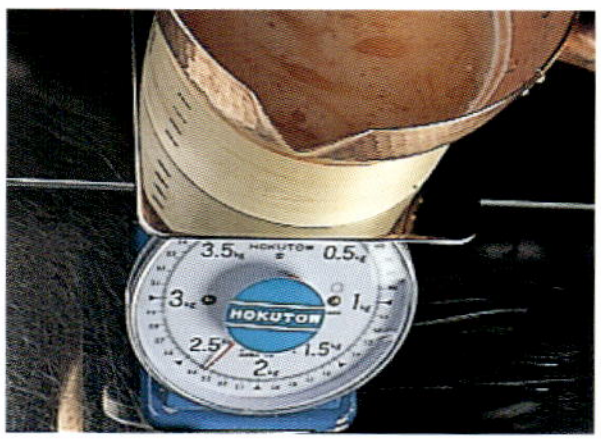

1　Aの材料を使って錦玉羹を作る（P.116～117の1～4を参考にする）。液体の重さが850gになるまで煮詰める。

2　鍋を氷水にあて、混ぜながら粗熱を取る。

3　赤ワインを加えて混ぜ、準備しておいた流し缶に流し込み、常温で完全に固める。

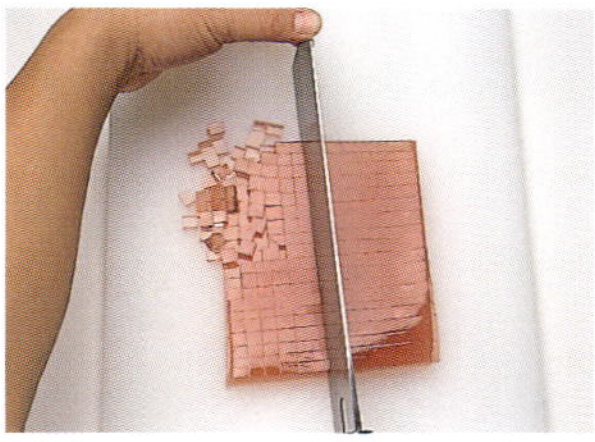

4　竹べらなどの厚みの薄いものを流し缶と錦玉羹の間に差し込み、くずさないように取り出す。7～8mm角に切る。

餡を包む

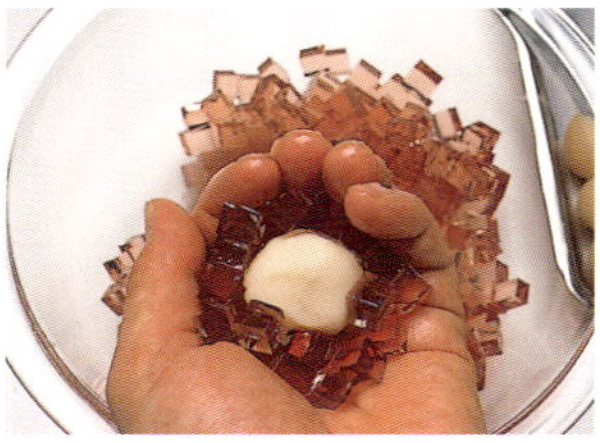

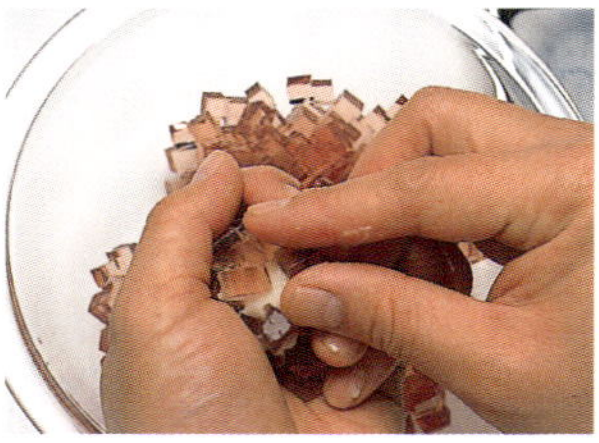

5　手の平に4の錦玉羹をのせて餡玉を置き、餡玉のまわりに錦玉羹をつける。

淡雪羹を作る

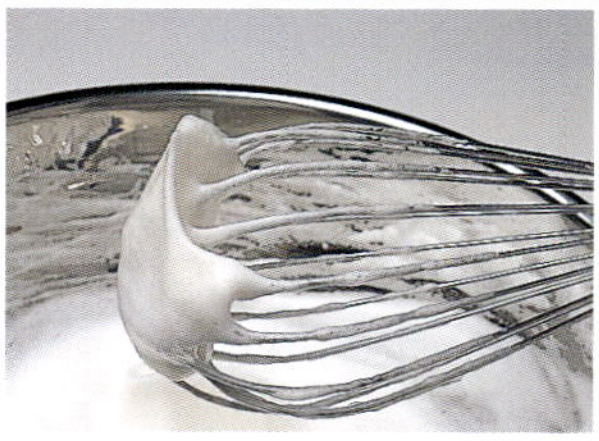

6　メレンゲを作る：卵白を軽く泡立て、グラニュー糖を1/3量加え、六分立てにする（写真上）。さらに残りのグラニュー糖を半量ずつ加えながら泡立て、角がぴんと立つくらいまでしっかり泡立てる（写真下）。

7　淡雪羹用の錦玉羹材料を使って1と同様に錦玉羹を作り、1/3量をメレンゲに加えてなじませる。残りを加え、もったりするまで泡立てる。

❖メレンゲと錦玉羹では比重が違うため、混ざりにくい。中に空気を含ませるようなつもりで手早く泡立てる。

8　ボウルを冷水にあてて混ぜながら、約50℃まで粗熱を取る。＝淡雪羹

❖ここで冷やしすぎるとうまく固まらなくなる。

仕上げる

9　バットの上に網をのせ、5を並べる。どらさじで8の淡雪羹を素早く全体にてんぷらする。そのままおいて淡雪羹を固める。

流し物 3

みぞれ羹

錦玉羹《きんぎょくかん》に道明《どうみょう》寺《じ》粉《こ》を散らして霙《みぞれ》の雰囲気に。道明寺粉はやわらかく蒸して食べた時に口に残らないようにする。型に流してもよいが、ここでは餡を包んだので茶巾絞りにした。

〈材料 12個分〉

● みぞれ羹

道明寺粉（四つ割）……50g
ぬるま湯（約35℃）……120ml
錦玉羹：
- 糸寒天……7.5g
- 水……500ml
- グラニュー糖……200g
- トレハロース……150g
- カップリングシュガー……50g

● 中餡

小豆漉し餡……約100g

〈分割〉

餡玉（小豆漉し餡）……8g

〈準備〉

・糸寒天をたっぷりの水に約6時間つけて戻す。寒天の戻し方→P.116・117
・中餡用の小豆漉し餡を1個8gずつに分けて丸め、餡玉を作る。
・せいろにぬらしてかたく絞ったさらしを敷く。

みぞれ羹を作る

1 道明寺粉に分量のぬるま湯を加え、ラップフィルムで密閉し、約15分間おく。
❖道明寺粉が水分を吸って、揺すっても動かなくなるまでおく。

2 準備したせいろに1を移す。これを10分間蒸す。

3 2をざるに入れ、水で洗ってぬめりを取り、水気をきる。

4　錦玉羹を作る（P.116～117の1～4を参考にする）。

5　ボウルに3を入れ、泡立て器で混ぜながら、4の錦玉羹を約1/3量加えて混ぜる。なじんだら残りの錦玉羹を加えて混ぜ合わせる。

6　ボウルを冷水にあて、泡立て器で混ぜながら、少しとろみがついて道明寺粉が散らばった状態になるまで粗熱を取る。
❖冷ましすぎると固まらなくなる。

仕上げる

7　器にポリシートを敷き、6のみぞれ羹を器の半分程度まで流す。餡玉を入れ、器いっぱいまでみぞれ羹を流す。

8　茶巾絞りにし、ワイヤー入り金リボンなどで縛り、器に戻して常温で固める。

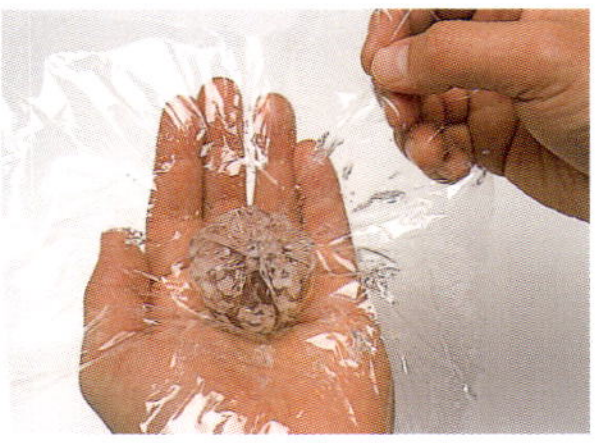

9　手でさわってみて、固まっていたらポリシートを外す。

流し物 4

水羊羹

冷やしていただく夏向きのあっさりとした菓子。練り羊羹より寒天や餡の量を控え、煮詰めずに作る水分の多い羊羹。三温糖で風味とこくをつけ、青竹筒に流して爽快な香りを添える。

〈材料　青竹筒約15本分〉

糸寒天	4g
水	600ml
三温糖	80g
小豆漉し餡	380g
(上がり目方	950g)
葛粉	5g
水	50ml

● **分量外**

青竹筒、笹の葉、塩

〈準備〉

・糸寒天をたっぷりの水に約6時間つけて戻す。寒天の戻し方→P.116・117

・青竹筒は内側をきれいに洗い、箸に布巾を巻いて内側の薄皮を除く。表面の汚れは塩でこすって取る。水にしばらくつけ、水気をきる。

水羊羹を作る

1　戻した糸寒天を分量の水で煮て完全に溶かす(P.116の1・2参照)。三温糖を加え、いったん沸騰させて溶かす。

2　小豆漉し餡を加え、木杓子で混ぜながら沸騰させる。途中、アクが出てきたら木杓子を軽く押しつけて取り除き、液体の重さが950gになるまで煮詰める。

3　分量の水で溶いた葛粉を加え、再度沸騰させる。

❖水溶き葛粉を加えたら、必ず沸騰させて葛粉の粉臭さを取る。

4　鍋を冷水にあて、ゆっくりと混ぜながら少しとろみが出てくるまで冷ます。

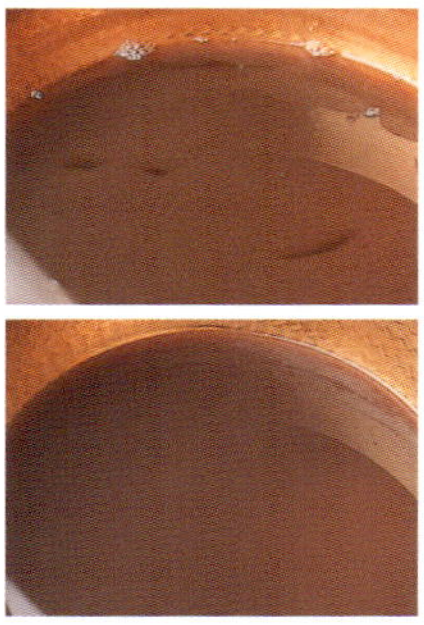

❖急激に冷やすと寒天がすぐに固まって分離し、食感が悪くなるため、ゆっくりと冷ます。写真上が分離しかけた状態、写真下が分離していない状態。

5　目の細かいざるに通してダマを取り除く。

仕上げる

6　準備した青竹筒を写真のように立てて固定し、5を流し入れる。常温で固める。

7　笹の葉の葉先から約1/4のところに竹筒をあてる。

8　葉の幅を半分に折り、折った葉を竹筒に巻きつけていく。

9　笹の軸も巻きつけ、ゆるまないようにとめる。よく冷やして提供する。

● 食べ方

食べる時は、竹筒の底に穴をあけると空気が入って取り出しやすい。

流し物 5

羊羹

進物用や引菓子《ひきがし》用には日持ちを考えてかために作るが、ここでは口当たりを考えてやわらかめにした。シンプルな菓子なだけに、ひとつひとつの作業が仕上がりに影響する。

〈材料　12×15×4.5cmの流し缶3台（3種類）分〉

● 練り羊羹

糸寒天 ･････････7.5g
水 ･･･････････500ml
グラニュー糖 ･･･300g
小豆漉し餡 ･････660g

● 小倉羊羹

糸寒天 ･････････7.5g
水 ･･･････････500ml
グラニュー糖 ･･･300g
小豆漉し餡 ･････450g
小豆の蜜漬け（P.59）
･･･････････････150g

● 抹茶羊羹

糸寒天 ･････････7.5g
水 ･･･････････500ml
グラニュー糖 ･･･300g
白漉し餡 ･･･････660g
┌ 抹茶 ･･････････････4g
└ 湯 ･･････････････50ml
小豆の蜜漬け（P.59）
･･･････････････少量

〈準備〉

・糸寒天をたっぷりの水に約6時間つけて戻す。羊羹に天草の香りをつけたい時は、この戻し汁で羊羹を作るとよい。寒天の戻し方→P.116・117

・流し缶を水にくぐらせ、ふせて置いて余分な水気を取る。❖ぬらしておくと、羊羹を取り出す時に作業しやすい。

練り羊羹を作る

1　糸寒天、水、グラニュー糖で寒天液を作る（P.116の1～3を参照）。沸騰したら小豆漉し餡を加える。焦げないように木杓子で混ぜながら練り、強火で約103℃になるまで煮詰める。

2　木杓子ですくい上げ、2～3mmの厚みで流れるぐらいの濃度になったら火から外す。
❖103℃よりも高温に煮詰めると、仕上がりがよりかたくなる。

3　準備した流し缶に流し、常温で完全に固める。

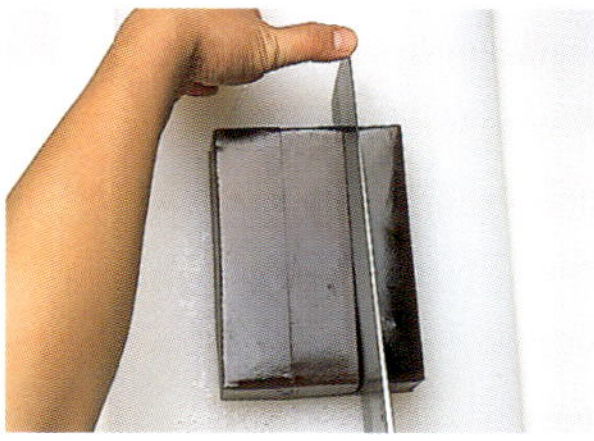

4　流し缶から取り出し、包丁で3等分に切る。

小倉羊羹を作る

1　練り羊羹の1・2を参照して羊羹を作る。そこに小豆の蜜漬けを加え、再び103℃になるまで煮詰める。

2　鍋を氷水にあて、混ぜながら少しとろみがつくまで粗熱を取る。
❖この作業は、小豆の蜜漬けを均等に散らすために行う。これをしないと小豆が沈んでしまう。

3　準備した流し缶に流し、常温で完全に固める。流し缶から取り出し、包丁で3等分に切る。

抹茶羊羹を作る

1　糸寒天、水、グラニュー糖で寒天液を作る（P.116の1〜3参照）。沸騰したら白漉し餡を加える。焦げないように木杓子で混ぜながら練り、強火で約103℃になるまで煮詰める。

2　抹茶を目の細かい裏漉し器でふるい、分量の湯を加えて茶筅でよく溶き、裏漉し器に通してダマをなくす。これを1に加えて練る。木杓子ですくい上げると2〜3mmの厚さで流れるぐらいの濃度になったら火から外す。

3　準備した流し缶に流し、常温で完全に固める。流し缶から取り出し、包丁で3等分に切る。

針切りの仕方

1　ギターの弦を使って松葉の形に針切りをする。弦を両手でぴんと張り、一方の手は羊羹の一角に固定し、もう一方の手を上下に動かしながら羊羹の2辺を切っていく。
❖ギターの弦は、ピアノ線やテグスでも代用できる。

2　切り終わったら上下に分け、弦を固定していた位置に小豆の蜜漬けを飾り、松の実を表す。

流し菓子

流し物6

ぶどうゼリー

ゼリーといっても寒天で固める。オレンジや桃などでも同様に作られるが、寒天液は酸に弱いので、酸を含む果汁を混ぜる時は温度に十分注意する。

〈材料　80mlの容器15個分〉

錦玉羹：

糸寒天	4g
水	250ml
グラニュー糖	80g
トレハロース	40g
（上がり目方	320g）
グレープ果汁	450ml
ワインエキス＊	10ml
ぶどうのシロップ煮	45粒

＊ワインを煮詰めてアルコール分を飛ばしたもの。業務用。

〈準備〉

・糸寒天をたっぷりの水に約6時間つけて戻す。寒天の戻し方→P.116・117

錦玉羹を作る

1　糸寒天の水気をきって鍋に入れ、分量の水も入れて火にかける。しっかり沸騰させて寒天を煮溶かす。

❖糸寒天が完全に溶けていれば、木杓子ですくった時にかたまりが残らない。完全に溶かさないと凝固力が弱まる。

2　糸寒天が完全に煮溶ければ、グラニュー糖とトレハロースを加え、沸騰させて溶かす。

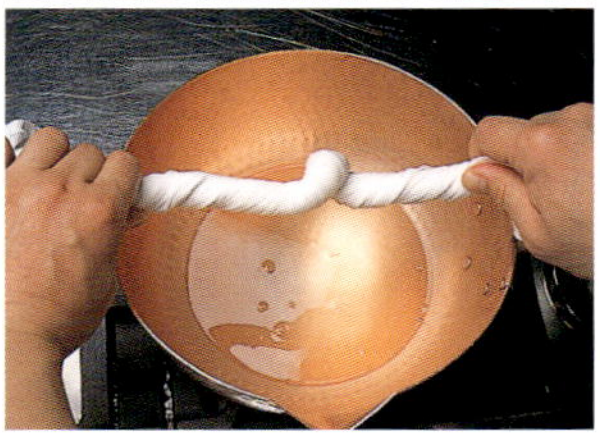

3　さらしで漉して絞り、不純物を取り除く。

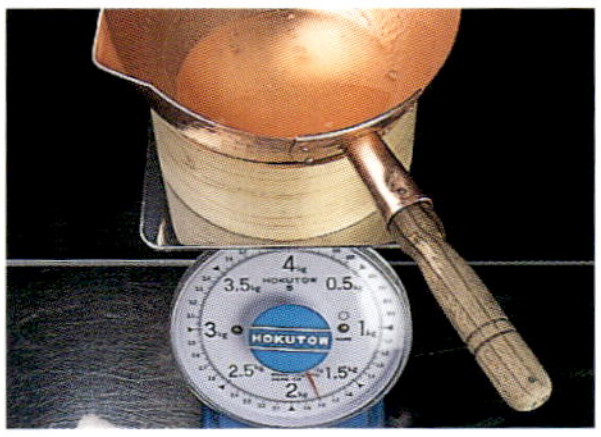

4　再び火にかけ、液体の重さが320gになるまで煮詰め、火から下ろす。

仕上げる

5　グレープ果汁にワインエキスを加えて混ぜる。

6　4の寒天液を5に加え、混ぜ合わせる。

❖寒天液と酸を含む果汁を混ぜる時は、必ず火から外して行う。寒天は酸に弱い上、温度が高いと凝固力が弱まる。解説→P.117

7　ぶどうのシロップ煮を容器に3粒ずつ入れ、6を注ぎ込む。常温で固めてから冷蔵庫で冷やす。

❖寒天で作る果物ゼリーは、急冷すると時間経過とともに離水するため、すぐに提供しない場合は上記方法で冷やす。

◎粘り気のない液体をラッパ筒を使って注ぐ時は、ラッパ筒の注ぎ口を液体の中につけて注ぐ。そうすると表面に泡ができない。
◎ぶどうの代わりにオレンジや桃などの季節の果物を使うと、様々なゼリーが作れる。

焼き菓子

平鍋物

どら焼き

鮎焼き

きんつば

芋きんつば

艶袱紗

関東風桜餅

茶通

オーヴン物

栗饅頭

月餅

黄金芋

アーモンド饅頭

チーズ焼饅頭

ココナッツ饅頭

桃山

ブッセ

長崎かすてら

焼き菓子

平鍋物 1

どら焼き

平鍋物の基本の菓子。生地をきめ細かくふんわりと焼きあげるには、生地のかたさや鍋の温度に注意が必要。東雲《しののめ》とは、まだら模様を明け方の東の空にたなびく雲に見立てた名。

〈材料　約15個分〉

● 生地

全卵 ……………5個
上白糖 …………210g
蜂蜜 ……………30g
みりん …………30g
┌ 酒石酸水素カリウム＊ ………………2g
│ 重曹 ……………3g
└ 水 ……………10ml
薄力粉 …………230g
水（調整用） …………30〜50ml

● どら焼き餡（中餡）

小豆（乾物） ……500g
グラニュー糖 ……540g
カップリングシュガー ………………100g
水 …………約400ml
栗の甘露煮 ………300g

● 分量外

ショートニング

＊膨張剤の一種。重曹だけでは炭酸ガスが弱いため、これを併用することで炭酸ガスを大量に発生させることができる。

〈準備〉

・どら焼き餡用のゆで小豆を作る（P.13〜15の1〜17参照）。
・栗の甘露煮を適当な大きさにきざむ。
・平鍋を温めておく。

どら焼き餡を炊く

1　鍋に準備したゆで小豆、グラニュー糖、カップリングシュガー、分量の水を入れて強火にかける。沸騰すれば弱火にし、アクをこまめに取りながら煮詰める。

2　焦がさないようにしてぜんざいくらいのやわらかさに炊く（写真左）。炊きあがりにきざんだ栗の甘露煮を加え、ひと煮立ちさせて火を止める。

3　平らな容器に移し、表面が乾かないようにラップフィルムをかけ、そのまま冷ます。

生地を作る

4　ボウルに全卵を入れて溶きほぐし、上白糖を加えてすり混ぜる。蜂蜜、みりんを加えて混ぜ、酒石酸水素カリウムと重曹を10mlの水で溶いて加えて混ぜる。薄力粉を加えてさっくりと混ぜる。

5　調整用の水を少しずつ加え、写真のように生地を落とすと山になるが、すぐに消えるくらいのかたさにする。

焼いて仕上げる

6　温めておいた平鍋にショートニングを薄く均一にぬり、四隅と中央に生地を落として試し焼きをする。

❖火が強すぎるとすぐに焦げ、弱すぎると半生のせんべいのようになる。また、油をぬりすぎると焼きむらができる。

7　生地をどらさじですくい、生地が広がることを予想して直径約9cmに流す。

8　表面に気泡が浮いてきて、それが割れて小さい穴がたくさんあいたら裏返し、反対側は乾かす程度にさっと焼く。

❖平鍋の温度が適切だと、裏返した時にふわっと膨らむ。

9　皮を2枚抱き合わせ、巻きすに並べて冷ます。

❖巻きすに並べて粗熱を取らないと、皮が水蒸気を含んでべたついてしまう。

10　1枚の皮に、竹べらで3の餡を適量のせる。

11　もう1枚の皮ではさみ、皮の端を強めに押して密着させる。巻きすに並べる。

東雲の焼き方

7　平鍋に適当な大きさに切った白紙をのせ、その上に生地をどらさじで直径約9cmに流す。

8　表面に気泡が浮き、それが割れて小さい穴がたくさんあいたら紙ごと裏返し、反対側は乾かす程度にさっと焼く。

9　皮を2枚抱き合わせて冷まし、紙をはがす。10・11と同様に餡をはさんで仕上げる。

平鍋物 2

鮎焼き

鮎《あゆ》の季節が始まる6月頃からの菓子。生地に焼きむらはない方がよいが、焼き色を少し強めにつけると風味が増す。求肥はなめらかさと粘りを併せ持つものが理想である。

〈材料〉

● 生地　約25個分

- 全卵……5個
- 上白糖……230g
- 蜂蜜……15g
- みりん……20g
- 重曹……2g
- 水……10ml
- 薄力粉……230g
- ベーキングパウダー……2g
- 水（調整用）……約50ml

● 求肥　32本分
（12×15×4.5cmの流し缶1台分）

- 餅粉……200g
- 水……180ml
- 上白糖……300g
- トレハロース……100g

● 分量外

片栗粉、ショートニング

〈準備〉

・薄力粉とベーキングパウダーを合わせてふるい、均一に混ぜる。
・平鍋を温めておく。
・流し缶に霧を吹き、片栗粉をふって余分な粉を落とす。

生地を作る

1　ボウルに全卵を入れて溶きほぐし、上白糖を加えてすり混ぜ、蜂蜜、みりんを加えて均一に混ぜる。重曹を10mlの水で溶いて加えて混ぜる。ふるった粉類を加えてさっくり混ぜる。

2　調整用の水を適量加えて混ぜ、落とすと山になるが、すぐに消えるくらいのかたさにする。

求肥を作る

3　餅粉に分量の水を加え、耳たぶぐらいのかたさにこねる。写真がこねあがり。

4　生地を4つに分け、平たくのばして真ん中に穴をあける。熱湯で浮いてくるまでしっかりゆでる。
❖平たいドーナツ状にすると、早くゆであがる。

5　鍋にゆであげた4の生地を入れ、弱火で練って完全になめらかな状態にする。

6　上白糖とトレハロースを3～4回に分けて加えながら練る。この時、ぬらしたさらしを巻きつけた木杓子で、時々鍋肌についた生地をぬぐい取る。

7　よくのびる状態になり、手にくっついてこなくなれば炊きあがり。
❖生地がかたい場合は、4のゆで汁を加えてかたさを調節する。火の通し方が不十分だと生地がくっつきやすく、こしも出ない。

8　準備した流し缶に7を流し込み、上面に片栗粉をまんべんなくふり、常温で固める。

9　流し缶から取り出して、32等分の角棒状に切り、余分な粉はふるい落とす。

焼いて仕上げる

10　温めておいた平鍋にショートニングを薄く均一にぬり、どらさじで生地を流し、さじの背で素早く楕円形に広げる。
❖生地を流したらすぐに広げないと、焼きむらができてしまう。

11　表面に気泡が浮き、それが割れて小さい穴があいたら裏返し、裏面は乾かす程度にさっと焼く。

12　もう一度裏返し、9の求肥をのせ、手早く2つ折りにして密着させる。

13　巻きすに並べ、頭部、尾びれに焼印を押す。そのまま粗熱を取る。
❖巻きすに並べて粗熱を取らないと、皮が水蒸気を含んでべたついてしまう。

きんつば

もとは刀の鍔《つば》に形を似せて作ったのでこの名がある。生地と餡が離れないよう、また色をつけないよう焼きあげる。卵白と白玉粉を用い、生地の白さともっちりした食感を出す。

〈**材料**　12×15×4.5cmの流し缶1台分＝16個分〉

● きんつば餡
- 糸寒天 …………5g
- 水 …………250ml
- グラニュー糖 …460g
- 小豆（乾物）……300g
- （上がり目方‥1050g）

● 皮
- 白玉粉 …………15g
- 水 …………200ml
- 上白糖 …………30g
- 卵白 …………30g
- 薄力粉 …………100g
- 水（調整用）‥約50ml

● 分量外
- ショートニング

〈**準備**〉

・糸寒天をたっぷりの水に約6時間つけて戻す。寒天の戻し方→P.116・117
・きんつば餡用のゆで小豆を作る（P.13〜15の1〜17参照）。
・平鍋を温めておく。
・流し缶を水にくぐらせ、ふせて置いて余分な水気を取る。❖ぬらしておくと、取り出す時に作業しやすい。

きんつば餡を作る

1　糸寒天、水、グラニュー糖で寒天液を作り（P.116の1〜3参照）、ゆで小豆を加える。アクを取りながら、上がり目方1050gになるまで、豆をつぶさないようにして煮詰める。
❖豆がつぶれていると固まりにくい。

2　炊きあがった餡をすぐに流し缶に流し入れ、常温で固める。

3　固まったら流し缶から取り出し、16等分に切り分ける。

皮を作る

4　白玉粉に分量の水を少しずつ加えながら混ぜ、ダマができないように溶きのばす。上白糖を加えて混ぜる。

5　ほぐしてこしをぬいた卵白を加えて混ぜる。なじんだら薄力粉を加え、泡立て器でダマができないように手早く混ぜる。

6　調整用の水を加えてかたさを調節し、写真のようにさらっとした状態まで生地の濃度をゆるめる。

焼いて仕上げる

7　3のきんつば餡の1面に6の生地を薄くつける。

8　温めておいた平鍋にショートニングを薄く均一にぬり、生地をつけた面を下にしてきんつば餡をのせ、手の平で軽く押さえて焼く。

9　生地をつけては焼く操作をくり返し、6面とも焼く。
❖狭い面を先に焼き、最後に広い2面を焼くと作業がしやすい。

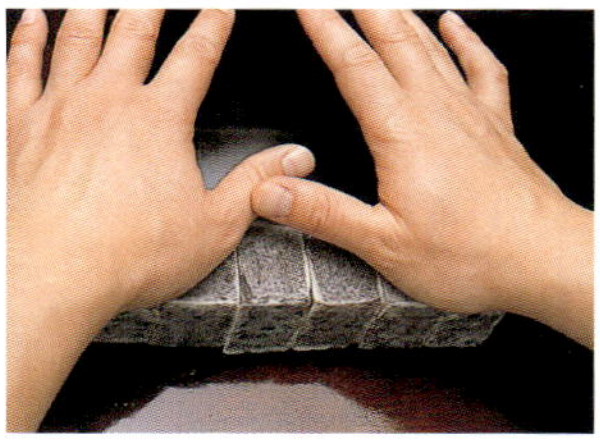

10　全面が焼き終わったら、角をしっかり作るために5〜6個を揃えてまとめて押さえ、転がしながら4面とも押さえて形を整える。

11　巻きすに並べて粗熱を取る。
❖巻きすに並べて粗熱を取らないと、皮が水蒸気を含んでべたついてしまう。

平鍋物 4

芋きんつば

さつま芋のおいしい季節に作りたい。長時間鉄板に置くと芋羊羹の寒天が溶けてやわらかくなるので手際よく焼く。生地にはそば粉を使って風味を添える。

〈**材料**　12×15×4.5cmの流し缶1台分＝16個分〉

● 芋餡

さつま芋 ·······800g
糸寒天 ·············6g
水 ············200ml
三温糖 ·········150g

● 分量外

ショートニング

● 皮

白玉粉 ···········15g
水 ············200ml
上白糖 ··········30g
卵白 ············30g
［薄力粉 ·······100g
　そば粉 ········30g］
水（調整用）····50ml

〈**準備**〉

・糸寒天をたっぷりの水に約6時間つけて戻す。寒天の戻し方→P.116・117
・薄力粉とそば粉を合わせてふるい、均一に混ぜる。
・さつま芋を厚さ1cmの輪切りにし、30分間蒸し、皮をむく。
・平鍋を温めておく。

芋餡を作る

1　蒸しあげたさつま芋が熱い間に、馬毛の裏漉し器で裏漉しする。解説→P.39

2　分量の水と戻した寒天を鍋に入れて火にかける。寒天が完全に溶けたら、三温糖を加えて混ぜる。砂糖が溶けたら、さらしで漉す。寒天液の作り方→P.116

3　2の寒天液に裏漉ししたさつま芋を加え、手早く均一に混ぜながら、並餡よりも少しかために炊きあげる。

4 炊きあがった餡をすぐに流し缶に移す。ラップフィルムをかけ、板で押さえて平らにし、常温で固める。

5 表面が固まったら流し缶から取り出し、16等分に切り分ける。

皮を作る

6 白玉粉に分量の水を少しずつ加えながら混ぜ、ダマができないように溶きのばす。上白糖を加えて混ぜる。

7 ほぐしてこしを抜いた卵白を加えて混ぜ、なじんだら、ふるった粉類を加えて混ぜる。

8 調整用の水を加え、写真のようにさらっとした状態になるまで生地をやわらかくする。

焼いて仕上げる

9 5の芋餡の1面に8の生地を薄くつける。

10 温めておいた平鍋にショートニングを薄く均一にぬり、生地をつけた面を下にして芋餡をのせ、軽く押さえて焼く。生地をつけて焼く操作をくり返し、6面とも焼く。

❖狭い面を先に焼き、最後に広い2面を焼くと作業がしやすい。

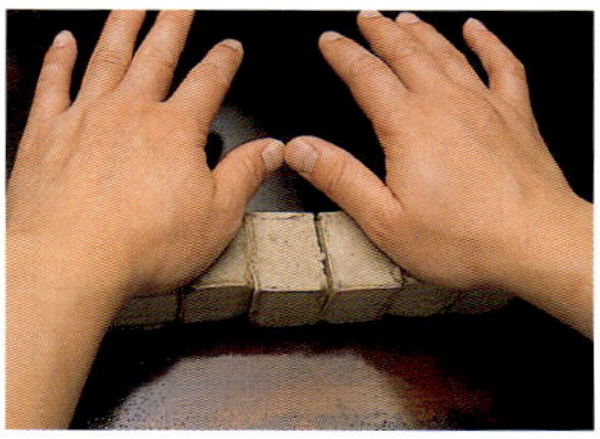

11 全面が焼き終わったら、角をしっかり作るために5〜6個を揃えてまとめて押さえ、転がしながら4面とも押さえて形を整える。

12 巻きすに並べて粗熱を取る。

❖巻きすに並べて粗熱を取らないと、皮が水蒸気を含んでべたついてしまう。

艶袱紗

生地の焼いた面を内側にして、袱紗《ふくさ》で包むように餡をふっくらと包む。生地のこね方に特徴がある。膨張剤の作用で表面にできる蜂の巣状の穴は、小さくて揃っている方がよい。

〈材料　約30個分〉

● 生地
薄力粉 ………150g
水 …………160g
上白糖 ………110g
全卵 …………2個
┌ 重曹 …………2g
│ 炭酸水素アンモニウム
│ ……………2g
└ 水 …………10ml
草色の食用色素 …少量

● 小豆粒餡（中餡）
小豆（乾物）…250g
グラニュー糖 …290g
カップリングシュガー
……………30g

● 分量外
ショートニング

〈分割〉

餡玉（小豆粒餡）……………………20g

〈準備〉

・小豆粒餡の材料を使って並餡程度のかたさの小豆粒餡を炊く（P.13〜15参照）。
・小豆粒餡を1個20gずつに分けて丸め、餡玉を作る。
・平鍋を温めておく。

生地を作る

1　薄力粉に分量の水を加え、写真のような状態になるまでよく混ぜる。
❖最初は粘りが出るが、混ぜ続けると粘りが消え、写真のようにさらっとした状態になる。＝逆ごね法

2　上白糖、溶きほぐした全卵、10mlの水で溶いた重曹と炭酸水素アンモニウムを順に加え、その都度よく混ぜる。

3　草色の食用色素を加えて薄い黄緑色に着色する。着色の方法→P.12

生地を焼く

4　温めておいた平鍋にショートニングを薄く均一にぬる。どらさじで生地を流し、すぐにさじの背で直径約10cmに広げる。

❖生地を流したらすぐに広げないと、焼きむらができてしまう。

5　まわりに焼き色がつき、細かい穴ができてきたら、半紙をあてて、まだ乾いていない生の生地を取る。

❖半紙で生の生地を取り除くと、気泡がきれいに出る。

6　裏返して乾かす程度にさっと数秒間焼く。2～3枚ずつ重ねて巻きすに取り、乾いた布巾をかけて冷ます。

❖生地が薄いので、手で裏返す方が作業がしやすい。巻きすに重ねて取るのは場所を取らないため。

餡を包んで仕上げる

7　皮が冷めてやわらかくなったら、焼き色のついた面の真ん中に餡玉（小豆粒餡）をのせ、両手で回しながら皮をすぼめて包む。

❖熱を取らないまま餡を包むと、餡がいたみやすい。

8　巻きすに並べる。

関東風桜餅

桜の落葉を掃除していた江戸向島《むこうじま》の長命寺《ちょうめいじ》の門番が考案し、売り出したのがはじまりとか。餡は粒餡でも白餡でもよく、包み方や桜葉の枚数などに変化を持たせたものもある。

〈材料　30個分〉

● 生地

白玉粉 ……………………………… 15g
水 ……………………………… 350ml
上白糖 ……………………………… 135g
白漉し餡 ……………………………… 190g
┌ 餅粉 ……………………………… 30g
│ 本極みじん粉 ……………………… 20g
└ 薄力粉 ……………………………… 140g

● 中餡

小豆粒餡または小豆漉し餡 ………………… 750g

● 食用色素

水紅色 ……………………………… 少量

● 分量外

ショートニング、桜の葉の塩漬け

〈分割〉

餡玉（小豆粒餡または小豆漉し餡）………… 25g

〈準備〉

・餅粉、本極みじん粉、薄力粉を合わせてふるい、均一に混ぜる。
・桜の葉の塩漬けを水で洗い、塩分を抜く。❖保存のために塩をかなり強くしてあるので、できるだけ洗い落としてから使う。
・中餡用の小豆餡を1個25gずつに分けて丸め、餡玉を作る。
・平鍋を温めておく。

生地を作る

1　白玉粉に分量の水から少量を取って少しずつ加え、耳たぶくらいのかたさになるまでこねる。

2　残りの水の半量を加えて泡立て器でむらなく混ぜ、上白糖も加えて混ぜる。白漉し餡を小さく割って加え、さらに混ぜる。

3　ふるった粉類を加え、粘りが出ないように混ぜ、写真のような状態にする。

4　残りの水を加え、写真のようにさらっと流れ落ちる状態にする。生地がかたかったら、さらに水を適量加えて調整する。生地を薄ピンク色にする場合は、水紅色の食用色素でごく薄く着色する。
着色の方法→P.12

生地を焼く

5　温めておいた平鍋にショートニングを薄く均一にぬる。どらさじで生地を流し、さじの背で楕円形（長さ約15cm、幅約6cm）に広げて焼く。
❖平鍋の温度が低いと生地が鉄板にくっつき、作業しにくくなる。

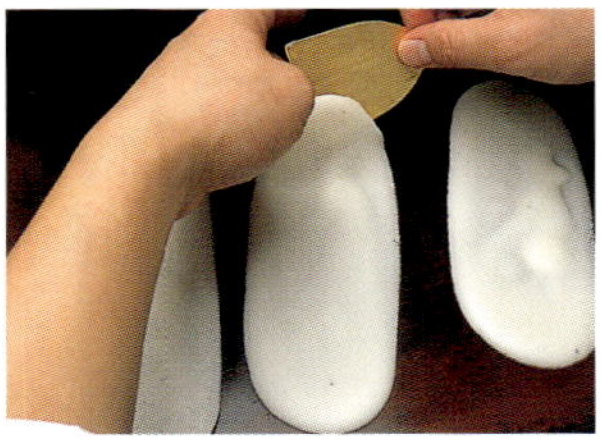

6　表面が半乾きになれば裏返し、裏面はさっと乾かす程度に焼く。4〜5枚ずつずらして重ね、巻きすに並べ、乾いた布巾をかけて冷ます。
❖裏返す時は、破れないように注意してはがす。

餡を巻いて仕上げる

7　最初に焼いた面を外側にして餡玉を巻く。
❖皮の粗熱を取っておかないと、水蒸気を含んでべたついてしまう。

8　巻き終わりを下にして、桜の葉の塩漬けで巻き、巻きすに並べる。

茶通

生地に卵が少なく、平鍋で両面を焼く間に側面に火を通すので、時間をかけて焼くのがこつ。茶席菓子としても用いられる。

〈材料　約25個分〉

● 生地

全卵 ……………1個
上白糖 ………130g
┌薄力粉 ………100g
│浮き粉 ………10g
└抹茶 …………10g

● 仕上げ

煎茶の葉 ………適量
すり蜜 …………適量

● 胡麻餡（中餡）

黒胡麻 …………30g
小豆漉し餡 ……750g
グラニュー糖 ……80g
水 …………約400ml
水飴 ……………40g

● 分量外

片栗粉（手粉）、グラニュー糖、ショートニング

〈分割〉

生地 ……………………………10g
餡玉（胡麻餡）………………25g

〈準備〉

・薄力粉、浮き粉、抹茶を合わせてふるい、均一に混ぜる。
・平鍋を温めておく。
・シロップを作る。グラニュー糖（分量外）1：水2を合わせ、火にかけて砂糖を溶かし、冷ます。

胡麻餡を作る

1　黒胡麻を香りが出るまで煎る。熱い間にすり鉢で適度にすりつぶす。

2　鍋に小豆漉し餡、グラニュー糖、分量の水を入れ、火にかけて写真のようなかたさになるまで炊く。炊きあがりに水飴と1の黒胡麻を加えて混ぜる。

生地を作る

3　ボウルに全卵を入れて溶きほぐし、上白糖を加え、写真のような状態になるまで泡立て器で混ぜ合わせる。

4　ふるっておいた粉類を加える。木杓子を大きく動かしながらさっくりと混ぜ、耳たぶくらいのかたさにする。

5　手粉（片栗粉）の入った容器に生地を移し、粉を生地の中に混ぜ込まないようにして四方から4〜5回折りたたむ。

分割・包餡する

6　5の生地を10gに分割し、2の胡麻餡は25gに分割して丸め、餡玉にする(分割の方法→P.10)。生地を平らに広げ、餡玉をのせて包む。包餡の方法→P.10

7　表面に煎茶の葉を適量つける。

焼く

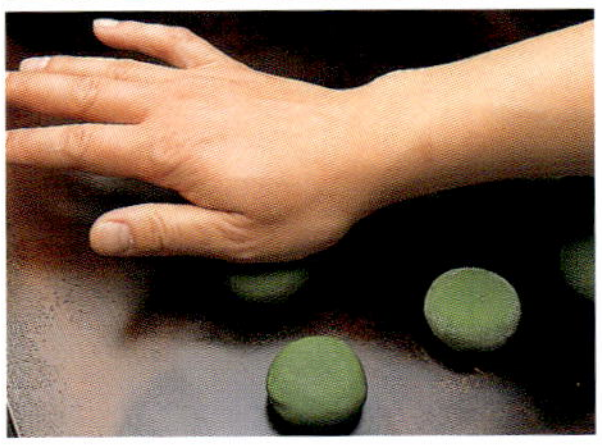

8　温めておいた平鍋にショートニングを薄く均一にぬる。饅頭を煎茶をつけた方を下にしてのせ、手の平で軽く押さえ、じっくり焼いて焼き色をつける。

❖平鍋の温度が高いと焦げてしまう。

9　裏返して、裏面も同じように手の平で軽く押さえてじっくり焼く。巻きすに取って冷ます。

❖巻きすに並べて粗熱を取らないと、皮が水蒸気を含んでべたついてしまう。

10　両面を焼き終えた時、側面が熱くなっていて乾き、写真左のように細かいしわが寄っていればよい。

❖写真右は焼き足りないもの。

仕上げる

11　ボウルにすり蜜を入れて弱火の湯煎にかけ、へらでかたまりをつぶしながら溶かす。人肌程度に温まったらシロップを適量加え、すくうと糸を引くように流れ落ち、落ちた跡がすぐに消えるくらいのかたさに調節する。

❖すり蜜は高温に熱すると結晶化して艶がなくなってしまう。

12　すり蜜を刷毛につけ、煎茶をつけた面に軽くぬる。饅頭の向きを90度回転させ、再びすり蜜をぬる。

❖刷毛目がつくようにすり蜜をつけることをばら引きという。

13　巻きすに並べて乾かす。

焼き菓子

オーヴン物 1

栗饅頭

生栗を蒸して餡に加えて風味豊かに。一般に小判形に仕上げることが多いが、栗の形に作ると趣《おもむき》が出る。表面には艶出しの卵をぬり、鬼皮のようにこんがりと焼き色をつける。

〈材料　約34個分〉

● 生地

全卵 ……2個
卵黄 ……1個
上白糖 ……140g
練乳 ……15g
蜂蜜 ……15g
白漉し餡 ……30g
重曹 ……3g
水 ……10ml
薄力粉 ……320g
イスパタ ……2g

● 仕上げ

けしの実 ……適量

● 分量外

薄力粉（打ち粉）

● 栗饅頭餡（中餡）

白漉し餡：
グラニュー糖 ……330g
カップリングシュガー ……30g
水 ……約400ml
白生餡（P.23の12） ……500g

栗ペースト ……200g
栗の甘露煮 ……200g

● 艶出し用卵

卵黄 ……5個
みりん ……5ml
カラメル ……5ml

〈分割〉

生地 ……14g　餡玉 ……28g

〈準備〉

・薄力粉とイスパタを合わせてふるい、均一に混ぜる。
・艶出し用卵を作る。卵黄、みりん、カラメルを混ぜ合わせ、さらしで漉す。
・オーヴンプレートにクッキングシートを敷く（なければごく薄くサラダ油をぬる）。

生地を作る

1　ボウルに全卵と卵黄を入れて溶きほぐし、上白糖を加えて混ぜる。

2　湯煎にかけて混ぜながら砂糖を完全に溶かし、練乳、蜂蜜、白漉し餡を加え、むらなく混ぜる。
❖直火で加熱すると卵に火が入って固まってしまうため、湯煎にかける。

3　今度はボウルを氷水にあて、混ぜながら完全に冷ます。
❖完全に冷ましておかないと、次の工程で重曹を加えた時にすぐに発泡してしまい、生地を膨らませる力が弱くなる。

4 重曹を10mlの水で溶いて加え、全体を均一に混ぜ合わせ、ふるった粉類を加えてさっくりと混ぜる。これをラップフィルムに包み、冷蔵庫で一晩休ませる。

栗饅頭餡を炊く

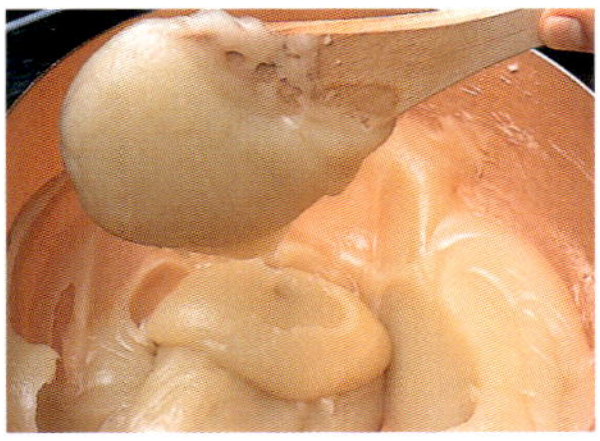

5 白漉し餡の材料を使って餡をやわらかめに炊きあげる（P.23〜24の13〜15を参考にする）。

6 栗ペーストを小さく割って加え、木杓子で混ぜながら、写真のような並餡程度のかたさに炊きあげる。

7 栗の甘露煮をきざんで加え、指先に餡が少しつく程度のかたさに炊きあげる。バットなどに小分けにして取り出し、ぬらしてかたく絞ったさらしをかけて冷ます。

分割・包餡する

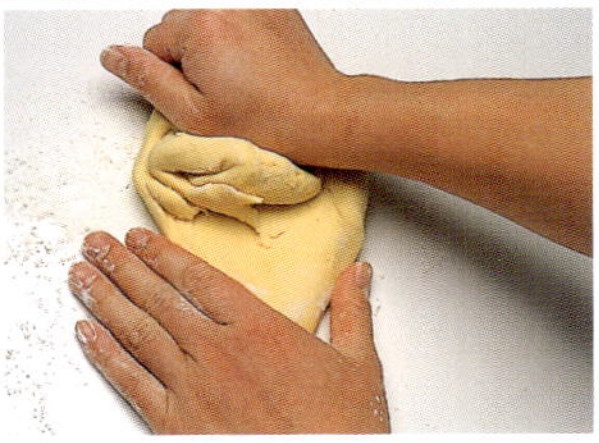

8 打ち粉（薄力粉）を使い、生地を軽く練ってかたさを調節する。

❖ねかせた生地をそのまま焼くとだれてしまうので、少し練ってなめらかにする。＝ふぎり・あんばいを取る

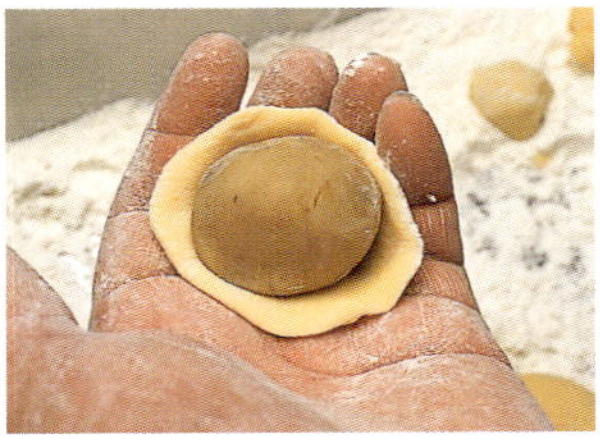

9 生地を14gに分割し、7の餡を28gに分割して餡玉にする（分割の方法→P.10）。生地を平らに広げ、餡玉を包む。

包餡の方法→P.10

木型で仕上げて焼く

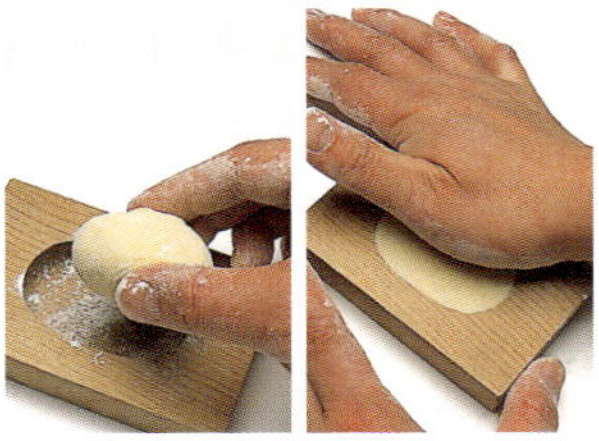

10 俵形に整え、薄く打ち粉（薄力粉）をした木型の中に入れる。手の平で押して表面を平らにし、取り出す。

11 適当な間隔をあけてオーヴンプレートに並べ、霧を吹き、艶出し用卵を丁寧に2回ぬる。

❖艶出し用卵は、1回目が乾いてから2回目をぬる。

12 オーヴンを上火180℃、下火150℃に設定し、18〜20分間焼く。底に焼き色がつき、側面がかたくなっていたら焼きあがり。

手形で仕上げて焼く

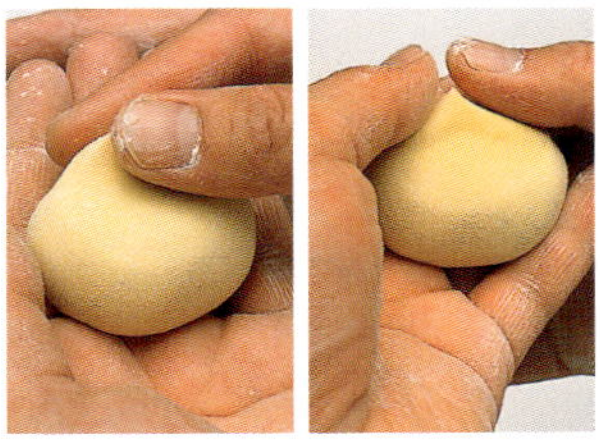

10 側面の生地の中心部分をつまみ出し、両端から押して先をとがらせ、栗の形に整える。

❖生地の一部をつまみ出し、それを両端から押し込むようにするとしわが寄らない。

11 水で湿らせた布巾に底をつけて軽く湿らせ、けしの実をつける。上記11・12と同様に艶出し用卵をぬって焼きあげる。

焼き菓子

オーヴン物 2

月餅

中国の月餅を日本風にアレンジした菓子。餡は少し甘めにし、ラード、黒胡麻、くるみを混ぜて歯応えと香ばしさを出す。生地にはラードや中力粉を入れてさっくりと。

〈材料　約24個分〉

● 生地

ラード……40g

上白糖……125g

全卵……2個

重曹……2g

水……10ml

中力粉……250g

イスパタ……2g

● 艶出し用卵

卵黄……5個

みりん……5ml

カラメル……5ml

● 月餅餡（中餡）

小豆漉し餡：

グラニュー糖　425g

水……約400ml

赤生餡（P.17の13）……500g

ラード……30g

くるみ……40g

黒胡麻……25g

● 分量外

中力粉（打ち粉）

〈分割〉

生地……18g

餡玉（月餅餡）……38g

〈準備〉

・中力粉とイスパタを合わせてふるい、均一に混ぜる。

・オーヴンプレートにクッキングシートを敷く（なければごく薄くサラダ油をぬる）。

・艶出し用卵を作る。卵黄、みりん、カラメルを混ぜ合わせ、さらしで漉す。

・くるみはオーヴンできつね色になるまで焼き、適当な大きさにきざむ。

・黒胡麻を香りが出るまで煎り、紙に移して包丁できざむ。

生地を作る

1　ボウルに常温にしたラードを入れ、上白糖を半量加えてしっかりすり混ぜ、溶きほぐした全卵の半量を加えて混ぜる。全体に行き渡ったら、残りの上白糖と全卵を、その都度混ぜてなじませながら加える。

2　重曹を10mlの水で溶いて加えて混ぜ、ふるった粉類も加えて木杓子でさっくりと混ぜる。

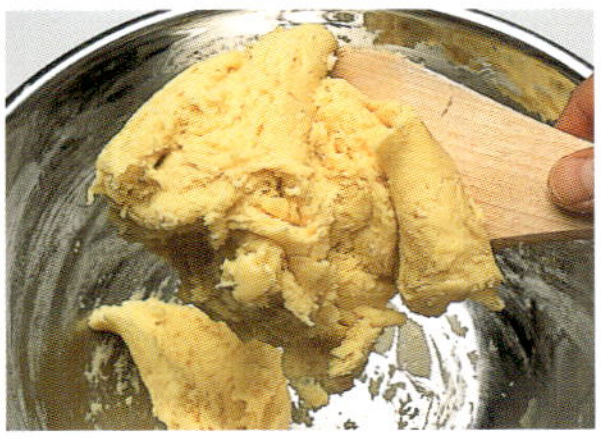

3　写真のように粉気がなくなれば、ひとまとめにしてラップフィルムに包み、冷蔵庫で一晩休ませる。

❖生地を休ませないと、焼きあがりに砂糖の粒が表面に出てしまう。

月餅餡を作る

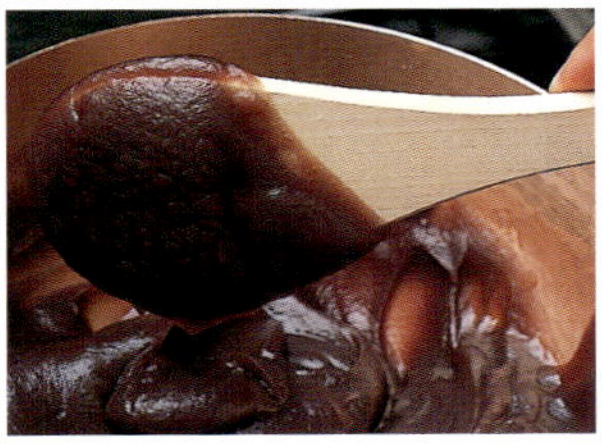

4　小豆漉し餡の材料を使って餡を炊く（P.17～18の14～16を参照）。写真のように、木杓子ですくって落とすと山の形が残る程度のかたさに炊きあげる。

5　ラードを加え、餡全体になじむように木杓子で混ぜながら十分に火を通す。完全になじんだら、準備したくるみと黒胡麻を加え、写真のかたさになるまで混ぜながら炊く。

分割・包餡して焼く

6　打ち粉（中力粉）を使い、生地を何度か折りたたむようにしてまとめる。

7　生地を18gに分割し、5の餡は38gに分割して丸め、餡玉にする（分割の方法→P.10）。生地を平らに広げ、餡玉を包む。

包餡の方法→P.10

8　木型に薄く打ち粉（中力粉）をし、生地の包み終わりを上にして型に入れ、生地と型の境目を手の平で強く押して平らにする。素早く型から取り出し、余分な粉を刷毛ではらう。

❖水分が出ると型にくっついてしまうため、できるだけ早く取り出す。

9　適当な間隔をあけてオーヴンプレートに並べ、生地全体に軽く霧を吹く。

❖表面に水分がたまるほど霧を多く吹くと、焼きあがりがかたくなる。

10　上面に艶出し用卵を丁寧に2回ぬる。

❖艶出し用卵は、模様に沿って刷毛の先を埋め込むようにぬると、空気が入らない。また1回目が乾いてから2回目をぬる。

11　オーヴンを上火180℃、下火150℃に設定し、18～20分間焼く。底に焼き色がつき、側面がかたくなっていたら焼きあがり。

❖焼きあがりに乾いた布などで表面を軽く拭くと艶が出る。

焼き菓子

オーヴン物 3

黄金芋

秋に旬を迎えるさつま芋を使い、焼き芋風に作ったしっとりとした口当たりの菓子。さつま芋と相性がよいシナモンを風味づけに。切り口に卵をぬり、黄金色に仕上げる。

〈材料　約40個分〉

● 生地

無塩バター……25g
上白糖……150g
全卵……2個
卵黄……1個
カップリングシュガー……25g
重曹……3g
水……10ml
薄力粉……150g
中力粉……150g
シナモン……4g

● 艶出し用卵

卵黄……5個
みりん……5ml

● 芋餡（中餡）

さつま芋……400g
白漉し餡：
グラニュー糖……400g
カップリングシュガー……40g
水……約400ml
白生餡（P.23の12）……400g
卵黄……3個
無塩バター……40g

● 仕上げ

シナモン……適量
黒胡麻……適量

● 分量外

薄力粉（打ち粉）

〈分割〉

生地……20g
餡玉（芋餡）……60g

〈準備〉

・生地用の全卵と卵黄を合わせて溶きほぐす。
・薄力粉、中力粉、シナモンを合わせてふるい、均一に混ぜる。
・艶出し用卵を作る。卵黄とみりんを混ぜ合わせ、さらしで漉す。
・オーヴンプレートにクッキングシートを敷く。

生地を作る

1　ボウルに無塩バターを入れて泡立て器でクリーム状にのばし、上白糖を半量加えてしっかりとすり混ぜる。溶きほぐした卵を半量加え、溶きのばすように混ぜる。全体に行き渡ったら、残りの上白糖と卵をその都度混ぜてなじませながら加える。

2　カップリングシュガー、10mlの水で溶いた重曹を加えて混ぜ、ふるった粉類を加えて木杓子でさっくりと混ぜる。

3　写真のような状態になったら、ひとまとめにしてラップフィルムに包み、冷蔵庫で一晩休ませる。

芋餡を作る

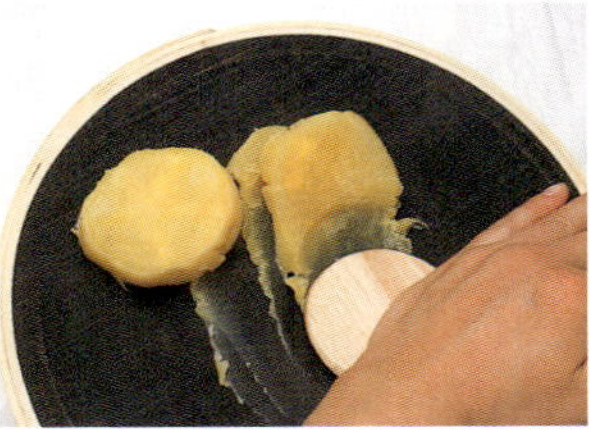

4　さつま芋を約1cm厚さに切り、約20分間蒸す。皮を取って熱い間に馬毛の裏漉し器で裏漉しし、ひとつにまとめる。解説→P.39

5　白漉し餡の材料を使って、少しやわらかめに餡を炊く（P.23～24の13～15を参考にする）。餡の一部を溶きほぐした卵黄に加えて混ぜる。

6　残りの白漉し餡に、卵黄と餡を混ぜたものを加えてさらに炊き、裏漉ししたさつま芋を加えてなじませ、無塩バターも加えて混ぜる。

7　写真のように並餡より少しかために炊きあげ、バットなどに小分けにして取り出し、ぬらしてかたく絞ったさらしをかけて冷ます。

分割・包餡して焼く

8　打ち粉（薄力粉）を使い、生地を何度か折りたたむようにしてまとめる。

9　生地を20gに分割し、7の餡は60gに分割して丸め、餡玉にする（分割の方法→P.10）。生地を平らに広げ、餡玉を包む。包餡の方法→P.10

10　シナモンを表面にまぶし、ラグビーボールの形に整える。

11　板の上に並べ、糸を使って斜めに切る。
❖包丁では圧力がかかってうまく切れないので、板など少し段差のある所に置いて糸で切る。

12　適当な間隔をあけてオーヴンプレートに並べ、艶出し用卵を2回ぬり、真ん中に黒胡麻をつける。
❖艶出し用卵は、1回目が乾いてから2回目をぬる。

13　オーヴンを上火180℃、下火150℃に設定し、18～20分間焼く。側面がかたくなっていたら焼きあがり。

アーモンド饅頭

饅頭は、生地と餡に用いる材料で様々に変化する。以下3品は洋風饅頭の提案。この饅頭は乳製品を多用して風味よく。アーモンドで香ばしさと食感の変化をつけた。

〈材料　約30個分〉

● 生地

- 無塩バター ……50g
- 上白糖 ……90g
- 全卵 ……1個
- 卵黄 ……1個
- 練乳 ……30g
- 白漉し餡 ……30g
- バニラエッセンス ……少量
- バタベル＊ ……少量
- 重曹 ……1g
- 水 ……5ml
- 薄力粉 ……240g
- イスパタ ……1g

● 黄味餡（中餡）

- グラニュー糖 ……300g
- カップリングシュガー ……50g
- 水 ……約400ml
- 白生餡 ……500g
- 卵黄 ……3個

● 仕上げ

- アーモンドスライス ……適量

● 分量外

- 薄力粉（打ち粉）

＊バター風味をつけるのに用いる業務用の食品添加物。製造者：アイ・エフ・エフ日本株式会社

〈分割〉

- 生地 ……10g
- 餡玉（黄味餡） ……25g

〈準備〉

・黄味餡の材料を使って餡を炊く（P.25～26の黄味餡①の作り方を参考にする）。冷めたら25gずつに分割して丸め、餡玉を作る。
・生地用の全卵と卵黄を合わせて溶きほぐす。
・薄力粉とイスパタを合わせてふるい、均一に混ぜる。
・オーヴンプレートにクッキングシートを敷く（なければごく薄くサラダ油をぬる）。

生地を作る

1　ボウルにバターを入れて泡立て器でクリーム状にのばし、上白糖を半量加えてしっかりとすり混ぜる。溶きほぐした卵を半量加え、溶きのばすように混ぜる。全体に行き渡ったら、残りの上白糖と卵をその都度混ぜてなじませながら加える。

2　練乳、白漉し餡、バニラエッセンス、バタベルを順に加えてその都度すり混ぜる。5mlの水で溶いた重曹も加えて混ぜる。ふるった粉類を加え、木杓子でさっくりと混ぜる。

3　写真のような状態になったら、ひとまとめにしてラップフィルムに包み、冷蔵庫で一晩休ませる。

分割・包餡して焼く

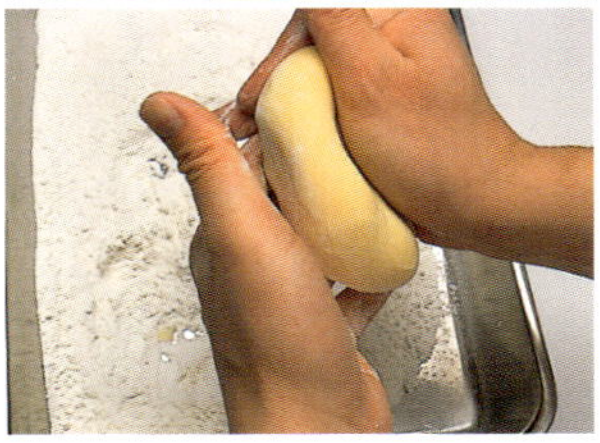

4　打ち粉（薄力粉）を使い、生地を何度か折りたたむようにしてまとめる。

5　生地を10gに分割する（分割の方法→P.10）。平らに広げ、餡玉（黄味餡）を包む。包餡の方法→P.10

6　表面の余分な粉を刷毛ではらい、霧を吹いて湿らせる。

7　アーモンドスライスを表面につける。

8　適当な間隔をあけてオーヴンプレートに並べる。

9　オーヴンを上火180℃、下火150℃に設定し、18〜20分間焼く。側面の生地がかたくなっていたら焼きあがり。

オーヴン物 5

チーズ焼饅頭

生地にも中餡にもチーズを加えた焼き饅頭。生地にきざんだ胡桃を混ぜ込んで食感の変化と風味をつける。焦げやすい生地なので、焼く時には注意が必要。

〈材料　約48個分〉

● 生地

クリームチーズ ……110g
上白糖 ……120g
全卵 ……2個
練乳 ……80g
白漉し餡 ……50g
チーズフレバー＊1 ……8g
┌ 重曹 ……6g
└ 水 ……10ml
くるみ ……40g
┌ 薄力粉 ……300g
│ ドライミックス＊2 ……35g
└ ベーキングパウダー ……3g

● チーズ餡（中餡）

白漉し餡 ……1000g
水 ……約400ml
卵黄 ……5個
クリームチーズ ……200g
水飴 ……130g
練乳 ……85g
チーズフレバー＊1 ……5g

● 仕上げ

くるみ ……12個

● 分量外

薄力粉（打ち粉）

＊1　チーズを原料とする、焼き菓子用のチーズ風味の香料。業務用。明治乳業製。

＊2　粉末状のソフトクリームミックス。ここではまろやかさや風味を補うために用いる。業務用。

〈分割〉

生地 ……13g
餡玉（チーズ餡） ……27g

〈準備〉

・薄力粉、ドライミックス、ベーキングパウダーをふるって均一に混ぜる。
・生地用、仕上げ用のくるみをともに焼き、生地用は細かくきざみ、仕上げ用は半分に切る。
・オーヴンプレートにクッキングシートを敷く（なければごく薄くサラダ油をぬる）。

生地を作る

1　ボウルにクリームチーズを入れて泡立て器でやわらかくのばし、上白糖を半量加えてしっかりすり混ぜる。全卵を溶きほぐして半量を加え、溶きのばすように混ぜる。全体に行き渡ったら、残りの上白糖と全卵をその都度混ぜてなじませながら加える。

2　練乳、白漉し餡、チーズフレバーを加えて混ぜる。10mlの水で溶いた重曹も加えて混ぜる。きざんだくるみと粉類を加え、木杓子でさっくりと混ぜる。

3　写真のような状態になったら、ひとまとめにしてラップフィルムに包み、冷蔵庫で一晩休ませる。

チーズ餡を炊く

4　鍋に白漉し餡と水を入れて中火にかけ、写真のように、並餡よりもやわらかめに炊く。

5　4の餡の1/3量を取り、溶きほぐした卵黄と混ぜる。これを残りの餡の中に戻し、さらに炊く。

6　クリームチーズ、水飴、練乳、チーズフレバーを順に加え、その都度混ぜてなじませる。写真のように、並餡程度のかたさに炊きあげる。バットなどに小分けにして取り出し、ぬらしてかたく絞ったさらしをかけて冷ます。

分割・包餡して焼く

7　打ち粉（薄力粉）を使い、生地を何度か折りたたむようにしてまとめる。

8　生地を13gに分割し、6の餡は27gに分割して丸め、餡玉にする（分割の方法→P.10）。生地を平らに広げ、餡玉をのせて包む。包餡の方法→P.10

9　俵形に成形する。

10　適当な間隔をあけてオーヴンプレートに並べ、霧を吹き、仕上げ用のくるみをのせる。

11　オーヴンを上火180℃、下火150℃に設定し、焼き色に注意しながら18～20分間焼く。

❖この生地は焦げやすいので焼きすぎに注意する。

オーヴン物 6

ココナッツ饅頭

ココアパウダーとココナッツを用いた洋風饅頭。ココナッツが焦げやすいので、焼く時には注意が必要。チョコレート風味を生かした生地に黄味餡がよく合う。

〈材料　約30個分〉

● **生地**

無塩バター……65g
上白糖……100g
全卵……80g
白漉し餡……20g
重曹……1g
水……5ml
薄力粉……140g
ココアパウダー……30g
ベーキングパウダー……1g

● **練乳入り黄味餡（中餡）**

黄味餡：
グラニュー糖……250g
カップリングシュガー……50g
水……約400ml
白生餡……500g
卵黄……3個
練乳……50g

● **仕上げ**

ココナッツ（細切り）……適量

● **分量外**

薄力粉（打ち粉）

〈分割〉

生地……10g
餡玉（練乳入り黄味餡）……25g

〈準備〉

・薄力粉、ココアパウダー、ベーキングパウダーを合わせてふるい、均一に混ぜる。
・オーヴンプレートにクッキングシートを敷く（なければごく薄くサラダ油をぬる）。

生地を作る

1　ボウルにバターを入れて泡立て器でクリーム状にのばし、上白糖を半量加えてしっかりすり混ぜる。溶きほぐした全卵を半量加え、溶きのばすように混ぜる。全体に行き渡ったら、残りの上白糖と全卵をその都度混ぜてなじませながら加える。

2　白漉し餡を小さく割って加えて混ぜる。5mlの水で溶いた重曹も加えて混ぜる。ふるった粉類を加えて木杓子でさっくりと混ぜる。

3　写真のような状態になったら、ひとまとめにしてラップフィルムに包み、冷蔵庫で一晩休ませる。

練乳入り黄味餡を作る

4　黄味餡の材料を使って餡を炊く（P.25～26の黄味餡①の作り方を参考にする）。この餡に練乳を加え、写真のような状態に炊きあげる。

分割・包餡して焼く

5　打ち粉（薄力粉）を使い、生地を何度か折りたたむようにしてまとめる。

6　生地を10gに分割し、4の餡は25gに分割して丸め、餡玉にする（分割の方法→P.10）。生地を平らに広げ、餡玉をのせて包む。包餡の方法→P.10

7　表面の余分な粉を刷毛ではらい、霧を吹いて湿らせる。

8　細切りココナッツの中で饅頭を転がし、表面につける。

9　適当な間隔をあけてオーヴンプレートに並べる。

10　オーヴンを上火180℃、下火150℃に設定し、18～20分間焼く。側面の生地がかたくなっていたら焼きあがり。

焼き菓子

オーヴン物 7

桃山

京都伏見《ふしみ》の桃山《ももやま》焼き（陶器）に色や雰囲気が似るところから名づけられたとか。生地はよく練り込んで粘りを出すと口当たりがよくなる。表面に日本酒をぬって風味よく。

〈材料　約30個分〉

● 生地

黄味餡（かため）……500g
寒梅粉……15g
みりん……10ml
澄ましバター（→準備）……10ml
カップリングシュガー……15ml
日本酒（調整用）……適量

● 桃山餡（中餡）

白漉し餡：
- グラニュー糖……280g
- 水……適量
- 白生餡（P.23の12）……500g

青梅の甘露煮……160g

● 分量外

日本酒

〈分割〉

生地……25g　餡玉（桃山餡）……20g

〈準備〉

・澄ましバターを作る。無塩バター（約50g）を湯煎にかけて溶かし、器に移してしばらくおいて沈殿させる。上澄みの部分が澄ましバター。

・オーヴンプレートにクッキングシートを敷く（なければごく薄くサラダ油をぬる）。

生地を作る

1　黄味餡を写真のようにかために炊きあげる（P.25～26を参考にする）。餡が熱い間に裏漉しし、ひとつにまとめて冷ます。
❖やわらかな黄味餡だと、作業がしにくくなり、できあがりの食感もかたくなる。

2　冷めた黄味餡に寒梅粉を加え、よく練り混ぜる。みりん、澄ましバター、カップリングシュガーも加えて混ぜる。ラップフィルムに包み、冷蔵庫で一晩休ませる。

桃山餡を炊く

3　白漉し餡の材料を使って、写真左のようなかための餡を炊く（P.23～24の13～16を参考にする）。きざんだ青梅の甘露煮を加え、水分が出ないように炊く。
❖青梅の甘露煮は餡が熱い間に加える。冷めてから加えると、梅の水分が出て餡がやわらかくなる。

分割・包餡する

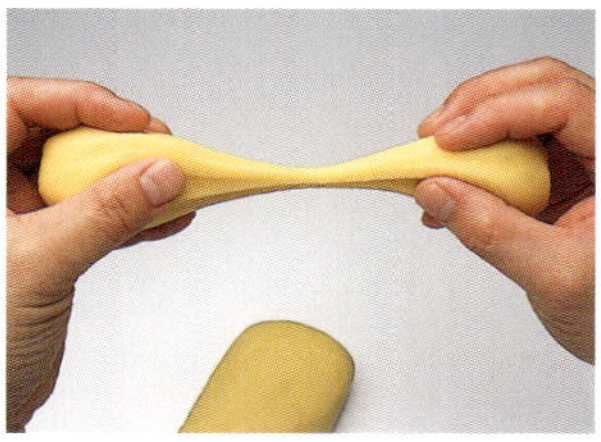

4　休ませた2の生地を台の上でなめらかになるまで練る。写真のように少しのびるような生地にする。

❖のびが悪ければ、日本酒を加えて調整する。

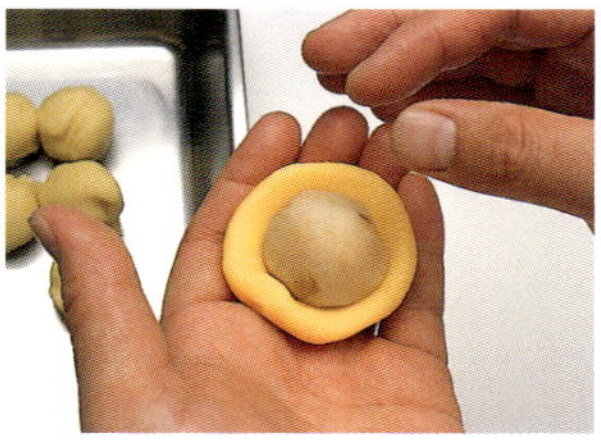

5　生地を25gに分割し、3の餡は20gに分割して丸め、餡玉にする（分割の方法→P.10）。生地を平らに広げ、餡玉をのせて包む。包餡の方法→P.10

押し棒で仕上げて焼く

6　押し棒を水でぬらし、饅頭の中心に模様が出るように押す。

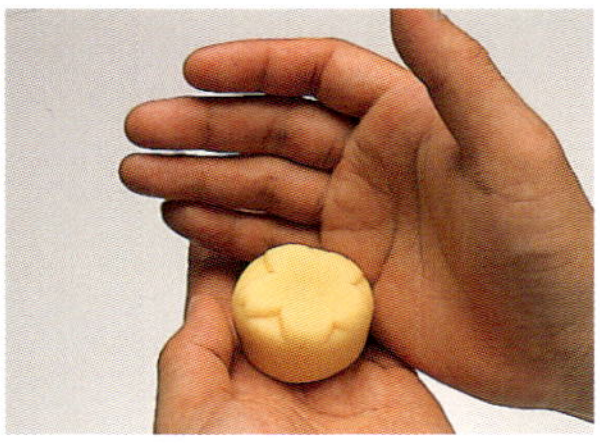

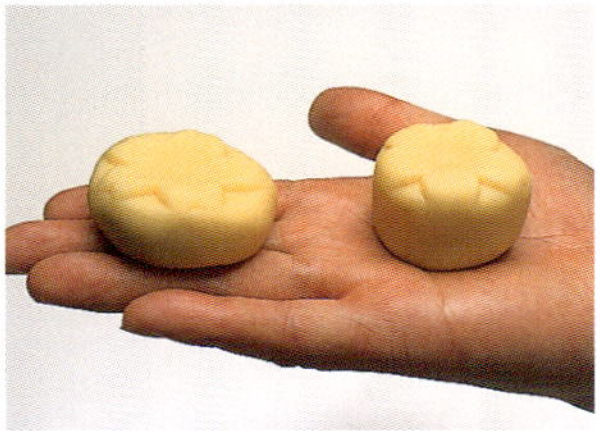

7　饅頭を腰高に整える（成形の方法→P.12）。写真下の左が整える前の饅頭、右が腰高に整えたもの。

8　間隔をあけてオーヴンプレートに並べる。上火に近づけるために高さ5cmの枠をかませる。上火230℃、下火200℃に設定したオーヴンで約20分間焼く。

❖上火に近づけるのは、短時間で焼きあげるため。20分以上かかると、水分が抜けすぎてぱさつく。

9　写真のように表面に焼き色がつき、底が丸くひび割れていれば焼きあがり。

10　熱い間に、模様の部分に刷毛で日本酒をぬる。

手形で仕上げて焼く

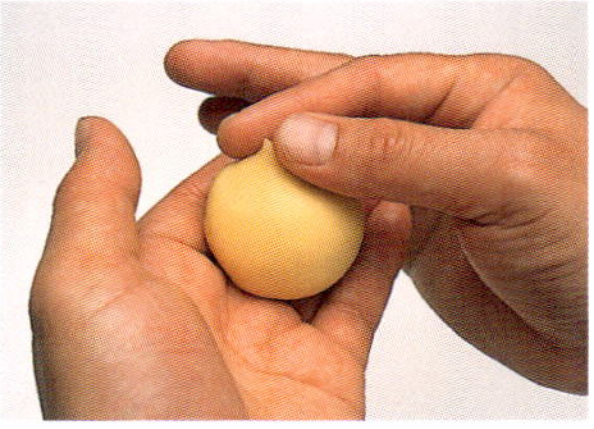

6　包餡した饅頭の先をつまみ出してとがらせる。

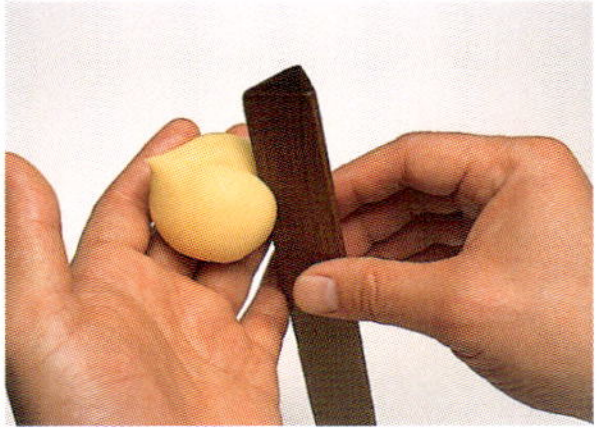

7　三角棒で、縦に深い筋を入れる。

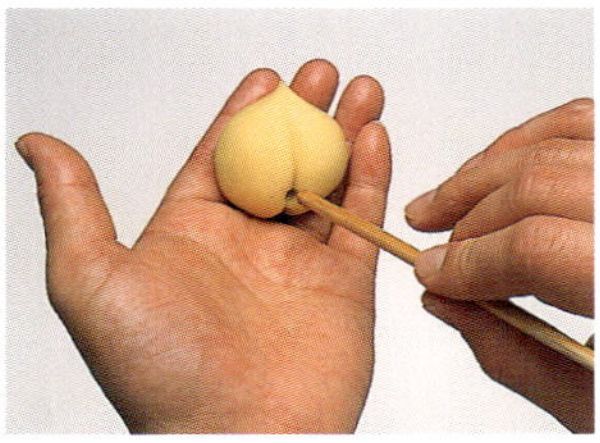

8　筋を入れた下部に、丸箸のとがっていない方を使って穴をあける。押し棒で仕上げる場合の8～10と同様に焼いて日本酒をぬる。

焼き菓子

オーヴン物 8

ブッセ

フランスの菓子を名の由来とする説もあるが、この菓子自体は日本独自のもの。やさしい食感はどこか懐かしい。麦焦がしを使って香ばしく。

〈**材料** 約30個分〉

● **生地**

卵黄 ……………9個
上白糖 …………45g
卵白 ……………9個分
上白糖 …………230g
┌ 薄力粉 ………45g
│ 麦焦がし ……65g
│ コーンスターチ
│ ………………45g
└ 粉砂糖 ………55g
無塩バター ……25g

● **中餡**

小豆粒餡 ……約900g

● **バタークリーム**

無塩バター ……150g
プラリネペースト
………………20g

● **仕上げ**

粉砂糖 …………適量

〈**準備**〉

・薄力粉、麦焦がし、コーンスターチ、粉砂糖を合わせてふるい、均一に混ぜる。
・生地用の無塩バターは、湯煎にかけて溶かす。バタークリーム用の無塩バターは、常温においてやわらかくする。
・オーヴンプレートに上質紙を敷く。

生地を作る

1 ボウルに卵黄を入れてほぐし、上白糖45gを加え、白っぽくなってもったりするまで混ぜる。

2 ミキサーボウルに卵白を入れ、ほぐしてこしを抜き、写真のような状態にする。

3 2をミキサーで空気を含ませるように泡立てる。軽く泡立ってきたら上白糖230gのうちの約1/4量を加え、さらに泡立て続けながら、残りの上白糖を3回に分けて加える。

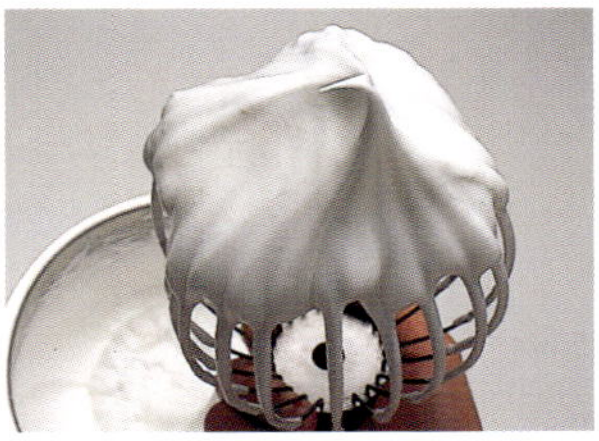

4　写真のようなきめの細かいメレンゲに仕上げる。

5　メレンゲの一部を1の卵液に加えて（写真上）混ぜ合わせ、残りのメレンゲを加えて手早く混ぜる（写真下）。

❖このようにメレンゲを分けて加えると、混ざりやすくなるし、メレンゲの気泡がつぶれにくくなる。

6　ふるった粉類を全体にふり入れながら加え、さっくりと混ぜ合わせる。

7　溶かしたバターを加えて手早く混ぜ、写真のようにゆっくりと落ちる状態の生地にする。

焼く

8　生地を絞り出し袋に入れ、オーヴンプレートに直径約7cmに絞り出す。粉砂糖を少なめにふる。

9　上火210℃、下火150℃に設定したオーヴンで、約12分間焼く。

❖焼き色がつきすぎないように注意し、手でさわってしっかりしていれば取り出す。

バタークリームを作り、仕上げる

10　やわらかくしたバターとプラリネペーストを均一になるようにしっかりと混ぜる。

11　焼きあがった生地の裏面に10のバタークリームを薄くぬり、小豆粒餡を約30gのせ、もう1枚の生地ではさんで仕上げる。

オーヴン物 9

長崎かすてら

室町時代の末期、ポルトガル人が長崎に伝えた南蛮《なんばん》菓子。一時は茶の湯の菓子としても用いられた。次第に改良が加えられて現在の形に。泡切りをしてきめ細かく仕上げる。

〈材料　8斤分〉

● かすてら生地

全卵	1800g
卵黄	200g
グラニュー糖	1800g
┌ 蜂蜜	250g
│ 米飴	100g
└ 水	150ml
薄力粉	950g

● その他

白ざらめ糖	50g
みりん	適量

〈準備〉

・蜂蜜、米飴、分量の水を鍋に入れ、人肌程度に温めておく。

木枠の準備をする

1　カステラ枠の外側に茶紙を貼る（生地のあたらない部分をのりづけする）。表面に霧を吹きかけ、乾燥させる。

❖霧を吹きかけておくと、しわができにくくなる。

2　木枠の寸法に合わせた上質紙を枠に沿うように折り、写真上のように周囲に4枚のせ、枠の外側をのりづけする。さらに角にも折った紙を貼りつける。底にも紙を敷く。

かすてら生地を作る

3　全卵と卵黄をほぐし、グラニュー糖を加える。湯煎にかけて軽く混ぜ合わせながら、人肌程度まで温める。

❖卵に火を通さずにグラニュー糖を溶かしたいので、湯煎にかける。夏場は人肌より少し低めに、冬場は人肌より少し高めに温める。温度が高すぎると焼き縮みが激しく、気泡が粗くなる。

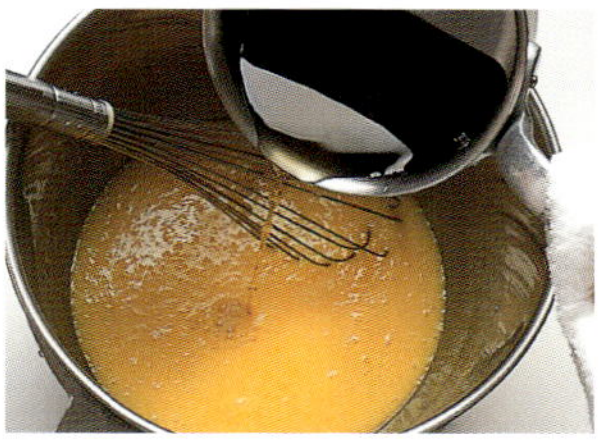

4　準備した蜂蜜、米飴、分量の水を温めたものを加えて混ぜる。

5　ミキサーの中速で泡立てる。写真のように少し白っぽくなって泡立ってきたら、低速に落として生地のきめ（気泡の大きさ）を整える。

6　泡立て加減の目安は、生地200mlの重量が110gになっていればよい。

❖泡立てが足りないと110gより重くなり、泡立てすぎると110gより軽くなる。

7　薄力粉を加え、生地を底から大きくさっくりと混ぜ合わせる。

8　2mm角の裏漉し器で生地を漉し、生地のきめ（気泡の大きさ）を整えるとともにダマを取り除く。

焼く

9　準備した木枠（本枠）に生地を流し込み、表面に白ざらめ糖を散らす。新聞紙20枚を敷いたオーヴンプレートにのせ、上火220℃、下火150〜180℃に設定したオーヴンに入れる。

10　2分たつと表面に薄く皮が張るので、霧吹きをかけて皮張りを戻し、木べらで底の方から上下に円を描くようにかき混ぜる（＝泡切り）。泡切りは2分間隔で3回行なう。

11　3回目の泡切りが終わったら、木べらで表面をなでて平らに整える。これを約6分間焼き、表面に仕上がりの焼き色をつける（＝色づけ）。

12　本枠の上に一段枠を重ね、鉄板を1枚のせ、10分間焼く。10分たったら、鉄板を外して二段枠を重ね、鉄板2枚の間に新聞紙11枚をはさんだものをのせて15分間焼く。

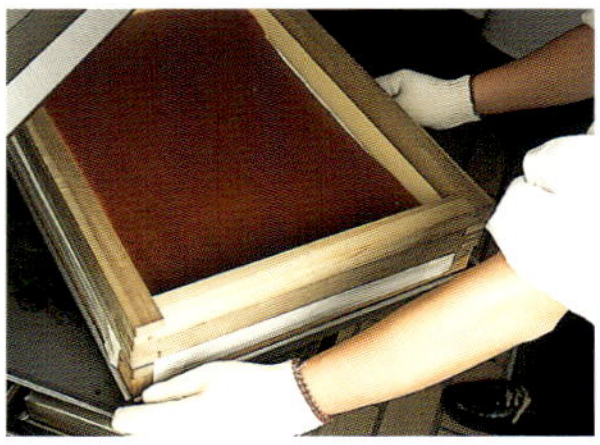

13　蓋（新聞紙をはさんだ鉄板2枚）を外して空気抜きをし、かすてらの手前と奥が入れ替わるように方向転換し、蓋を戻して約7分間焼く。

14　再び蓋を外して空気抜きをし、蓋を戻して10分間焼く。

15 生地の表面を手の平で押すと、弾力があって戻ってくる感触があれば焼きあがり。
❖押した時にジワジワという音がするようなら、まだ焼けていない。竹串を中心部分に差し込み、生の生地がついてこないか確認してもよい。

16 オーヴンから取り出し、本枠を持って2〜3回、作業台に落とし、生地に振動を与えて状態を安定させる（＝たたき）。枠のまわりに貼りついた紙を切ってはがす。

17 ベーキングシートに刷毛でみりんをぬり、かすてらの表面にかぶせる。

18 天地を返して、木枠からかすてらを抜き出し、粗熱が取れるまでそのままおく。
❖こうするときめが整い、必要な水分が蒸発するのを防げる。

19 再び返し、ベーキングシートをはがす。好みの大きさに切り分ける。

◎かすてらの焼成工程（焼成時間54分）

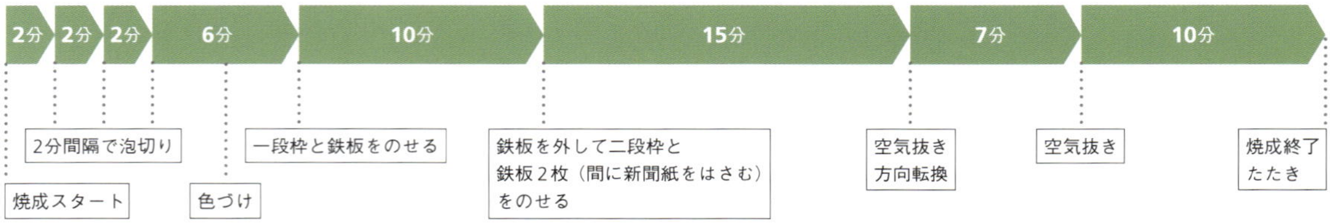

その他の菓子

甘露煮

栗渋皮煮

半生菓子

寒氷

きなこ洲浜

干菓子

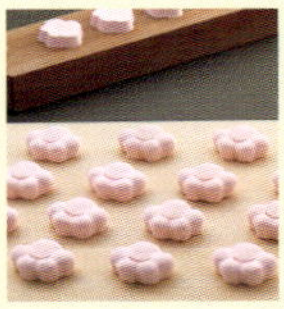

打ち物

押し物

有平糖

甘露煮

栗渋皮煮

代表的な秋の味覚である栗を、渋皮のままほどよい甘さとやわらかさに仕上げた。そのままいただいてもよいが、様々な生地との組み合わせで新たな栗の菓子が創造できる。

〈材料〉

生栗（鬼皮つき）……………………1000g
重曹……………………………………15g
● 一番蜜（Brix20度）
中ざらめ糖……………………………300g
水……………………………………1500ml
● 二番蜜用（Brix30度）
中ざらめ糖……………………………300g
● 三番蜜用（Brix40度）
氷砂糖…………………………………200g
● 四番蜜用（Brix54度）
氷砂糖…………………………………200g
米飴……………………………………50g

＊Brix ブリックス：糖度の単位のひとつで、シロップに含まれるショ糖の重量を百分率（%）で表す。ブリックス計（屈折糖度計）で測定する。詳細解説→P.197
＊上品な甘味に仕上げるため、ここではざらめ糖と氷砂糖を使ったが、こってりとした甘さにしたい時は上白糖を使うとよい。

〈準備〉

・生栗を2～3時間水につけておく。❖水につけると鬼皮がむきやすくなる。

渋皮栗をゆでる

1　栗の鬼皮を、渋皮を傷つけないように丁寧にむく。

2　鍋に栗がつかる程度の水を沸騰させ、1の渋皮栗と重曹10gを入れる。木杓子で混ぜながら、煮汁が再沸騰し、赤黒くなるまで煮る。
❖重曹を入れてゆでると、渋皮の筋がやわらかくなり、取り除きやすくなる。

3　水に取って人肌程度に冷まし、竹串で筋をきれいに取り除く。

4　鍋に新たな水を沸かし、栗をガーゼで包んで入れ、重曹5gも入れる。竹串が軽く通るくらいやわらかく煮えたら、ガーゼのまま水にさらす。
❖ガーゼに包むと煮くずれが防げる。

一番蜜に漬ける

5　鍋に一番蜜の中ざらめ糖と分量の水を入れて火にかける。沸騰させ、中ざらめ糖が溶ければ4の栗をさらしでまとめて入れ、ひと煮立ちすれば火を止める。
❖さらしでまとめるのは、栗を一度に蜜から引き上げやすくするため。

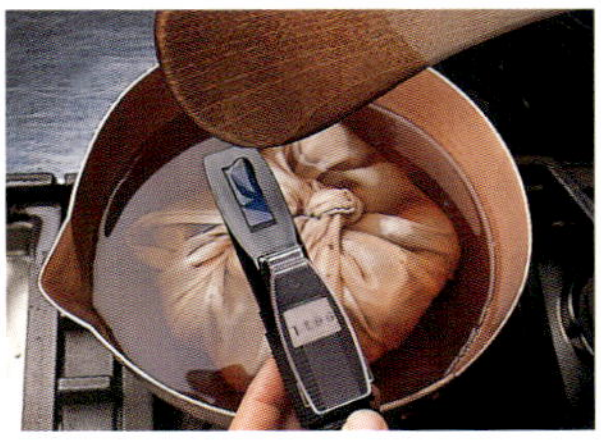

6　ブリックス計でシロップの糖度をはかり、Brix20度に合わせる。
❖糖度が20度よりも高ければ水で薄め、低ければ煮詰める。

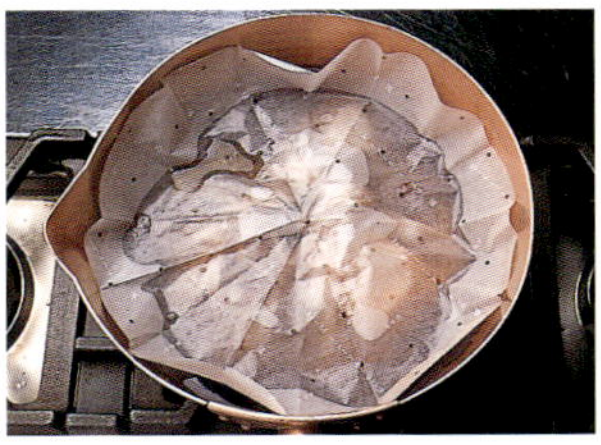

7　紙蓋をして、一晩常温におく。

二番蜜に漬ける

8　栗を鍋から引き上げ、二番蜜用の中ざらめ糖を加えて沸騰させる。中ざらめ糖が溶ければ栗を戻し、ひと煮立ちすれば火を止め、糖度をBrix30度に合わせる。紙蓋をして、一晩常温におく。

三番蜜に漬ける

9　栗を鍋から引き上げ、三番蜜用の氷砂糖を加えて沸騰させる。氷砂糖が溶ければ栗を戻し、ひと煮立ちすれば火を止め、糖度をBrix40度に合わせる。紙蓋をして、一晩常温におく。

四番蜜に漬ける

10　栗を鍋から引き上げ、ガーゼを外す。四番蜜用の氷砂糖と米飴を加えて沸騰させ、糖分が溶ければ栗を戻し、ひと煮立ちさせて火を止め、糖度をBrix54度に合わせる。紙蓋をして、一晩常温におく。

保存用の瓶詰め方法

11　耐熱用の瓶を煮沸し、水気を完全に取り除く。栗渋皮煮を瓶に詰め、渋皮煮のシロップを瓶の縁までたっぷり入れる。

12　蓋を軽く閉め、約1時間蒸して殺菌する。
❖温度が高くなると中身が膨張するので、蓋は軽く閉める。湯煎にかけて約1時間煮沸してもよい。

13　蓋をしっかり閉め、逆さにして冷めるまで置く。冷暗所で保存する。
❖急冷すると瓶が割れるのでゆっくりと冷ます。逆さにするのは、空気が入ったかどうかが確認しやすいから。空気が入っていたら殺菌し直す。

◎きちんと殺菌できていれば、未開封の状態で冷暗所で1年間保存できる。開封後は冷蔵庫に保存し、できるだけ早く使いきる。

半生菓子 1

寒氷

薄茶《うすちゃ》の菓子として提供される。季節に合わせて色も形も自由に変えられる。煮詰め加減と混ぜ加減ができあがりを左右する。

〈材料 約40個分:19×16×4.5cmの流し缶1台分〉

糸寒天 ……………………………… 15g
水 …………………………………… 800ml
グラニュー糖 ……………………… 1480g
水紅色の食用色素 ………………… 少量

〈準備〉

・糸寒天をたっぷりの水に約6時間つけて戻す。寒天の戻し方→P.116・117

寒氷の錦玉羹を作る

1 鍋に水気をきった糸寒天を入れ、分量の水を加えて火にかける。

2 木杓子の上に液体をのせてみて、ダマが見えなくなるまで寒天を煮溶かす。

3 グラニュー糖を加えて煮溶かし、熱い間に別鍋にさらしで漉し入れ、不純物を取り除く。

4　漉した液体を106℃まで煮詰める。

❖煮詰める温度が少し高い方が結晶になりやすく、失敗が少ない。煮詰めすぎると結晶が大きくなりすぎ、仕上がりの歯ごたえがざくっとしてしまう。

5　火から外してすりこ木で混ぜる。写真下のように白濁し、たらすと小山になってすぐに消える状態になるまで混ぜる。

❖混ぜる器具は、木杓子では空気が入り、泡立て器ではこしが切れてしまうのですりこ木がよい。なお、混ぜすぎるとこしが切れて固まらない。

6　水紅色の食用色素で淡いピンク色に着色し（着色の方法→P.12）、流し缶に流して常温で固める。

仕上げる

7　固まったら流し缶から取り出し、約8mmの厚さに切る。

8　撫子の抜き型で抜く。

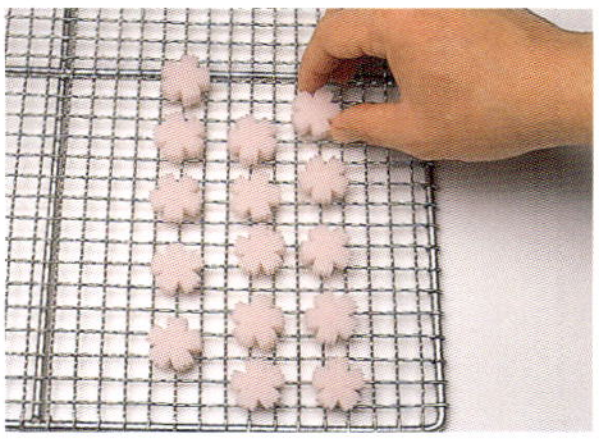

9　金網の上にのせ、湿気の少ない場所で2〜3日間乾燥させて仕上げる。

半生菓子 2

きなこ洲浜

きな粉に水飴を加えて練ったものを洲浜《すはま》という。もとは棹物《さおもの》にして切り口を洲浜（入り組んだ浜の形）に作ることが多かったことに由来する名。米飴で風味とこくを添える。

〈材料　約90個分〉

● 洲浜生地

米飴	300g
水	60ml
挽き茶色の食用色素	少量
［上白糖	500g
すはま粉	250g

● 仕上げ

上白糖	適量
草色の食用色素	少量
小豆漉し餡	適量

● 分量外

すはま粉（手粉）

〈分割〉

わらび形	15g
空豆形	12g

〈準備〉

・上白糖とすはま粉を合わせてふるって均一に混ぜ、ボウルに入れる。

洲浜生地を作る

1　鍋に米飴と分量の水を入れて火にかけ、沸騰直前まで温める。挽茶色の食用色素で着色する。着色の方法→P.12

2　ボウルに入れた粉類の中心をくぼませ、1を注ぎ入れる。

3　最初は竹べらなどで混ぜ合わせ、ある程度混ざってきたら手でもみ込み、粉気がなくなってまとまってくるまでこねる。
❖冷めるとかたくなるので、熱が残っている間にこねあげる。

わらびの形に仕上げる

4　手粉（すはま粉）を使って生地を15gに分割し（分割の方法→P.10）、先をとがらせて涙形に整える。

5　とがった方に、はさみで切り込みを入れる。左右対称にならないように、長短ができるように切る。

6　切った2つの端を巻き、わらびの形にする。

7　上白糖を草色の食用色素で着色し、これを全体にまぶす。

空豆の形に仕上げる

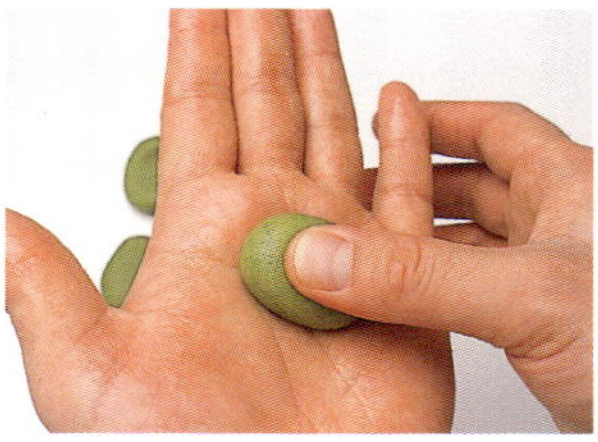

4　手粉（すはま粉）を使って生地を12gに分割し（分割の方法→P.10）、俵形に整え、上面をくぼませる。

5　脇を1ヶ所へこませる。

6　竹べらで上部に筋を入れる。

7　草色の食用色素で着色した上白糖をまぶす。

8　小豆漉し餡で空豆のおはぐろを作り、筋を入れた部分につける。

打ち物

干菓子《ひがし》の代表格。和三盆糖で風味よく。季節感を表現するため、色素で着色し、模様の彫り込まれた木型で打ち出す。乾燥具合で口当たりが変化するが、さっと溶けるものがよい。

〈材料　約75個分〉

● 生地

和三盆糖	150g
水	約20〜30ml
┌ 粉砂糖	125g
│ コーンスターチ	50g
└ 片栗粉	50g
水紅色の食用色素	少量

● 分量外

片栗粉（打ち粉）

〈準備〉

・和三盆糖をふるう。

・粉砂糖、コーンスターチ、片栗粉を合わせてふるい、均一に混ぜる。

・打ち粉用の片栗粉をさらしの袋に入れる。

生地を作る

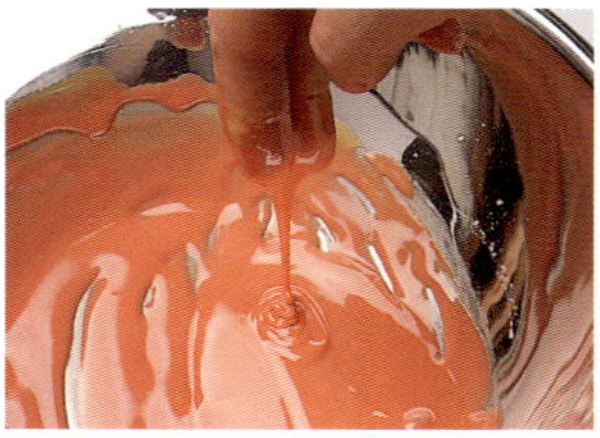

1　ふるった和三盆糖をボウルに入れ、分量の水を少量加え、均一に混ぜる。水紅色の食用色素で着色し（着色の方法→P.12）、残りの水で、たらすと小山になってすぐに消えるくらいのかたさに調節する。

2　平らな容器にふるった粉類を広げ、中央をくぼませて1を入れる。

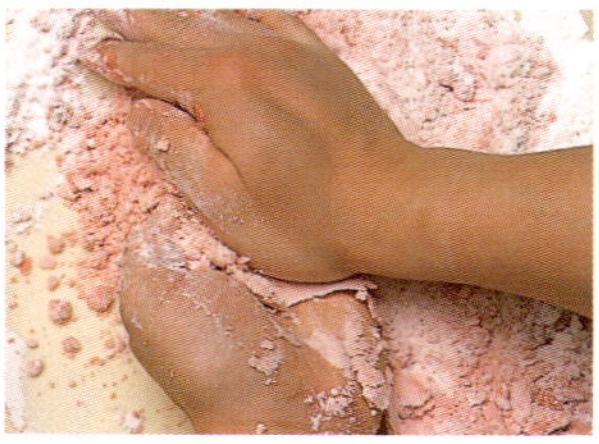

3　手の平を使い、粉類を少しずつ、しっかりとすり合わせていく。

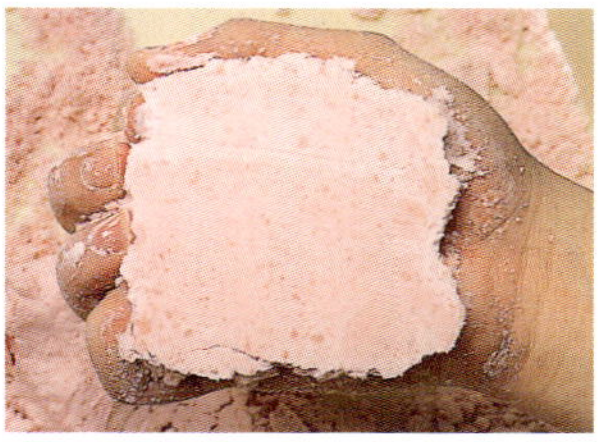

4　途中で生地をまとめてみて、写真のようにダマが残っていれば、さらにすり合わせ続ける。
❖このダマは水分のかたまり。水分が残っていると、仕上がりがでんぷん臭くなってしまう。

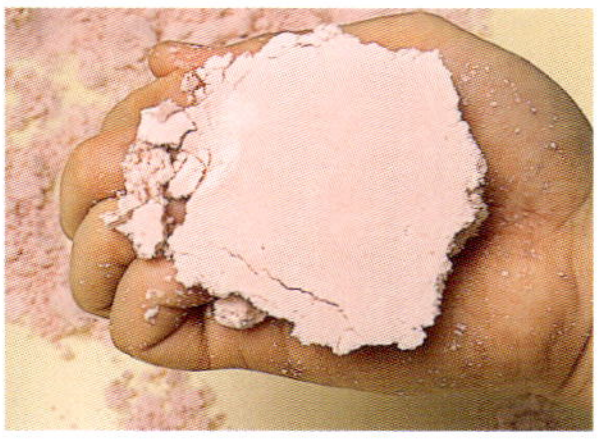

5　生地をまとめてみて、写真のようにダマがなくなるまですり合わせる。

6　目の細かい金属製の裏漉し器で裏漉しする。

木型に詰めて仕上げる

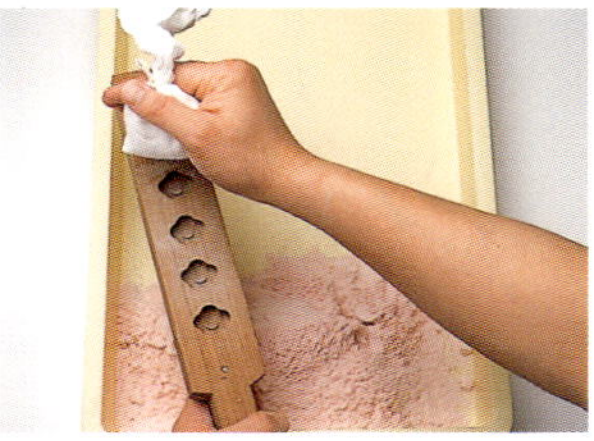

7　木型の本体に上板を重ね、くぼんだ部分に打ち粉（片栗粉）を少なめに打つ。

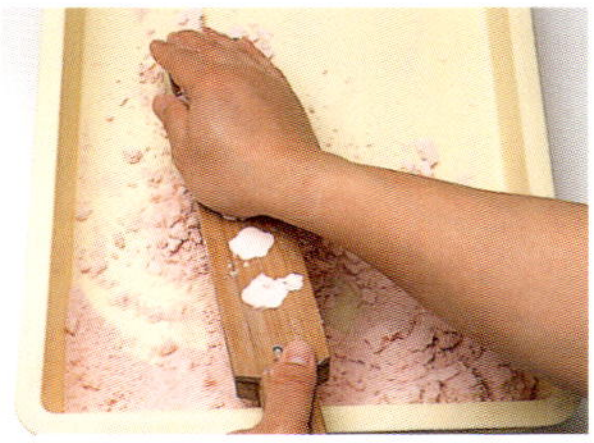

8　生地を軽い力で型いっぱいに詰め、指先で強く押して詰める。

9　再び生地を型いっぱいに詰め、上からしっかりと押して詰める。

10　竹の皮をかぶせ、げんべらで強くこすって平らにする。

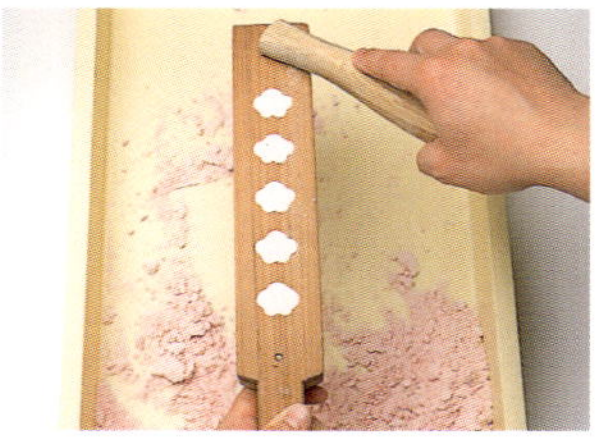

11　げんべらで上板の端を叩いて取り出しやすくし、上板を外す。

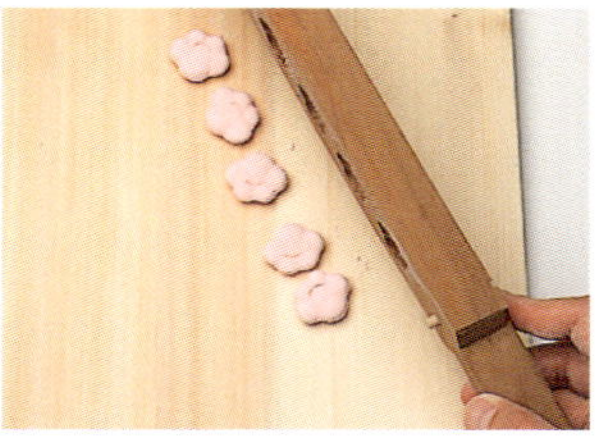

12　型本体を傾けて菓子を取り出す。湿気の少ない場所で1週間乾燥させる。
❖8以降の作業は手早く行わないと、生地が乾燥してしまう。乾燥すると固まらなくなる。

干菓子 2

押し物

通常は引菓子《ひきがし》として作る。味の変化のため餡を入れるが、日持ちを考えて糖分を多くし、また、水分が生地に吸収されないよう、しっとりした状態を保つため水飴を用いる。

〈材料　約18個分〉

● 生地

上白糖……500g
ねき蜜：下記配合より80ml
- 水飴……100g
- 水……30ml

- 寒梅粉……350g
- 片栗粉……150g

● ねき餡

小豆漉し餡……300g
水……約400ml
グラニュー糖……40g
水飴……70g

● 食用色素

黄色……少量

● 分量外

片栗粉（打ち粉）

〈分割〉

中餡（ねき餡）……15g

〈準備〉

・生地用のねき蜜を作る。鍋に水飴と分量の水を入れて火にかけ、沸騰直前まで温めて冷ます。
・寒梅粉と片栗粉を合わせてふるい、均一に混ぜる。
・上白糖をふるう。
・打ち粉用の片栗粉をさらしの袋に入れる。

ねき餡を作る

1　鍋に小豆漉し餡、水適量（約400ml）、グラニュー糖を入れて餡を炊く。炊きあがりに水飴を加える。

2　写真のように、並餡より少しやわらかめに炊きあげる。小分けにして冷まし、15gに分割して餡玉にする（分割の方法→P.10）。

生地を作る

3　ボウルに上白糖と準備したねき蜜80mlを入れる。手の平を使い、ボウルの底に押しつけるようにして力強くすり混ぜる。

4　写真のように、手で握るとしっとりとしてひとかたまりになるくらいまでしっかりとすり混ぜる。

5　ふるった粉類を加え、さらにもみ混ぜる。

6　写真のように、握るとひとかたまりになって、少し粘りが出てくるまでもみ混ぜる。

7　目の細かい金属製の裏漉し器で裏漉しする。

8　花心用に生地を一部取り、黄色の食用色素で着色する。着色の方法→P.12

木型に詰めて仕上げる

9　木型本体の模様の部分に片栗粉を打つ。

10　花心の部分に8の黄色生地をすりつける。

11　木型本体に上板を重ね、白生地を軽い力で型いっぱいに詰め、指で強く押して隅々までしっかりと詰める。

12　中央にねき餡の餡玉をのせ、再び白生地を型いっぱいに詰め、強く押してしっかりと詰めて平らにする。

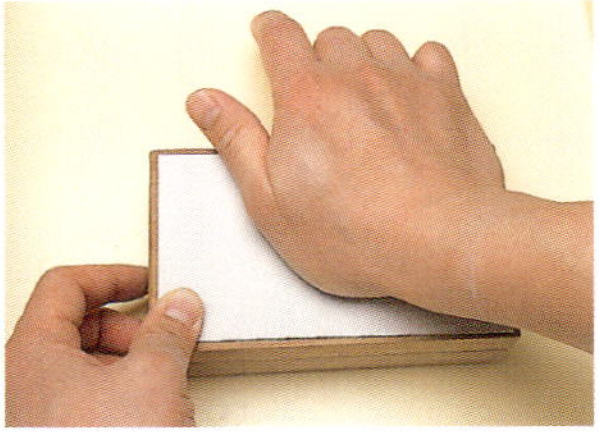

13　厚紙をのせ、上からしっかりと押す。

14　上板を外し、型本体を傾けて菓子を取り出す。

干菓子 3

有平糖

室町末期にヨーロッパから渡来。「有平」は、あるへい・ありへいと読む。茶席用の飴なので、口の中で溶けやすくするため糖化させて仕上げる。季節に合わせ、様々な形に作る。

〈材料　約45個分〉

● 飴

グラニュー糖	800g
水	230ml
水飴	160g

● 食用色素

本紅色	適量
黄色	適量

飴を煮る

1　鍋にグラニュー糖と分量の水を入れて強火にかける。鍋の縁に飛んだ飴が結晶化しないように、水を含ませた刷毛で時々落とす。

2　120℃になったら水飴を加え、140〜145℃まで煮詰める。

❖湿度が高い時は、煮詰める温度をやや高くする。

3　浅い鍋に移し替える。

4　鍋底を冷水にあてて冷ましながら、周囲のかたくなった飴をはがしては中央に折り込む作業を4～5回くり返し、粗熱を取る。

❖熱を取りすぎるとかたくなるので、冷ましすぎないように注意する。

❖薄手のゴム手袋を使用すると、作業効率がよい。

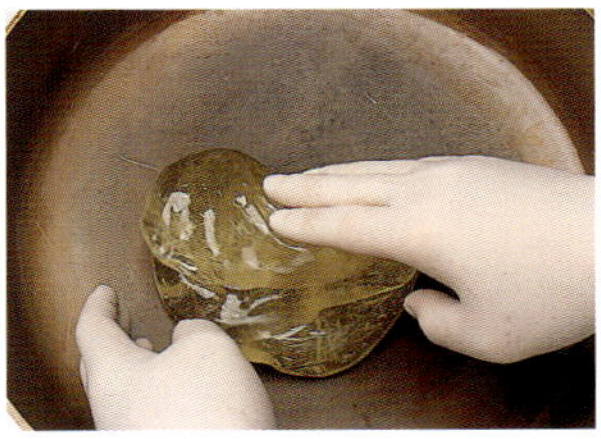

5　鍋を冷水から外し、飴をひとつにまとめる。

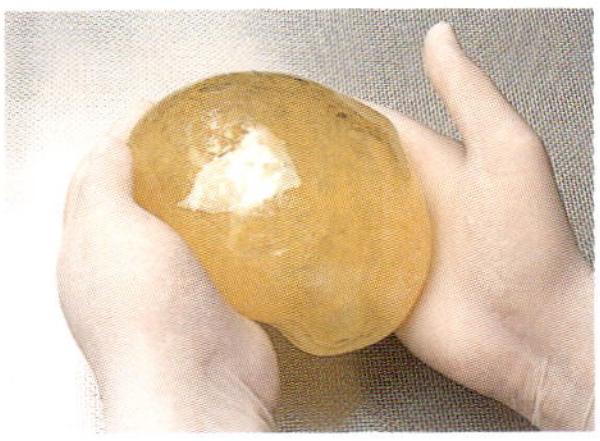

6　シルパットの上で練り込んで艶を出す。

❖以降の作業は、飴ランプなどで保温しながら行う。ただし、高温すぎると飴が糖化してボソボソした状態になってしまう。

千代結びに仕上げる

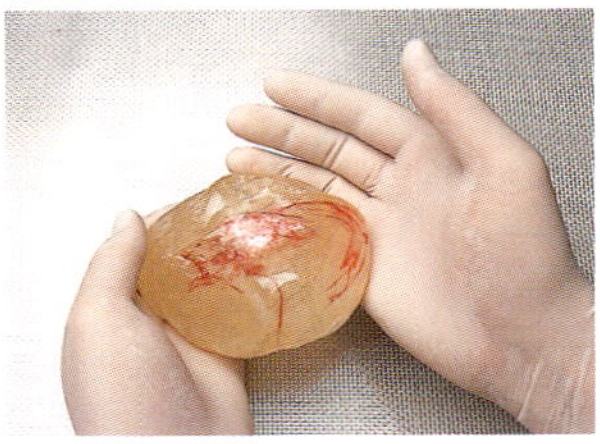

7　6の飴の半分を使う。半分をさらに2等分し、片方に本紅色の食用色素をつけ、まんべんなく練って赤色に着色する。

❖着色は、中央に何度も折りたたみながら色を全体に行き渡らせる。

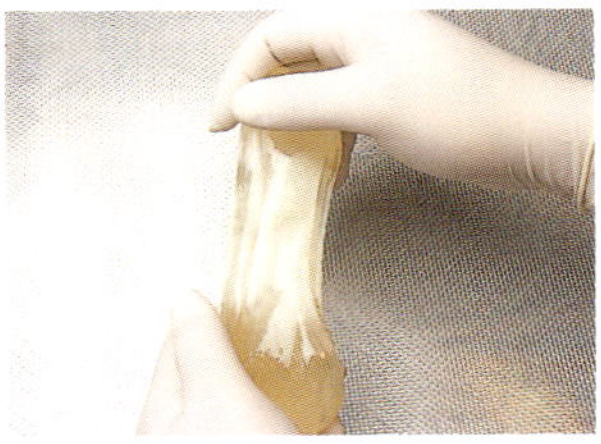

8　もう片方の飴を引っ張って帯状にし、折りたたむ。引っ張っては折りたたむ作業をくり返して、空気を入れて白くする。

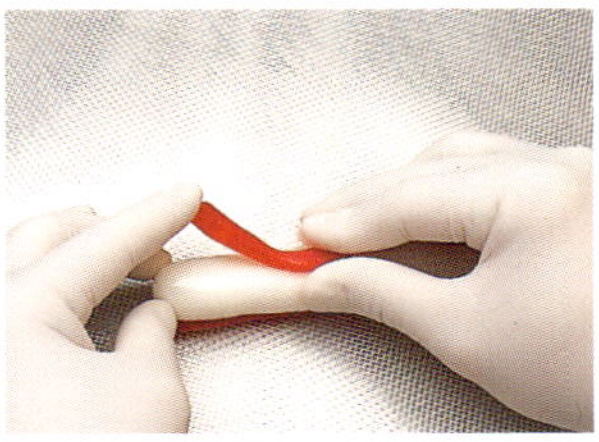

9　8の飴が白くなったら棒状にのばす。7の赤飴は細い2本の棒状にのばし、白飴の両側から貼りつける。

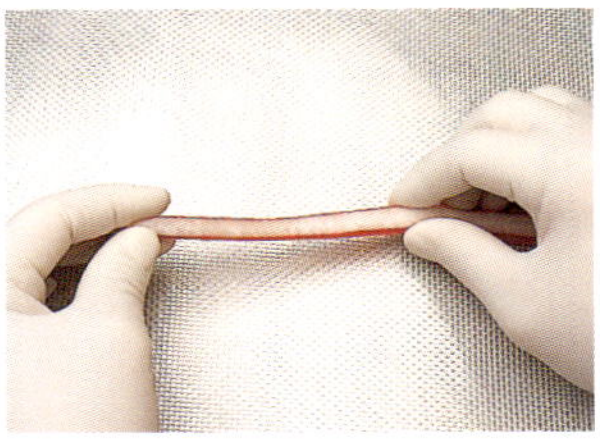

10　9の飴を直径約5mmの棒状に引きのばしては、約12cm長さに切る。

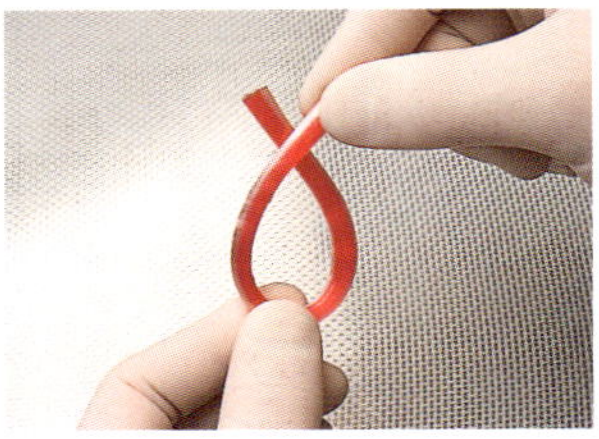

11　左側の端を上にして、写真のように輪を作る。

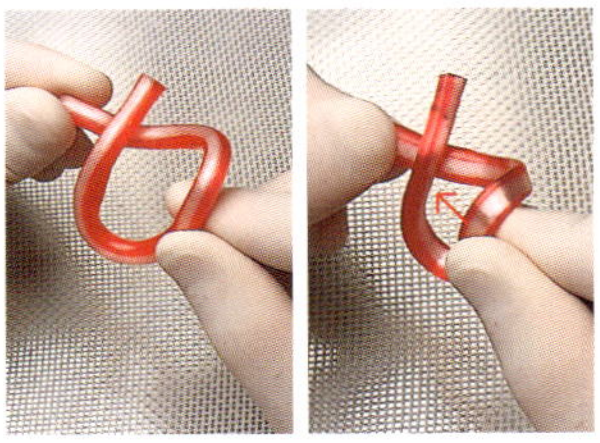

12　輪の真ん中を約90度ねじりながら押し、つなぎ目に近づける。

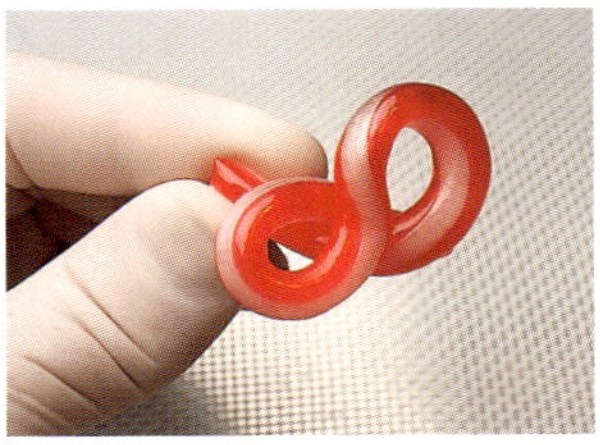

13　つなぎ目の重なった部分に輪の真ん中をくっつける。

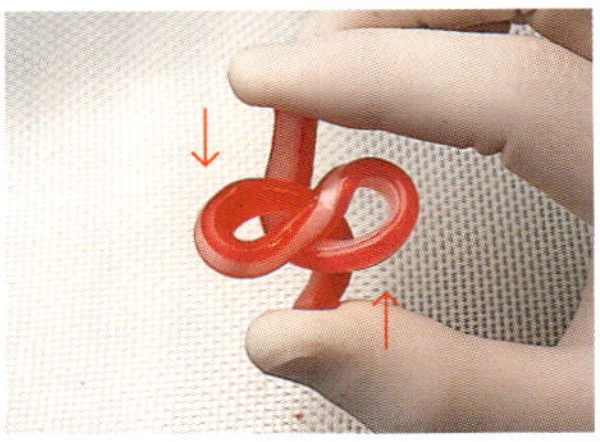

14　端の先端をつまみ、くっつけた側に折りたたむ。

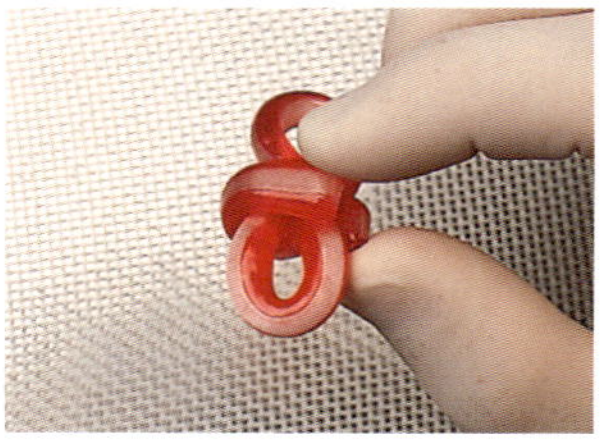

15 結び目の裏側で両端が接するように、しっかりと折り込む。裏返した方が表になる。

● 千代結びの一連の流れ

蝶の形に仕上げる

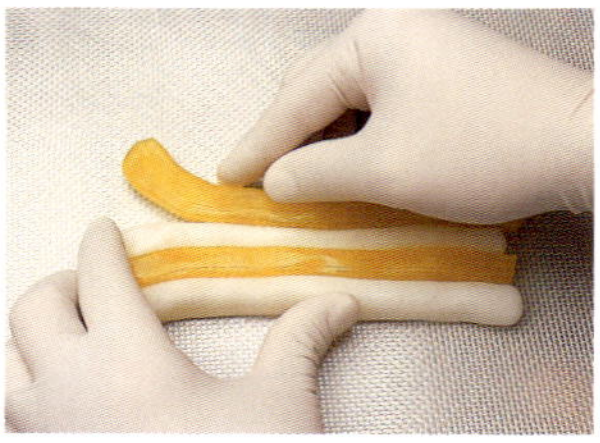

16 残りの飴を2等分し、片方に黄色の食用色素をつけてまんべんなく練って黄色に着色する。もう片方の飴は、P.175の8の方法で白くする。黄飴、白飴とも棒状にのばし、交互に4本張り合わせる。これを左右に引いてのばす。

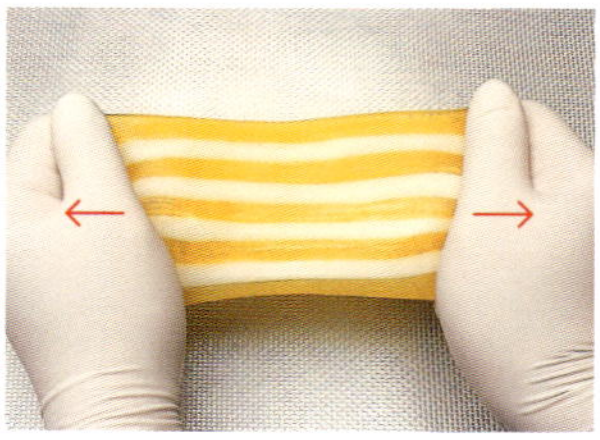

17 ある程度のばしたら、半分に切ってつなげて層を倍にし、さらに一層（黄色）つけ、再び左右にのばす。

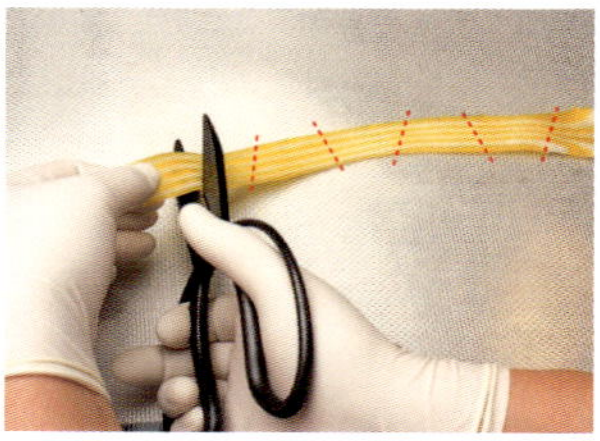

18 幅が2.5cmになるまでのばしたら、台形（長辺5cm、短辺3cm）に切る。

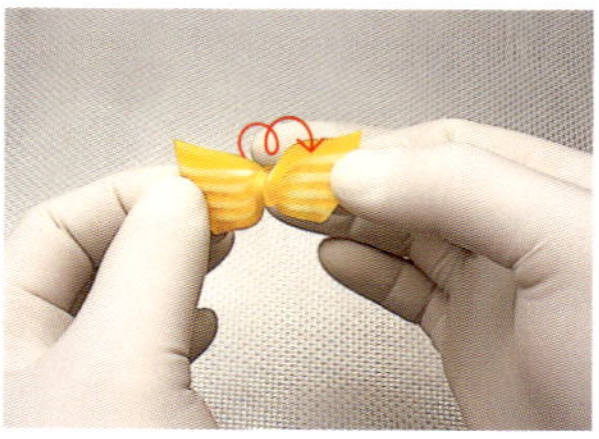

19 両端をつまみ、片側を2回ねじる。湿気を防ぐため、シリカゲルなどを入れた容器に保存する。

和菓子の基礎知識

材料解説

器具解説

和菓子の歳時記

和菓子の歴史

茶席菓子

用語解説

材料解説

〈砂糖《さとう》〉

砂糖の原料はさとうきび（甘蔗《かんしょ》）とさとう大根（てん菜《さい》）があり、さとうきびからは糖蜜を含む含蜜糖《がんみつとう》と、糖蜜を除いた分蜜糖《ぶんみつとう》が、さとう大根からは分蜜糖だけが作られる。含蜜糖には黒砂糖、和三盆糖があり、分蜜糖には上白糖、グラニュー糖、ざらめ糖がある。

砂糖には、甘味をつけるだけでなく、様々な働きがある。卵や小麦粉などと砂糖を合わせて加熱すると、たんぱく質と糖分が反応してきれいな焼き色や艶がつく。求肥《ぎゅうひ》が長時間やわらかいのは、加熱したでんぷんの老化現象を糖分がある程度防止してα化の状態に保つ働きがあるからである。また、卵白を泡立てる時に砂糖を加えると、きめ細かく持続性がある気泡となるのは、保水性があるからだが、一方で、たんぱく質の変性（熱、圧力、添加物を加えたり、凍結したりすることでたんぱく質の性質が変化すること）を遅らせる性質もあるので、最初から砂糖を加えると泡立ちにくい。その他、寒天の固まる作用を促進する効果や、防腐や酸化防止の効果もある。

氷砂糖

白ざらめ糖

グラニュー糖

上白糖

粉砂糖

● 氷砂糖《こおりざとう》

純度が高い砂糖を水に溶かしてゆっくりと時間をかけて大きな結晶にしたもの。砂糖のうちで最も結晶が大きく、上品な甘味を持つ。果実酒を作るのに適しており、そのまま食べられるので保存食にもなる。

● 白《しろ》ざらめ糖《とう》（白双目糖・白粗目糖）

結晶の粒子が大きく、純度はほぼ100%。上品な甘味が特徴。本書では長崎かすてらに用いている。

● グラニュー糖《とう》

上白糖よりも結晶が大きく、さらさらとした細かい粒子状の結晶。純度が高いのでアクが少なく、くせのない上品で洗練された甘味を持つ。あっさりした甘味に仕上げたい時や、錦玉羹をより透明に仕上げたい時などに用いる。

● 上白糖《じょうはくとう》

日本で最も多く使われている砂糖で、一般に砂糖といえば、これをさす。粒子が細かく、吸湿性が高く、水に溶けやすい。また、甘味が強く、しっとりしているのが特徴。これは製造の最終段階で砂糖の表面にビスコという転化糖《てんかとう》（砂糖を分解する時にできるぶどう糖と果糖の混合物）が添加されているから。使う時は必ずふるってかたまりをなくしておく。

● 粉砂糖《こなざとう》

白ざらめ糖かグラニュー糖を粉砕したもの。さらさらしているが吸湿性があり、少しでも吸湿すると固まる。菓子の仕上げにふったり、果物にかけたりする。パウダーシュガー、粉糖《ふんとう》ともいう。

黒砂糖

中ざらめ糖

三温糖

和三盆糖

● **黒砂糖《くろざとう》**

さとうきびの汁を精製せずに煮詰めて作る。カルシウムや鉄分を多く含む。色が黒く、精製していないのでアクが強いが、こくのある甘味と独特の香りがある。かたまりのものと粉末のものがある。黒糖《こくとう》ともいう。

● **中《ちゅう》ざらめ糖《とう》（中双目糖・中粗目糖）**

黄褐色で、白ざらめ糖よりもやや精製純度が低く、さらっとした甘味を持つ。黄ざらめ糖ともいう。

● **三温糖《さんおんとう》**

上白糖より純度が低く、薄茶色をしている。独特の風味とアクの強い甘味を持つ。

● **和三盆糖《わさんぼんとう》**

さとうきびから作られた白下糖《しろしたとう》を原料とする。布に包んで圧搾する作業と少量の水を加えてこねる作業を数回くり返して作る。黄色みがかった白色で、結晶が細かく、適度の湿り気を持つ。風味がよく、口に入れるとすっと溶ける。香川、徳島の特産品で、生産量が少ないため値段が高い。主に打ち物に使う。和三盆ともいう。

〈甘味料《かんみりょう》〉

米飴

蜂蜜

水飴

● **米飴《こめあめ》**

蒸したり煮たりした米（もち米またはうるち米）に大麦の芽を粉砕して加え、液状になるまで混ぜて糖化させ、液汁を絞って煮詰めたもの。風味やこくづけに、また餡の甘味づけとして使われる。

● **蜂蜜《はちみつ》**

蜜蜂が草木の花から採取して巣に蓄えた蜜を精製したもの。総じて淡黄色。蜂が採取した花によって、香りが強いものや酸味のきいたものなど、それぞれ特徴がある。砂糖よりも甘味は少ない。純粋で上質なものは、低い温度で結晶化して固まる。艶出しや風味づけのため、生地のきめを細かくしっとりと仕上げるためなどに、砂糖と併用して用いる。

● **水飴《みずあめ》**

でんぷん（澱粉）から作られる透明の甘味料。酸を使って糖化させた酸糖化飴と麦芽の酵素を用いた酵素糖化飴があるが、商品の多くは酸糖化飴である。甘味は砂糖の約1/2だが、結晶化しないので主に砂糖とともに用いて砂糖が再結晶をするのを防ぐ。艶、粘り、吸湿性があり、熱に弱く焼き色などがつきやすい。手やスプーンに水をつけて取り出し、手で引きのばしては折りたたむ作業をくり返してやわらかくしてから加えると溶けるのが早い。

トレハロース

カップリングシュガー

〈低甘味料《ていかんみりょう》〉

● トレハロース

天然の糖質で、かつては酵母から抽出されていたが、でんぷん（澱粉）に酵素を作用させて作る方法が確立されて入手しやすくなった。甘味は砂糖の1/2以下で、生地をしっとりと仕上げられる、もちもちとした食感が得られるなどの効果がある。

● カップリングシュガー

砂糖結合水飴ともいう。砂糖とでんぷんの混合液に酵素を作用させてできる砂糖結合物と、でんぷん分解物を混合させて作る無色透明な液体状の天然甘味料。上白糖と水飴の長所を併せ持つ。非結晶性で、保水性が高いので、高砂糖濃度の飴細工を作る時などに加えると、ショ糖の再結晶化防止に効果がある。また、分解して単糖になるまでの時間がショ糖よりも長いため、焼き色がつきにくい。砂糖より分子量が大きく、粘りがあり、艶やこくをつけられる。砂糖と併用して使う。甘味がおだやかで素材の味が生かせる。

〈米粉《こめこ》〉

和菓子でよく用いられる米粉には、もち米（糯米）とうるち米（粳米）の2種類の米を原料とするものがあり、さらに生のまま粉にした生粉《なまこな》製品と、加熱して粉にした糊化《こか》製品に分けられる。以下のような製品があるが、地方によって同じものでも名称が異なったり、名称が同じでも別の粉をさしたりすることもあるので、十分に注意が必要である。

もち米はアミロペクチンというでんぷんからなり、加熱すると強い粘りが出るので、そのまま搗いて餅にできる。一方、うるち米はアミロペクチンの他に粘りの少ないアミロースというでんぷんを含む。餅を作る際の打ち粉として使用する他、様々な粉に加工して、団子やその他の菓子に用いる。もち米ほどの粘りはないが、弾力があり、しこしことした歯ごたえがある。

道明寺粉

丸粒

二ツ割

四ツ割

頭道明寺

[もち米を加熱して挽いたもの]

● 道明寺粉《どうみょうじこ》

道明寺、道明寺糒(ほしい・ほしいい)ともいう。もち米を洗って水につけた後、水気をきって蒸し、乾燥させてから小さく砕いたもの。大阪府藤井寺市にある道明寺で作ったのでこの名がある。写真は粒子の大きいものから順に、丸粒、二ツ割、四ツ割、頭《かしら》道明寺。この他、三ツ割、五ツ割、八ツ割などの種類もある。湿気を含ませないように保存する。使用時はぬるま湯につけ、よく戻してから用いる。

中いら粉

いら粉

本極みじん粉

寒梅粉

● 中《ちゅう》いら粉《こ》　● いら粉《こ》

もち米を洗って水につけ、水気をきって蒸して乾燥させ、粉砕して色づかないように煎りあげたもの。地方によって呼び名や漢字が変わり、新引《しんびき》粉《こ》、真挽《しんび》き粉《こ》ともいう。また粒子の粗さでも呼び名が違う。中いら粉よりいら粉の方が粒子が細かい。

● 本極《ほんごく》みじん粉《こ》（味甚粉・微塵粉）

製法はいら粉と同じだが、本極みじん粉は、粒のごく細かいものをさす。極みじん粉、上南《じょうなん》粉《こ》ともいう。

● 寒梅《かんばい》粉《こ》

もち米を洗って水につけ、水気をきって蒸して搗き、餅にする。これを色づけないように焼き、粉末にしたもの。軽くてふわふわしており、水分を吸いやすい。焼きみじん粉ともいう。梅の咲く時期に作ると良質のものが得られるというところから、この名がある。

［もち米を非加熱で挽いたもの］

白玉粉

餅粉

● 白玉《しらたま》粉《こ》

もち米を洗って水につけ、水を加えながら磨砕した後、水にさらし、脱水して乾燥させたもの。寒晒《かんざら》し粉《こ》ともいう。餅粉に比べると風味は少し欠けるが、弾力と艶があり、きめ細かく仕上がる。主材料としてだけでなく、補助的に用いると、のびのあるなめらかな生地が作れる。使う時は、水を加えながらかたまりをつぶし、手で丸められるかたさに調整し、完全に粒がなくなるまでよく練って溶かす。

● 餅《もち》粉《こ》

もち米を洗って乾燥させて、挽いたもの。求肥《ぎゅうひ》粉《こ》ともいう。また少し粒子の細かいものを羽二重《はぶたえ》粉《こ》ともいう。風味がよく、なめらかで餅のような弾力がある。水で練って少しずつちぎって蒸し、搗いたりこねたりして作る餅は、もち米を蒸して作る餅よりもきめが細かい。うぐいす餅、柏餅などに用いる。

［うるち米を非加熱で挽いたもの］

上新粉

上用粉

かるかん粉

● 上新《じょうしん》粉《こ》

うるち米を洗って乾かし、製粉したもの。しこしこした歯ごたえがあり、主として焼き団子、柏餅、草餅などに用いられる。生の粉なので、長期保存すると細菌やかびが繁殖したり、虫がついたりするので、できるだけ早く使いきるようにする。

● 上用《じょうよう》粉《こ》

上新粉と製法は同じだが、粒子がさらに細かい。使い方も上新粉と同様だが、きめ細かく仕上がるので、高級菓子に用いられる。薯蕷《じょうよ》粉《こ》ともいう。

● かるかん粉《こ》（軽羹粉）

うるち米を洗って水気をきり、粒子を粗く粉砕したもの。主としてかるかんを作るのに用いる。

〈**小麦粉《こむぎこ》**〉

小麦の胚乳を粉にしたもの。小麦粉に含まれるグルテン（たんぱく質の一種）の量によって、薄力粉、中力粉、強力粉に分けられるが、和菓子では主として薄力粉と中力粉を用いる。計量前と使用前には、必ずふるってかたまりを除いておく。

薄力粉

中力粉

● **薄力粉《はくりきこ》**

軟質小麦の胚乳を製粉したもの。グルテンの含有量が少ないため、菓子の仕上がりが軽くて粘りが少なく、口当たりもやわらかい。焼き菓子の生地に多く用いる。

● **中力粉《ちゅうりきこ》**

中間質小麦を挽いたもので、薄力粉と強力粉の中間的な存在。薄力粉よりグルテンの量が多く、薄力粉よりも粒子が粗い。月餅や黄金芋の皮に使用する。

葛粉

片栗粉

浮き粉

コーンスターチ

● **葛粉《くずこ》**

マメ科の多年草である葛の根から取れる風味のよい良質のでんぷん（澱粉）。葛の根をローラーなどで粉砕し、水洗いと沈殿をくり返し、乾燥させて仕上げたもの。奈良県吉野《よしの》地方の吉野葛が質がよいことで有名で、菓子の名前に吉野とつけば、葛粉を使ったものである。水で溶いて使うが、火を通すと透明感が出て、独特のつるっとした口当たりになる。純粋なものほどこしが強く、形よく仕上がり、香りがよいので、多少値がはっても純度の高いものを使用するとよい。

● **片栗粉《かたくりこ》**

本来、ユリ科の多年草の片栗の地下鱗茎《りんけい》から取れるでんぷんをさす。生産量が極めて少なく、非常に高価なため、最近では馬鈴薯《ばれいしょ》でんぷんで代用されている。和菓子では手粉として使うことが多い。

● **浮《う》き粉《こ》**

小麦粉のグルテンを取り除き、残ったでんぷんを精製し、乾燥させたもの。小麦粉よりもきめが細かく、火を通すと透明感が出る。他の粉と併用することが多い。

● **コーンスターチ**

とうもろこしを原料としたでんぷん。でんぷんの中でも純度が高く、きめが細かい。小麦粉のようにグルテンを含まないので口当たりがなめらかになる。片栗粉よりもこしが強く、加熱した時に艶が出る。

わらび粉

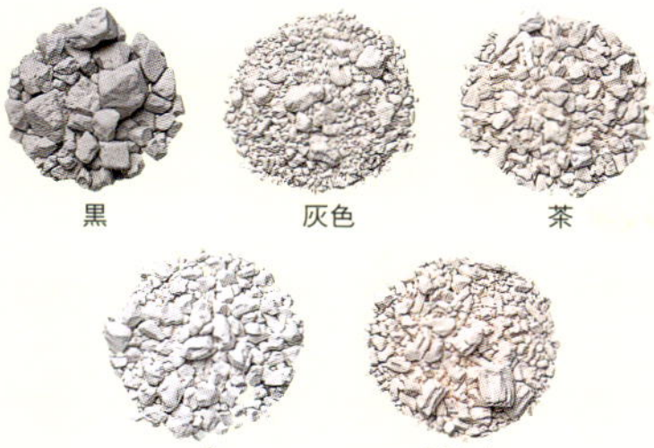

黒　灰色　茶　白　ピンク

● わらび粉《こ》（蕨粉）

イノモトソウ科の常緑性シダ植物であるわらびの地下茎から取ったでんぷん。根を砕き、水洗いと沈殿をくり返して乾燥させたもの。純粋なものは、弾力、香り、なめらかさに優れている。主産地は岐阜、奈良、福岡、長野などだが、最近では輸入品も多い。産地、加工法によって色が異なる。また一個体から少量しか取れず、高価なために、他のでんぷんを混ぜたものもあるが、独特の食感を出すためには純粋なものがよい。本書ではわらび饅頭では黒のものを、わらび餅ではピンクのものを使用している。

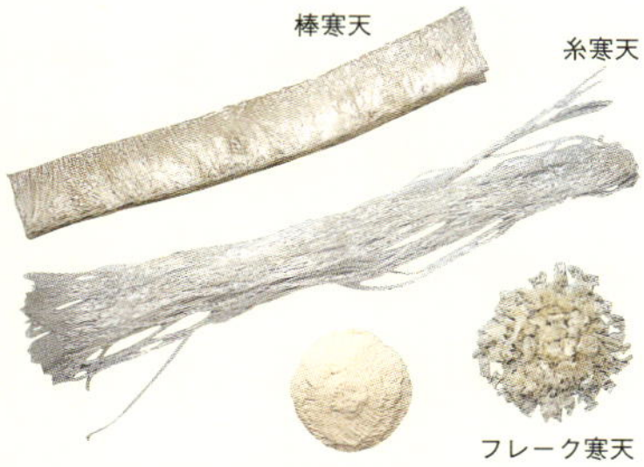

棒寒天　糸寒天　粉寒天　フレーク寒天

● 寒天《かんてん》

海藻の天草《てんぐさ》を主原料にして煮溶かして漉し、型に流して固めて凍らせ、乾燥させたもの。凍結から乾燥までを自然に行ったものを天然寒天といい、棒寒天（角寒天）、糸寒天（細寒天）がある。主に長野、岐阜、北陸地方などで寒中に生産される。これに対し、機械で作業を行ったものを工業寒天（人工寒天）といい、フレーク寒天、粉寒天、錠剤状のものなどがある。工業寒天は天然寒天に比べると凝固力は強いが、透明感に欠ける。

天然寒天は、半透明で白色で光沢があり、形が整っていて、不純物の少ないものを選ぶ。また、軽く、弾力があるものが上質。粉寒天以外は、あらかじめ水で十分戻して使用する。寒天は常温で固まるが、酸味のあるものを加えると固まりにくく、弾力も劣る。水だけで煮溶かして固めると白濁するが、砂糖を加えると透明感が出る。

うぐいす粉

きな粉

すはま粉

● うぐいす粉《こ》

● きな粉《こ》（黄粉・黄な粉）

● すはま粉《こ》（洲浜粉）

いずれも主原料は大豆。大豆を焦がさないように煎り、豆の皮を取り除いて粉砕したもの。うぐいす粉（青きな粉）は青大豆を用いて薄緑色に仕上げたもの。きな粉は豆を焦げないように煎りあげたもの。すはま粉はきな粉より少し浅めに煎りあげたもの。いずれも挽きたてのものが香りが強く、味もよい。湿気を帯びると風味が損なわれるので密閉容器に入れ、涼しい場所で保管する。

麦焦がし

そば粉

● 麦焦《むぎこ》がし

はったい粉、香煎《こうせん》などともいう。大麦を煎って焦がし、粉砕したもの。香りが強く、風味豊か。表面にまぶしたり、生地の中に混ぜ込んだりして使用する。

● そば粉《こ》（蕎麦粉）

そばの実の皮を除いて細かく挽いたものには、外層粉、中層粉、内層粉があり、そばの実全体を製粉した全層粉には、一番粉、二番粉、三番粉がある。一般に使用されるのは全層粉が多い。そばのどの部分を製粉するかによって色や風味が異なる。中心部分のものは色が白く、外側にいくほど色が黒くなり、粘りがある。目的や用途によって使い分ける。

〈豆《まめ》〉

菓子作りで頻繁に使われるのは小豆、いんげん豆、手亡豆、白いんげん豆で、その他、完熟した緑色のえんどう豆や赤えんどう豆、大豆の一種である黒豆なども用いる。いずれの豆も虫がつきやすいため、一度に大量に購入しないようにし、空気に触れないように密閉し、冷蔵庫のような温度変化の少ないところに保存する。

丹波小豆

北海道小豆

白小豆

手亡豆

● 小豆《あずき》

マメ科の一年草で、夏に花が咲いた後、さやの中にできる種子が小豆。しょうずともいう。赤褐色の小豆のほか、黄白色の白小豆があり、豆の粒の大きさによって普通小豆と大納言《だいなごん》小豆に分けられる。普通小豆はえりも小豆、はやて小豆などがあり、大納言小豆は北海道のあかね大納言、東北の岩手大納言、丹波の丹波大納言、京都の京都大納言などが有名。現在では、中国や東南アジアからの輸入小豆が多く出回っている。

普通小豆は大納言に比べ皮が少し厚く、味が少し濃いため、主に漉し餡に用い、大納言は皮が薄く大粒で風味も穏やかなので、粒を生かす場合に使用する。新しい豆は皮がやわらかく香りもよい。よく乾燥しているもの、ふっくらとして丸みがあり、粒が揃っていて艶があるものを選ぶ。

● いんげん豆《まめ》

野菜としてさやを食べることもあるが、菓子用にはさやの中の成熟した種子を使用する。いんげん豆の種類は多く、菓子には、下記の手亡豆、白いんげん豆を白餡の材料として使う他、うずら豆、とら豆、金時豆《きんときまめ》なども用いる。

● 手亡豆《てぼまめ》

豆のつるから出るひげがないのでこの名があり、手なしとも呼ばれる。粒の大きさは、普通小豆の約2倍。白小豆に比べ、ごく薄いピンク色で、少し粘りがあり、香りも強いため、焼き菓子の中餡や白漉し餡などに使用する。

● 白《しろ》いんげん豆《まめ》

大福豆《だいふくまめ》ともいう。色が白くて大きく、扁平で、空豆のような形。いんげん豆の中でも高級なので、形を生かして使用することが多い。

よもぎ（生）

冷凍よもぎ

固形乾燥よもぎ

粉末乾燥よもぎ

● よもぎ（蓬）

キク科の多年草。草餅に用いることから、餅草《もちくさ》ともいう。香りのよい生の若葉をゆでて使う。ゆでる時に重曹を少量使うとやわらかくなる。ゆでた後は十分に水にさらし、水気を絞ってきざんで使う。冷凍よもぎは解凍し、余分な水分をきって用いる。乾燥よもぎは45〜50℃の湯につけて戻して使用する。生のものがない場合は、冷凍や乾燥を用いるが、乾燥は生に比べて香りが弱いので、少し多めに加える。

抹茶

シナモン

ココアパウダー

● 抹茶《まっちゃ》

茶の葉を蒸して、もまずに乾燥させ、臼で挽いて粉にしたもの。薄茶や濃茶として飲むだけでなく、菓子の風味づけにも用いる。密閉容器に入れて涼しい場所に保存し、できるだけ早く使いきる。熱を加えると色が褪せ、香りも飛んでしまうので、色や香りを生かしたい場合は熱を加えすぎないようにする。

● シナモン

クスノキ科の常緑樹セイロンニッケイの樹皮を乾燥させて粉末にしたもの。菓子の風味づけに用いる。

● ココアパウダー

カカオ豆を焙煎して皮を除き、粉末にして脂肪分（カカオバター）の一部を抜いたもの。菓子の風味づけに用いる。

氷餅

● 氷餅《こおりもち》

もち米を粉砕して煮た後、型に入れて固め、凍結、乾燥させて作る方法と、切り餅を凍結、乾燥させて作る方法とがある。主材料として使うことは少なく、補助的に餅や求肥にまぶして使う。

栗ペースト

● 栗《くり》ペースト

栗の果肉に火を通してつぶし、砂糖を加えて練りあげたもの。香料を加えた市販品もある。

栗の甘露煮

ぶどうのシロップ煮

青梅の甘露煮

赤梅の甘露煮

● 栗《くり》の甘露煮《かんろに》　● ぶどうのシロップ煮《に》

● 青梅《あおうめ》の甘露煮《かんろに》　● 赤梅《あかうめ》の甘露煮《かんろに》

甘露煮やシロップ煮は、砂糖と水で作ったシロップで材料を煮たもの。殺菌処理をしているので、そのまま使用できる。栗の甘露煮は、色を鮮やかにするためにくちなしの実で着色することもある。

小豆の蜜漬け

白小豆の蜜漬け

● 小豆《あずき》の蜜漬《みつづ》け　● 白小豆《しろあずき》の蜜漬《みつづ》け

小豆をつぶさないようにやわらかく煮あげて、シロップに漬け込んだもの。夏越しや小倉羊羹など、豆の粒を生かしたい場合に用いる。鹿《か》の子豆《こまめ》ともいう。

〈ナッツ類〉

●くるみ（胡桃）　●ココナッツ

●黒胡麻《くろごま》　●けしの実《み》（芥子の実）　●アーモンドスライス

くるみ

ココナッツ

黒胡麻

けしの実

アーモンドスライス

くるみは軽く焼いて使うと香ばしくなり、歯ごたえもよくなる。

ココナッツは細切りのもの、細かくきざんだもの、粉末状のものなどがあり、用途によって使い分ける。

黒胡麻は、鍋でゆっくりと煎って用いると香りが出る。

けしの実、アーモンドスライスは、そのまま用いてもよい。

いずれも香ばしい風味を添えたり、食感に変化をつけたりするのに用いる。焼き菓子にまぶしつけたり、餡に混ぜ込んだり、工夫次第で新しい菓子を生み出せる。

プラリネペースト

●プラリネペースト

アーモンドにシロップをからめ、カラメル状に煮詰めてローラーで挽いた後、すりつぶしてペースト状にしたもの。香ばしい風味とカラメルのほろ苦さがある。

白味噌

●白味噌《しろみそ》

味噌は大豆を主原料に、塩と麹《こうじ》を加えて発酵せたもの。白味噌は米麹の配合量が多く、塩分は6％と他の味噌と比べて少なく、甘味がある。菓子では風味づけに用いるので、塩分控えめで、粒のないなめらかなものが向く。

すり蜜

●すり蜜《みつ》

フォンダンともいう。砂糖（400g）と水（300ml）を鍋に入れ、115℃まで煮詰めた後、常温まで冷まし、すりこ木で混ぜて糖化させ、手でもみながら混ぜる。使う時は約40℃に保温してやわらかくしてから用いる。

笹の葉

●笹《ささ》の葉《は》

ゆでて干した乾燥品と、生のまま軽く塩漬けして殺菌処理をしたものの2種類がある。どちらも色のよいものを選ぶ。乾燥品はゆでて水にさらしてから用い、保存は新聞紙に包んで通気のよい涼しい場所に置く。塩漬けは水で洗って塩気を取ってから用いる。保存は水につけて冷蔵庫に入れ、こまめに水を替えるとよいが、日持ちはしない。

涼感を演出できるので、初夏から夏場にかけて多く使用される。粽には、幅の広い粽笹（根曲がり竹の葉）や隈笹《くまざさ》が用いられる。

柏の葉

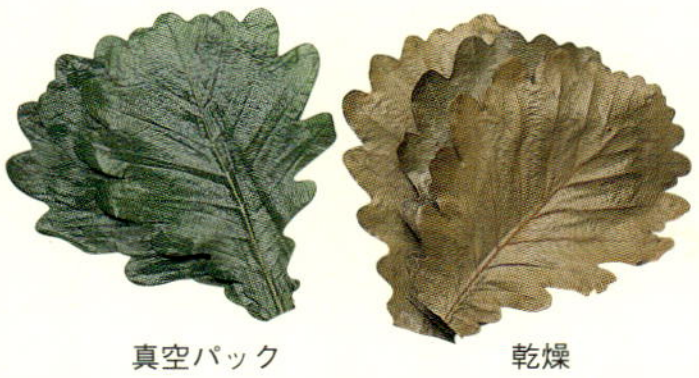

真空パック　乾燥

● 柏《かしわ》の葉《は》

柏はブナ科の落葉木。乾燥品とゆでた葉を真空パックにしたものとがあり、乾燥品はそのまま熱湯で色よくゆで、水につけてさらして使う。残ったら新聞紙で包み、通気のよい涼しい場所で保存するか、ビニール袋に入れて密封して冷蔵庫か冷凍庫で保存する。真空パックのものは水で洗うだけで手軽に使え、乾燥品に比べて色もよいが、開封すると日持ちはしない。

桜の葉

塩漬け茶色　塩漬け緑色　生

● 桜《さくら》の葉《は》

主に関東地方や伊豆《いず》七島《しちとう》に多い大島桜の葉。他の桜の葉より、香りの成分クマリンが多く含まれているが、塩漬けにすることで香りが出る。生の葉と塩漬けがあり、葛桜や桜餅のように菓子に巻くなどして用いる。生の葉は、やわらかい若葉で色が鮮明なものを選ぶ。きれいに洗った後、やにがついていることがあるのでぬるま湯に10～15分間つけ、洗ってから使用する。日持ちはしない。

塩漬けの葉は、生より色は劣るが香りが強い。緑色のものは色が鮮明なものを選ぶ。水で洗って塩抜きをしてから使う。残ったら、薄い塩水につけて冷蔵庫に入れておけば約10日間は保存できる。また、塩漬けを真空パックにしたものもある。

竹の皮

● 竹《たけ》の皮《かわ》

主として真竹の皮を乾燥させたもの。基本的に水や湯につけて戻して使用するが、菓子や生地を包む場合は、乾燥したまま用いる。細く裂いてひも状にし、材料を束ねたり、縛って形を整えるのにも使用する。

いぐさ

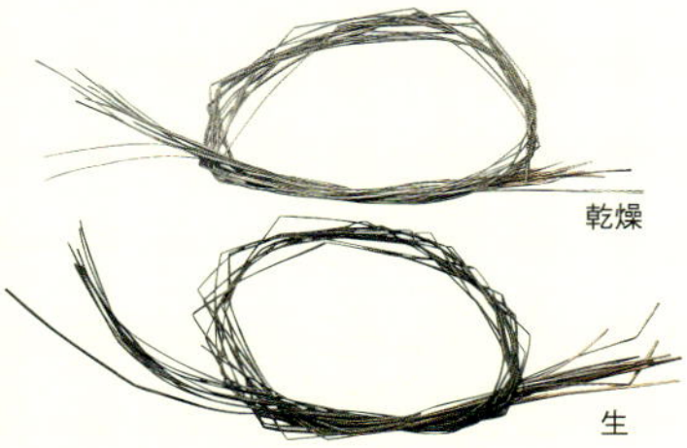

乾燥

生

● いぐさ（藺草）

イグサ科の多年草。粽を巻いたり、材料を束ねたりするのに使う。乾燥させた茎を水や湯で戻して使用するのが一般的。生のものもあるが、乾燥品の方が強い。少し太めの方が切れにくく、また長い方が巻きやすい。

食用色素

液体色素

粉末色素

● 食用色素《しょくようしきそ》

菓子を着色し、見た目の美しさや季節感など、変化をつける目的で使用する。天然色素と合成着色料がある。合成着色料はタール系色素に代表される化学的に合成された水溶性の色素。必ず食品添加物として許可されたものを使用する。粉末と液体とがあり、粉末はアルコールや水に溶かして使う。少しずつ加えて全体の色合いを見ながら着色する。天然着色料には、植物から色素を取ったクロロフィル、くちなし、カラメルなどがある。天然色素は、合成着色料よりも多く使わないと思った色になりにくいが、多すぎると匂いや味に影響する。扱いやすいのは合成着色料だが、緑の深い色には抹茶を、茶色には小豆漉し餡を用いるなど工夫するとよい。

練乳

● 練乳《れんにゅう》

牛乳を真空状態で濃縮したもの。砂糖を加えた加糖練乳はコンデンスミルクともいい、無糖練乳はエバミルクともいう。無糖練乳は日持ちしないのですぐに使いきる。風味やこくをつけるのに用いる。

クリームチーズ

● クリームチーズ

熟成させていない軟質のチーズ。脂肪分が多く、かすかな酸味があり、なめらかなのが特徴。濃厚な風味やこくをつけるのに用いる。

バター

● バター

牛乳の脂肪分を分離させ、攪拌して練りあげたもの。風味やこくをつけるのに用いる。有塩と無塩があるが、菓子作りには無塩バターがよい。原料のクリームを乳酸菌で発酵させて作る発酵バターもある。

バニラエッセンス

● バニラエッセンス

バニラはラン科の常緑のつる性植物。いんげん豆状の果実を発酵させ、香気成分バニリンをアルコールで抽出した香料。バニリンを化学的に合成して作ったもので代用されることも多い。洋風の和菓子に仕上げる時に、少量加えるとよい。

ラード

● ラード　● ショートニング

ラードは豚の脂肪組織から作られる。不飽和脂肪酸の含有量が高く、融点は27〜40℃で口溶けがよい。酸化しやすいので長期保存は避ける。豚脂100%のものを純製ラード、豚脂に他の油脂を加えたものを調整ラードという。本書では、月餅にこくづけのために用いている。

また、ラードの代用品として開発されたショートニングは、油脂100%で無色、無味、無臭。適度にやわらかく、使いやすいので、菓子作りによく用いられる。本書では平鍋物を焼く時に用いている。

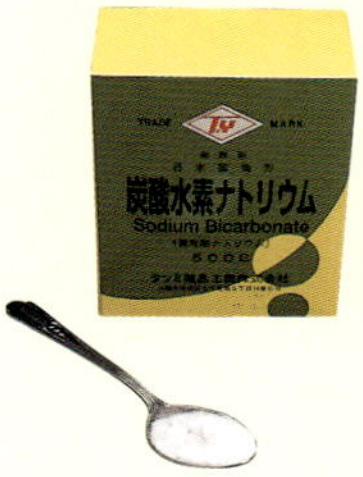

重曹

● 重曹《じゅうそう》

炭酸水素ナトリウム、重炭酸ナトリウム、重炭酸ソーダなどともいう。白色の粉末。水で溶いて使用する。加熱すると二酸化炭素、水、炭酸ナトリウムに分解し、このうち二酸化炭素が生地を膨張させる役目をする。膨張率が一番高く、生地を横に膨らませる力があるが、独特な臭気や苦味が残ったり、生地が黄色くなったりする。焼き菓子にはベーキングパウダーやイスパタなどと合わせて用い、仕上がりの色を濃く（茶色っぽく）したいときは重曹単独で用いる。

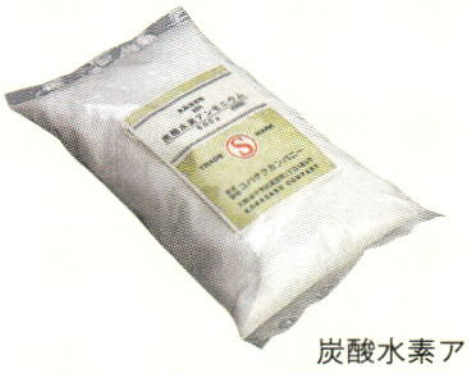

炭酸水素アンモニウム

● 炭酸水素《たんさんすいそ》アンモニウム

重炭酸アンモニウムともいう。ひとつの物質からできている単独膨張剤で、白色の結晶性粉末。強いアンモニア臭がある。水で溶いて用いる。水や熱湯中で分解してアンモニアと二酸化炭素を生じ、二酸化炭素の力で生地を膨らませる。横より縦に膨らむ性質を持っており、焼き菓子に用いると白く仕上がる。

ベーキングパウダー

● ベーキングパウダー

ふくらし粉ともいう。重曹を主体に、酸性やアルカリ性の膨張剤を数種類配合し、それぞれを単独で使った場合の欠点を補うように作られたもの。蒸し物用と焼き物用があり、他の粉と合わせてふるい、まんべんなく分散させて用いる。加熱すると二酸化炭素が発生し、これが生地を膨らませる。菓子全体を膨らませる性質を持ち、生地に苦味や匂いを残さない。湿って固まると効力を失うので、乾燥した状態が保てる場所に保存する。

イスパタ

● イスパタ

イーストパウダーの略。合成膨張剤で、主成分は塩化アンモニウムと重曹。他の粉と混ぜて用いると仕上がりに斑点が出ることがあるので、水で溶いて使う。菓子全体を膨らませる性質を持ち、菓子を白く仕上げる。白く仕上げたい薬饅頭には欠かせないが、手に入りにくいので、全体に多少黄ばみは出るがベーキングパウダーで代用することもできる。

器具解説

泡立て器

●泡立《あわだ》て器《き》

卵を泡立てたり、生地を混ぜ合わせる時に用いる。種類は、写真のように数本のワイヤーを曲げて組み合わせた茶筅形と、太い針金の回りにワイヤーをコイル状に巻いたらせん形のものがある。茶筅形の方が使用範囲が広く、一般的。材質はステンレス製がよい。ボウルに合わせて大きさを選び、ボウルの直径とほぼ同じ長さのものが適当。ホイッパー、ビーターともいう。

ボウル

●ボウル

材料を洗う、混ぜ合わせる、卵を泡立てる、生地を練る、もち米を水につける、生地を冷ますなど、頻繁に使われる器具。金気が出ない耐熱ガラス製、プラスチック製もあるが、丈夫で熱や酸に強く、重量の軽いステンレス製のものがよい。大きさはいろいろあるが、直径28cm、24cm、20cmのものを揃えておくと便利。卵白を泡立てる時は、ボウルや泡立て器に油気や水気のないことを確認する。

バット

●バット

練った餡を冷ます時や、打ち粉を入れたりするのに使う。大きさや深さは様々。ステンレス、アルマイト、ホーロー引き、強化プラスチック、強化ガラスなどの素材があるが、熱にも酸にも強いステンレス製やアルマイト製が使いやすい。

ざる

手付きざる

●ざる

洗ったもち米や小豆の水気をきったり、粉や砂糖をふるうのに使う。ステンレス製のものは丈夫で錆びず、耐久性がよい。大きさは大小様々あるので、用途に合わせて選ぶ。

餡漉しざる

●餡漉《あんこ》しざる

漉し餡を作る時に使う竹製のざる。ゆでた小豆を入れ、水をかけながら手で押しつぶし、皮と中身に分ける道具。半球形でふせると亀に似ているので亀の子ざるとか、餡すりざるとも呼ばれる。小豆をつぶしやすいように、内側の竹の削りがとがっている。編み目が密なので、使い終わったら目に沿ってよく洗い、洗った後はしっかり乾燥させる。

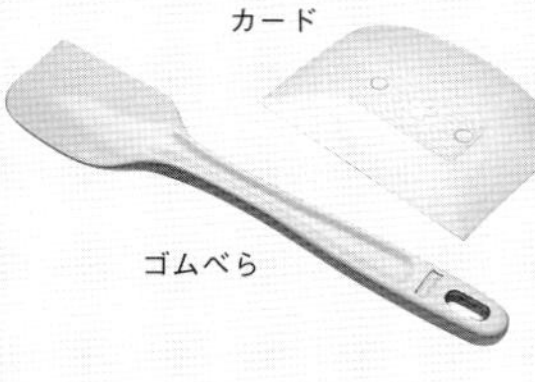

カード

ゴムべら

● ゴムべら

● カード

ゴムべらは、生地を混ぜたり、鍋やボウルに残った生地を無駄なく取る時に用いる。幅の広いものと狭いものを使い分けると効率的。耐熱性のシリコン製ゴムべらが主流となってきたが、耐熱温度が低いゴム製のものもある。耐熱温度が低いものは熱に弱いので、加熱しているものや熱いものには使ってはいけない。へらの部分と柄が一体になっているものが手入れしやすい。

カードは、角の丸い方で容器の縁についた生地やクリームを集め、直線の方で生地を平らにならす。プラスチック製。厚手で熱に強いものがよい。

木杓子

● 木杓子《きじゃくし》

ボウルや鍋の中の生地を混ぜ合わせたり、餡を練ったり、裏漉ししたりするのに用いる。材質は朴《ほお》や柳の木など。

丸鍋

● 丸鍋《まるなべ》

餡や羊羹、求肥《ぎゅうひ》などを作るのに用いる。底の平らな鍋よりも均一に混ぜやすい。表面のでこぼこによって表面積が広くなり、普通の鍋よりも熱吸収率がよい。銅製やアルミ製があり、銅製は熱伝導がよく、鍋全体に熱が伝わる点で一番優れており、丈夫で長持ちするが、高価で重いのが難点。また、銅鍋は空気に触れると酸化して変色し、熱伝導が悪くなるので専用の磨き粉で洗う必要がある。専用の磨き粉がない場合は、酢と塩を混ぜたものでもよい。

裏漉し器

● 裏漉《うらご》し器《き》

水で溶いた葛粉などを漉してかたまりを取り除いたり、山の芋やさつま芋を裏漉ししたり、練切を押し出して細かなそぼろを作ったりする。網の材質は馬毛製、ナイロン製、金属製などがある。網目の大きさも1〜5mm角くらいまであるので、用途に応じて使い分ける。直径25cm前後のものが使いやすい。なお、馬毛製のものは使う前にあらかじめ水につけて水分を含ませておかなければ、網が切れたりのびたりする。裏漉しする時は網目を斜めに用い、対角線方向に木杓子を動かす。

そぼろ漉し

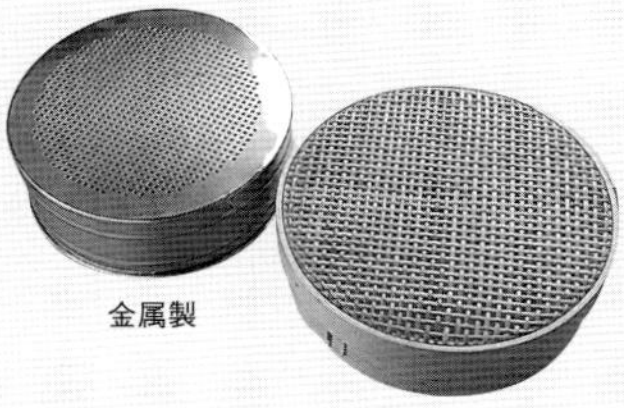

金属製

竹製

● そぼろ漉《こ》し

練切やきんとんの生地でそぼろを作る時に使う。きんとんぶるいともいう。竹製は、竹を十字に編んで張ってあり、金属製よりも柔軟性があり、漉しやすく、できたそぼろの形も美しい。使う場合は網目を斜めに用いて対角線方向に木杓子を動かす。なお、竹製を用いる場合はあらかじめ水につけ、水分を含ませておかないと破損の可能性がある。

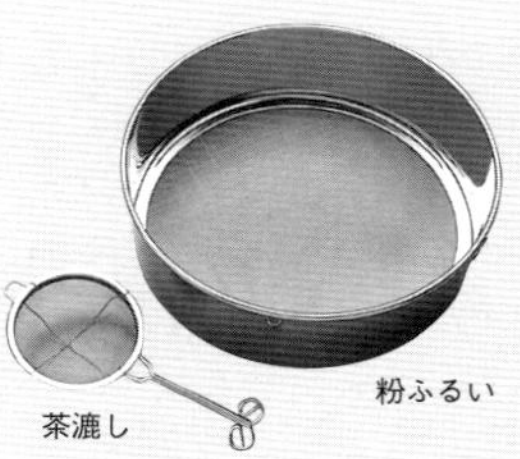
茶漉し　粉ふるい

● 粉《こな》ふるい（粉篩）

● 茶漉《ちゃこ》し

粉ふるいは、粉をふるったり、粉のダマを取ったり、裏漉ししたりするのに使う。網目の大きさは様々ある。

茶漉しは、うぐいす餅やわらび饅頭など、菓子の表面に均一に粉をふるいかけるのに用いる。

両者とも金属製のものが使いやすい。

ふるい

● ふるい（篩）

粉ふるいよりも目が粗い。上白糖などをふるう場合に用いる。裏漉し器と同じく網目の大きさは様々あり、使い方も裏漉し器と同様。

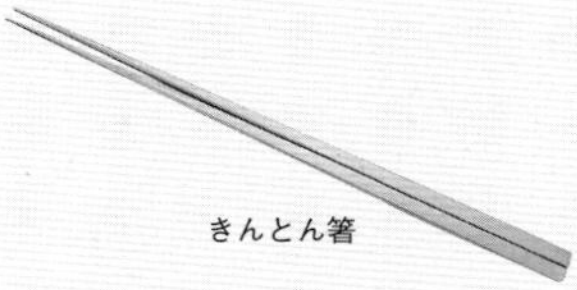
きんとん箸

● きんとん箸《ばし》

きんとん専用の箸。そぼろをつける時は、箸跡が菓子の表面に出ないように先の細い盛り付け箸を使う。丸箸の先を細く削って作ってもよい。仕上げに細かな作業が必要な時にも便利。

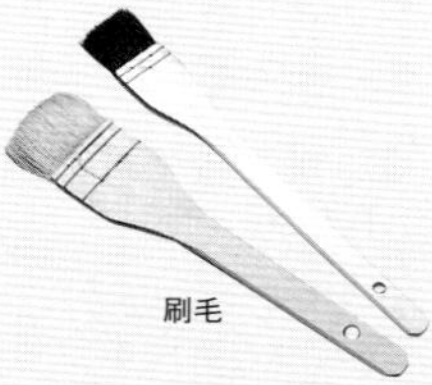
刷毛

● 刷毛《はけ》

成形後の饅頭の表面の粉をはらう、艶出し用卵や寒天液をぬる、木型の中に粉をはたくなど、様々な用途がある。平刷毛と丸刷毛があるが、写真の平刷毛の方が使い勝手がよい。毛の材質は獣毛、植物繊維、合成繊維などがある。大きさは様々なので、用途に合わせて選ぶ。毛にこしと柔軟性があり、毛先が揃っており、付け根がしっかりしていて毛が抜けないものがよい。使用後はよく洗って、乾燥させておく。

麺棒

● 麺棒《めんぼう》

生地をのばす時に使用する。太さ、長さの異なるものが様々あるので、用途により使い分ける。木製が一般的で、きめが細かくてかたいものがよい。途中で木の色が変わっていたり、節のあるものは避ける。使い込んで表面に艶のあるものが使いやすいので、新しいものは使い込んでなじませる。収納時は、かたく絞ったぬれ布巾でしっかりと汚れを落とし、乾燥させる。

噴霧器

● 噴霧器《ふんむき》

霧吹きともいう。金属製やプラスチック製の円柱に取りつけたポンプで空気を送り、その圧力で霧状の細かい液体が放出される仕組み。

● すり鉢《ばち》

● すりこ木《ぎ》

すり鉢は、あたり鉢ともいう。材料をすりつぶして細かくするのに用いる陶製の鉢。乾燥した状態で使い、下にぬれ布巾を敷くと安定する。使用後はかびを防ぐため、筋目に沿ってたわしで洗い、水気を拭き取り、完全に乾燥させる。重ねて収納する場合は、筋目がつぶれないように、間にあて布をする。

すりこ木は、あたり棒ともいう。栗の木がかたくてよいが、朴《ほお》の木を使ったものが多い。

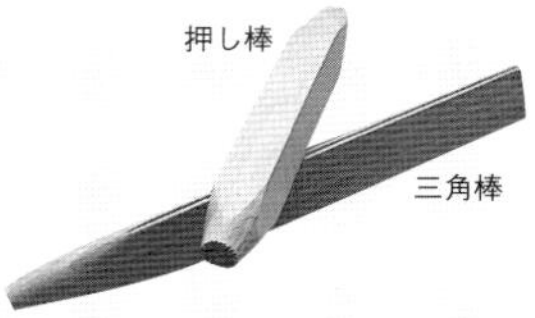

● 三角棒《さんかくぼう》

● 押《お》し棒《ぼう》

三角棒は、三角の木製の棒で、各辺は鋭い角、緩やかな角、二重線になっており、練切、こなしなどに模様をつけるのに用いる。細くなった先には、花心などの模様が彫り込まれている。練切に花心をつける時は、水で湿らせた後、かたく絞ったぬれ布巾で拭いてから、生地を指で三角棒の先につけ、菓子の花心部分に押しつける。

押し棒は、四角の棒で、両端の切り口に形や模様が彫り込まれている。用途は三角棒と同様。

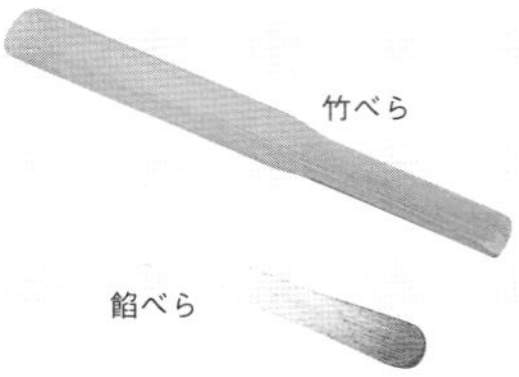

● 竹《たけ》べら

● 餡《あん》べら

竹べらは、三角棒のように模様をつけたり、餡を押さえながら包んだりするのに用いる。細工べらともいう。使用後は洗って拭き、十分に乾かす。

餡べらは、ステンレス製で両端が丸くなっており、饅頭の皮に餡をのせて包む時に、これで餡を押さえながら包む。竹べらのように模様をつけるのに使用すると生地が切れてしまうことがあるので、模様づけには竹べらを使う。

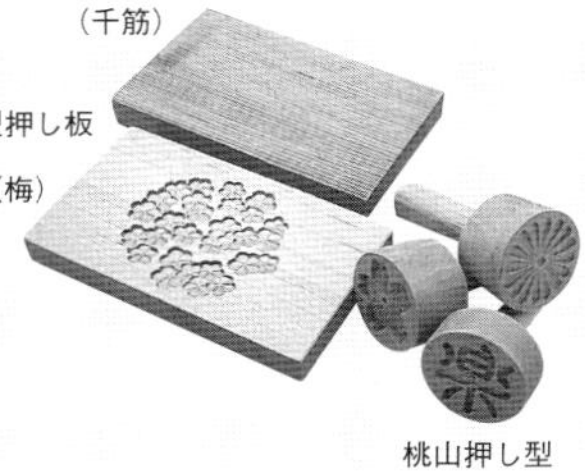

● 桃山《ももやま》押《お》し型《がた》(桜《さくら》・楽《らく》・菊《きく》)

● 木型《きがた》押《お》し板《いた》(梅《うめ》・千筋《せんすじ》)

桃山押し型は、桃山用の押し型で、上から押さえ、スタンプの要領で模様をつける。

木型押し板は、平らな押し板で、こなしや練切などの菓子に模様をつけるのに用いる。木型の上に生地をのせて上から押さえ、模様や筋をつける。

両者とも、あらかじめ水につけて水分を含ませたり、粉をつけたりしておくと、生地がくっつかない。模様が細かい場合は、模様をつけるたびに竹串などで型についた生地を取り除く。使用後は手早く水で洗って水気を拭き取り、立て掛けて陰干しする。長時間水につけると板が反り返る可能性があるので注意が必要。材質は桜や朴の木。

● 月餅《げっぺい》木《き》型《がた》
● 栗饅頭《くりまんじゅう》木《き》型《がた》

　月餅や栗饅頭などを作る時に用いる。成形した饅頭を型にはめて形づける。月餅用のように2枚組みのものもある。材質は、桜や朴《ほお》の木。木目がまっすぐで年輪の入っていないものを選ぶと型のひずみがない。あらかじめ粉をつけて使用すると、生地がくっつかない。模様が細かい場合は、模様をつけるたびに竹串などで型についた生地を取り除く。使用後は手早く水で洗って水気を拭き取り、立て掛けて陰干しする。長時間水につけると板が反り返る可能性がある。

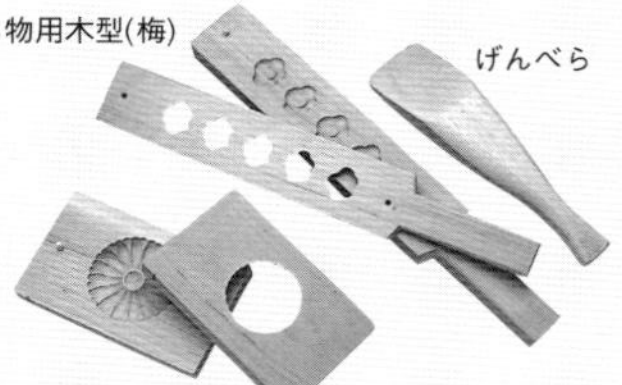

● げんべら
● 打《う》ち物用《ものよう》木《き》型《がた》（梅《うめ》）
● 押《お》し物用《ものよう》木《き》型《がた》（菊《きく》）

　打ち物や押し物を作る時に用いる。刷毛で片栗粉をつけて生地がつかないようにし、対になる上板をはめて生地を詰め、竹の皮を押し当て、げんべらで上からこするようにして生地をしっかりと詰め、押し固める。材質は、げんべらは樫《かし》、型は桜や朴の木。型は木目がまっすぐで年輪の入っていないものを選ぶとひずみがない。模様が細かい場合は、生地を詰めるたびに竹串などで型についた生地を取り除く。使用後は手早く水で洗って水気を拭き取り、立て掛けて陰干しする。長時間水につけると板が反り返る可能性がある。

球断器

● 球断器《きゅうだんき》

　団子を作るのに用いる木製の器具。上下に波状に溝がついており、下側に棒状にのばした生地を置き、上側をのせて前後に動かすと生地が丸い団子状になり、一度に多く作れる（使い方→P.71）。

茶筅

● 茶筅《ちゃせん》

　本来は抹茶をたてるのに用いる道具だが、和菓子では抹茶を溶く時に用いる。竹製。使用後は、水で洗って水気をしっかりと拭き取り、陰干しする。

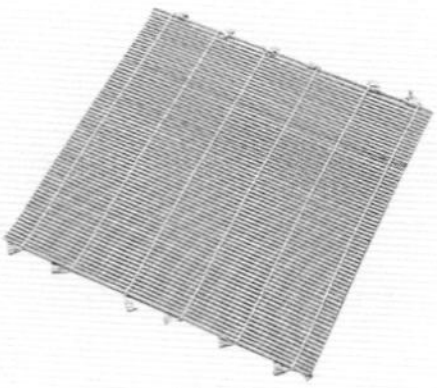
巻きす

● 巻《ま》きす（巻き簀）

　蒸しあがった饅頭や平鍋で焼いた菓子を冷ますのに用いる。また、饅頭を蒸す時に、金属製の蒸し器の底に敷くと熱のあたりを和らげられる。竹製。節目がなく、竹と竹の間に隙間のないもの、しっかりと編んであるものを選ぶ。使用後はきれいに洗い、立て掛けて十分に乾かす。プラスチック製もあるが、熱に弱い。

おろし金

● おろし金《がね》

材料をすりおろすのに用いる。表裏でおろし目の細かさが異なっており、用途に応じて使い分ける。材質は銅、アルミニウム、プラスチック、ステンレス、陶などがあるが、錫《すず》メッキがしてある銅製のものは耐久性があり、刃先が丸くなれば刃物屋で目立てをしてもらうこともできる。使用時はおろし金をねかせ、円を描くようにすりおろすと、粒子が揃ってなめらかなおろしあがりとなる。使用後は、刃と刃の間に詰まった材料を丁寧に洗って取り除く。

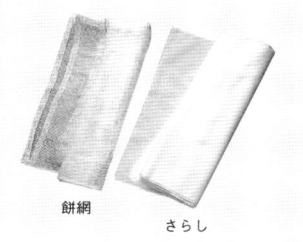

餅網　さらし

● さらし（晒し）
● 餅網《もちあみ》

さらしは、せいろで蒸す時に、せいろの底に敷いて熱のあたりを和らげる、生地を直接流して蒸す、また生地を練る時などに使用する木綿《もめん》の布地。

餅網は、もち米を蒸す時に、せいろの底に敷く木綿やナイロン製の目の粗い布巾。網布巾ともいう。もち米が蒸しあがった時にべたつかず、せいろから取り出す時にも便利。

どちらも使用後は、丁寧に洗って完全に乾かしておく。

抜き型

抜き型(ストレート)

● 抜《ぬ》き型《がた》

薄く流した錦玉羹や羊羹、練切、こなしなどを好みの形に抜く時に用いる。形は桜、いちょう、紅葉、瓢箪《ひょうたん》、ストレートなどがあり、大きさも各種ある。材質は、ステンレス、真鍮《しんちゅう》、プラスチックなどがあるが、丈夫で錆びにくく、衝撃を与えても変形しにくいステンレス製や真鍮製が使いやすい。抜く時はまっすぐ押し、押すたびに型についた生地を取り除く。できるだけ切れ端が多く出ないように抜く。使用後は丁寧に洗って水気をきれいに拭き取り、型をつぶさないように保存する。

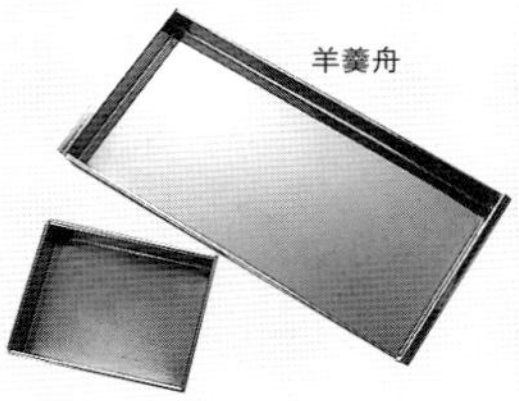
羊羹舟
流し缶

● 羊羹舟《ようかんぶね》
● 流《なが》し缶《かん》

練り羊羹や錦玉羹などを流し固める時に用いる。羊羹舟にはステンレス製のものとプラスチック製のものがある。流した生地を固める時には、水平に置くことが大切。

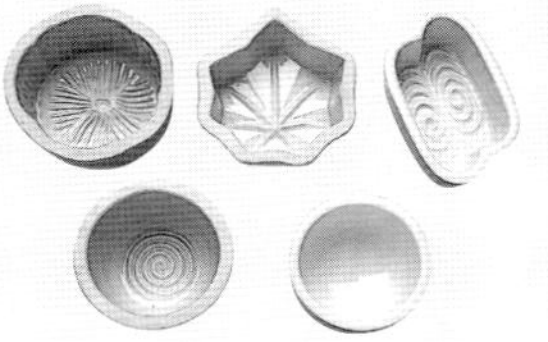
陶器流し型

● 陶器《とうき》流《なが》し型《がた》

錦玉羹や水羊羹を１個ずつ固める時に用いる。陶製の他、ステンレス製もあり、ステンレス製は底がないので、バット上に固定して使う。陶製には底があるので、菓子の表面にも形が出て、変化が楽しめる。どちらも水にくぐらせてから使うと取り出しやすい。

ラッパ筒

● ラッパ筒《づつ》

液体の生地を容器に流し入れる時に用いる。柄の上の棒を下に押すと、注ぎ口の栓が開き、生地が流れ出る仕組み。液体を注ぐ時は、注ぎ口を液体の中につけて注ぐと表面に泡ができない。バネラッパ、種切《たねき》り、ちゃっきり、デポジッターともいう。

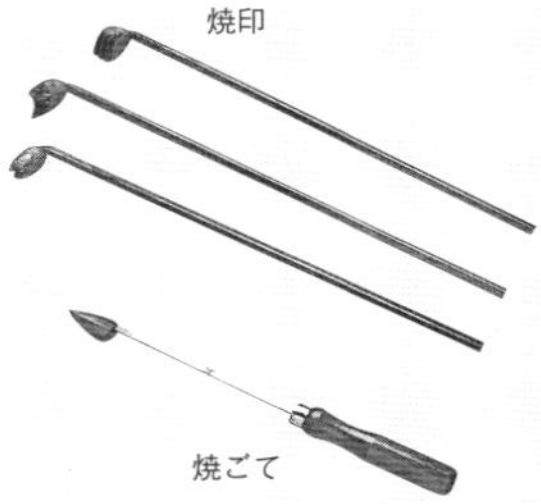

焼印

焼ごて

● 焼印《やきいん》
● 焼《やき》ごて

焼印は、饅頭や焼き菓子に押しつけ、アクセントをつけるために用いる。鋳物《いもの》製。真っ赤になるまで直火でよく焼き、かたく絞ったぬれ布巾に軽くあててから菓子に押しあてる。この時、強く押すと焼き色がつきすぎたり、菓子に穴があいたりするので注意する。冷ます時はすぐに水につけず、そのまま自然に冷ます。

焼ごては、焼印と同様に用いるが、平らな面、側面を使って直線や三角形などの模様をつけるのに使用する。

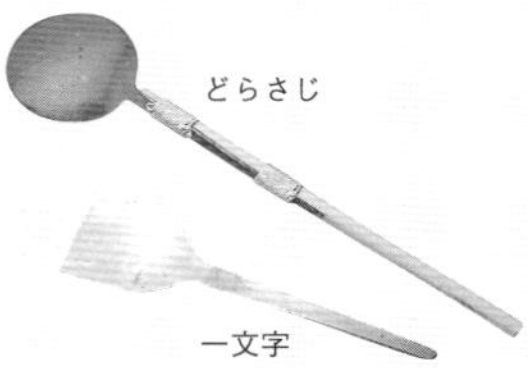

どらさじ

一文字

● どらさじ
● 一文字《いちもんじ》

どらさじは、平鍋に生地を流す時に使う金属製の円形さじ。柄がついていないため、持ちやすい太さの柄をつけて使用する。ステンレス製と真鍮《しんちゅう》製があり、真鍮の方がやわらかく、すくう部分を適度なカーブに曲げられるので作業がしやすい。直径6cmくらいのものが扱いやすい。焼《やき》さじともいう。

一文字は、ステンレスや真鍮でできたへら。平鍋に流した生地を裏返す、外す、オーヴンプレートで焼いた菓子を取り出す、菓子を枠から外すのに周囲に切り込みを入れる、などに用いる。金べら、返しべらともいう。

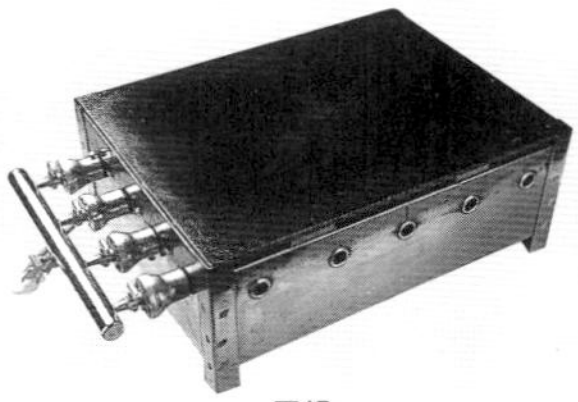

平鍋

● 平鍋《ひらなべ》

一文字鍋ともいう。どら焼き、鮎焼き、きんつばなどを焼くための加熱機具。厚手の銅板をガスや電気などの熱源で下から熱するようになっており、銅板の上に生地を流して焼く。銅板は熱伝導がよく、熱のあたりもやわらかくてよい。使い始めは、錆び止めの油がぬってあるので、強火で空《から》焼きして煙が出るまでよく焼き、油をぬり、熱くなったら火を止めて冷ますという操作を2～3回くり返し、油を拭き取る。新たな油をぬり、小麦粉で掃除用の仮生地を作って何回か焼いてならす。使い終わったら、熱いうちに布で汚れを拭き取る。絶対に水で洗わないこと。

上皿棹秤

● **上皿棹秤《うわざらさおばかり》**

皿の上に量りたいものをのせ、目盛りのついた棹の重りを左右に移動させ、つり合わせて計量する。0.5g単位で量れる。看貫《かんかん》秤ともいう。量る時は必ず水平に置き、正面から目盛りを読む。

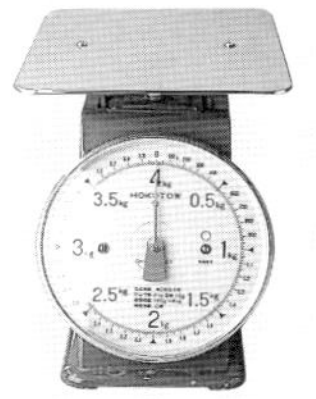
ばね秤

● **ばね秤《ばかり》**

操作は簡単だが、10gより細かい単位は量りにくく、気候による温度や湿度の差によってばねが収縮し、誤差が出やすいのが欠点。量る時は必ず水平に置き、正面から目盛りを読む。

電子秤

● **電子秤《でんしばかり》**

操作も簡単で使いやすく、誤差が出にくい。量る時は必ず水平に置く。

計量カップ

計量スプーン

● **計量《けいりょう》カップ**
● **計量《けいりょう》スプーン**

計量カップは、主に液体を量るために用いる。容量は標準的な200mlの他、500mlや1ℓなど各種ある。材質はアルミニウム、プラスチック、耐熱ガラスなどがあるが、丈夫で錆びにくいステンレス製のものが使い勝手がよい。

計量スプーンは、容量は2.5ml〜30mlまで様々にあるが、最低限大さじ15mlと小さじ5mlがあればよい。表面をすり切りにして量る。

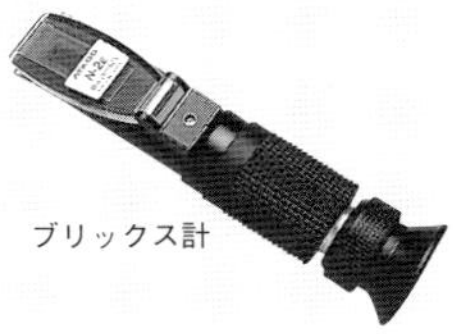
ブリックス計

● **ブリックス計《けい》（屈折糖度計《くっせつとうどけい》）**

糖度を計る時に使う。液体やピューレ状の材料を先端のパネルにのせ、明るい方向に向け、反対側からのぞいて目盛りを読む。液体を通過する光の屈折率を測定する仕組み。 17.5℃で材料に含まれるショ糖の重量を百分率（%）で表し、1%を1ブリックス度として換算する。

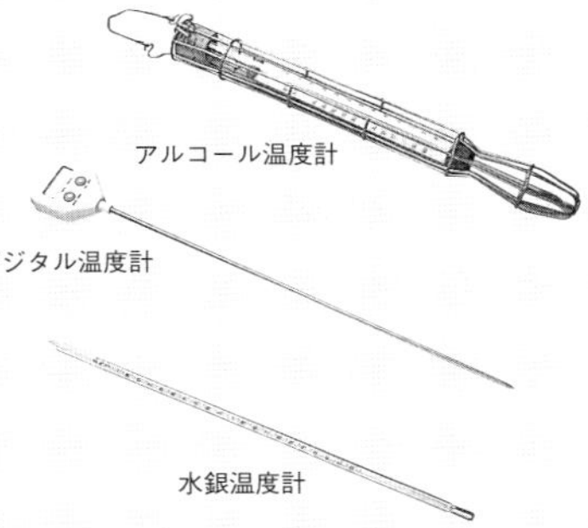
アルコール温度計
デジタル温度計
水銀温度計

● **温度計《おんどけい》**

飴や錦玉羹、羊羹などの煮詰め加減を計るときに使う。アルコール温度計、水銀《すいぎん》温度計、デジタル温度計などがあり、アルコール温度計は水銀温度計に比べて目盛りが読み取りやすいが、水銀温度計の方が高温まで計れるものがある。両者とも、高温のものを計った後に水につけると割れる可能性があるので、自然に温度を下げる。デジタル温度計は高価だが、目盛りが読み取りやすく、正確な温度が計れる上、扱いやすい。いずれも計る時は、鍋肌や鍋底に直接温度計の先をつけないようにする。

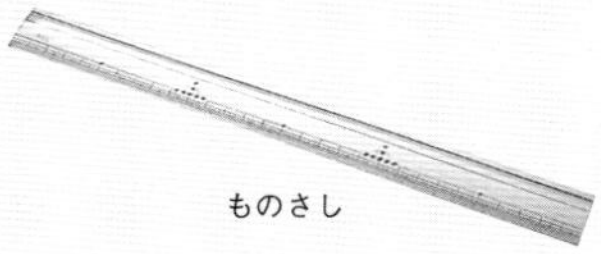

ものさし

● ものさし（物差）

かすてらやきんつば、また生地などを均等に切り分ける時に使う。竹製のものが正確に計れる上、扱いやすい。30cmのものが作業効率がよいが、菓子屋では寸《すん》ざし（寸差）を用いることも多い。一寸は約3.03cm。

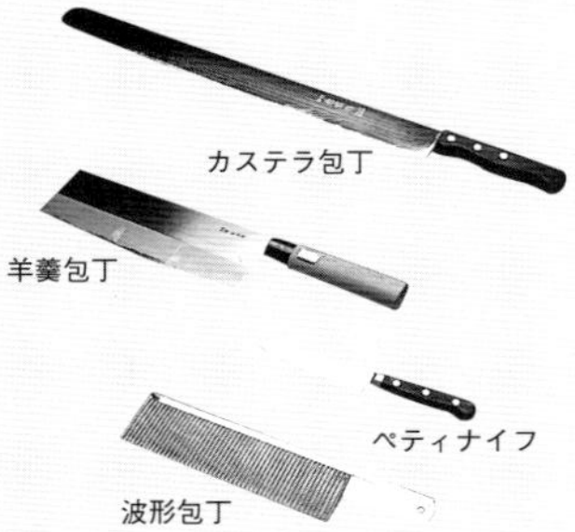

カステラ包丁

羊羹包丁

ペティナイフ

波形包丁

● カステラ包丁《ぼうちょう》　● 羊羹包丁《ようかんぼうちょう》
● ペティナイフ　● 波形包丁《なみがたぼうちょう》

カステラ包丁は、かすてらを１本分に切り分けたり、幅のある菓子を切り分けたりする。鋼鉄製の両刃包丁で刃渡りが長く、引くようにして切る。

羊羹包丁は、羊羹だけでなく、型に流して作った菓子を切り分けたり、山の芋の皮をむいたり、よもぎをきざんだりするのにも用いる。鋼鉄製で、薄い両刃の包丁。

ペティナイフは、材料や生地などを細く、また小さく切るなど細かい作業に向く。

波形包丁は、全体に細かい縦の溝が入った刃のついていない包丁。切り口に波形の模様をつけたい時に使うので、上からまっすぐに押して切る。ステンレス製と真鍮製がある。

包丁を選ぶ時は、柄がしっかりしていて刃こぼれがなく、持った時にバランスがよく、重さ、柄の太さ、形が手になじむものにする。鋼鉄製は錆びるので、使用後は完全に水気を拭き取る。

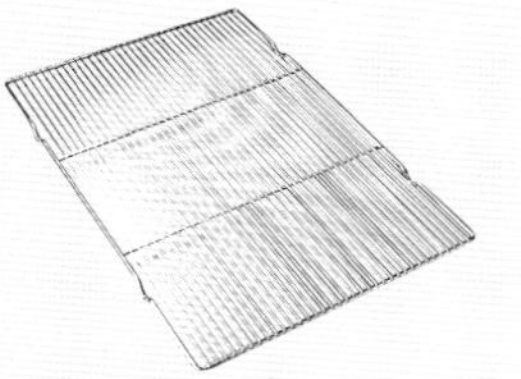

クーラー

● クーラー

ステンレス製の長方形の網。オーヴンで焼いた菓子を冷ます時などに使う。下に脚がついているので、熱と湿気が下からも逃げて通気がよく、菓子の底がべとつかない。

餅箱

● 餅箱《もちばこ》

できあがった菓子を入れて保存や運搬をするのに用いる蓋つきの箱。木製とプラスチック製があるが、余分な湿気を吸収して内部がむれない木製のものがよい。番重《ばんじゅう》ともいう。使用後は水でしっかりと洗って乾かしておく。

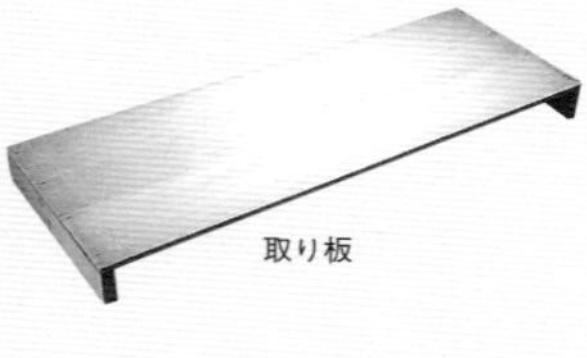

取り板

● 取《と》り板《いた》

長方形の脚つきの板。檜《ひのき》製が多い。脚が上下に1脚ずつついたものと、写真のように下に2脚ついたものがある。生地を練ったり、餡やできあがった菓子を仮置きしたり、この上で菓子を切り分けたりと、頻繁に使われる道具。脚が上下に1脚ずつついたものは、台などに引っかけて固定でき、表裏がないので両面使える。必ず乾いている状態で使用する。さ板、水板、番板ともいう。

カステラ枠

● **カステラ枠《わく》**

かすてらを焼く時に使う。本枠、一段枠、二段枠で一組み。金属製もあるが、木製の方が熱のあたりがやわらかくてよい。本枠の底部と周囲に紙を貼り、オーヴンプレートに置いて生地を流し込んで焼く。生地が膨らんできたら一段枠、二段枠と順に重ねる。使用後は水でよく洗って乾かす。

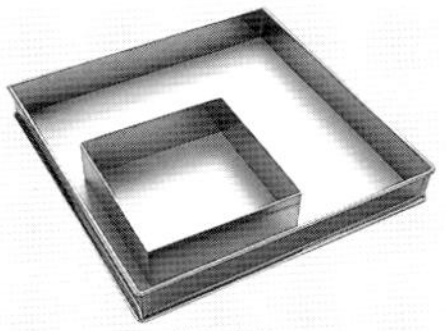

蒸し物枠

● **蒸《む》し物枠《ものわく》**

木製とステンレス製があり、枠の中に水でぬらしてかたく絞ったさらしを敷き、餅生地や外郎生地などの生地を流して蒸す。

せいろ

ボイラー

金属製蒸し器

● **せいろ（蒸籠）・ボイラー**

● **金属製《きんぞくせい》蒸《む》し器《き》**

蒸し器には木製と金属製があり、木製のものがせいろと呼ばれる。せいろは金属製蒸し器に比べて火の通りが早く、余分な蒸気を木が吸収してくれるので、ふっくらと蒸しあがる。使用後は日陰でしっかりと乾かす。せいろはボイラーと組み合わせて使い、ボイラーは中央の穴から蒸気が噴出する仕組み。

金属製蒸し器には、ステンレス製、アルミニウム合金製がある。一番下の段に湯を入れて火にかけ、沸騰させて用いる。蒸しあがりはせいろよりやや劣るが、持ち運びや手入れが楽である。材質上、余分な蒸気を吸収してくれないので、蓋の下に乾いたさらしをはさんで使用する。

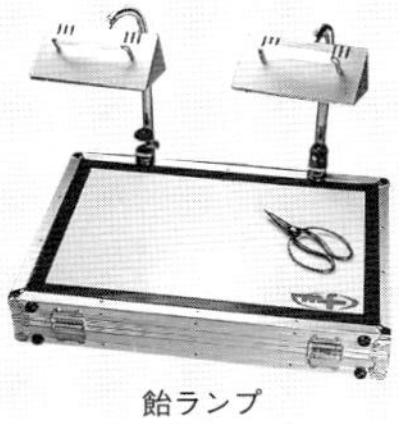

はさみ

飴ランプ

● **飴《あめ》ランプ**

● **はさみ（鋏）**

飴や有平糖などを作る時に使用する機具。シリコン製のシート（シルパット）が敷かれた台の上に煮詰めた飴を置き、上部についているランプで飴を温めつつ、作業しやすいかたさを保ちながら細工する。はさみは飴を切る時に使うが、刃に薄く油をぬっておくと、くっつかず切りやすい。飴は冷めるとかたくなって切りにくくなるので、熱いうちに切る。

餅搗き機

● **餅《もち》搗《つ》き機《き》**

杵《きね》が垂直に落ちる胴《どう》搗《つ》きタイプの餅搗き機。蒸したもち米を入れる臼《うす》の底には回転羽根がついており、こね、手返し、搗き、水打ちなどを自動で行う。

餡練り機

● **餡《あん》練《ね》り機《き》**

餡を一度に大量に炊きあげられる機械。釜《かま》に材料の砂糖、水、生餡を入れると、釜が一定の速度で回転するとともに、中央部の1枚の羽根（櫂棒《かいぼう》）が鍋の中を縦方向にかき混ぜ、餡を炊きあげる。羽根が横に回転する種類もある。

卓上ミキサー

据え置き型ミキサー

● **卓上《たくじょう》ミキサー**
● **据《す》え置《お》き型《がた》ミキサー**

生地や卵を泡立てる、混ぜる、こねるなどの作業をするための機械。回転部に用途に合わせた交換式の器具を取りつけて使う。回転速度は低速、中速、高速の切り替えができ、種類によっては5段階のものもある。混ぜるものの量によって卓上と据え置き型を使い分ける。

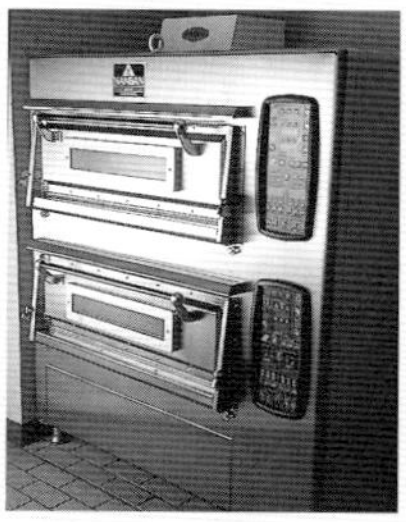

オーヴン

● **オーヴン**

放射熱《ほうしゃねつ》で菓子を周囲全体から加熱する機械。熱源は電気とガスがあり、どちらもサーモスタットがついていて自動温度調節ができる。また上火・下火の熱源を別々に温度設定できるもの、電動ファンがついていて庫内の空気を強制対流させることで熱風を菓子全体に行き渡らせるコンベクション機能がついているものなどもある。のぞき窓が大きいものや、内部に明かりがつくものは、焼き具合を見るのに扉を開けなくてよいので便利。

和菓子の歳時記

● 新暦と旧暦

新暦は太陽暦ともいい、太陽の動きを中心に作られ、現在日本で用いられている暦である。地球が太陽の周りを一周するのを1年と考える。一方、明治5（1872）年まで日本で用いられていた暦を旧暦、または太陰太陽暦という。これは、月の満ち欠けで1ヶ月を決める。旧暦ではひと月が29～30日なので、3年たつとほぼひと月季節がずれる。調整のために閏月《うるうづき》を入れるという操作を行うが、このことから、月の動きだけでなく太陽の動きも意識している暦ということで太陰太陽暦といわれる。本来、閏月を入れないものを太陰暦というが、広い意味では、太陰太陽暦も太陰暦ということがある。

また、新暦と旧暦では新年の始まる時期も多少ずれており、季節の捉え方が異なる。

	春	夏	秋	冬
新暦	3・4・5月	6・7・8月	9・10・11月	12・1・2月
旧暦	1・2・3月	4・5・6月	7・8・9月	10・11・12月

五節供をはじめ多くの行事が、旧暦を用いていた時代に成立したため、新暦で捉えると季節とかみ合わないことがある。よって、伝統的な風習や行事を考える際には、新暦と旧暦の違いを念頭においておかなくてはならない。

● 月の異名《いみょう》

1月――睦月《むつき》
2月――如月《きさらぎ》
3月――弥生《やよい》
4月――卯月《うづき》
5月――皐月《さつき》
6月――水無月《みなづき》
7月――文月《ふみづき》
8月――葉月《はづき》
9月――長月《ながつき》
10月――神無月《かんなづき》
11月――霜月《しもつき》
12月――師走《しわす》

● 五節供

人日《じんじつ》（1月7日）

中国から入ってきた行事。中国の古い風習で1日から順番に、鶏・犬・羊・猪・牛・馬について占い、7日は人を占うので「人日」という。それぞれの動物を占う日にはその動物を殺さず、人日には人間に対する刑罰を行わないと決められていた。日本に伝わった時期ははっきりしないが、10世紀（平安時代中期）の文献にこの行事の記述がある。日本では、この日、ふくろうの一種である鬼車鳥《きしゃちょう》が中国から飛来し、家々の門を壊したり燈火を消したりすると信じられていた。しかし、粥《かゆ》を食べれば、その災難から逃れられ、１年を無病息災に過ごせるとされた。粥に入れる菜を包丁で叩きながら、「七種なずな唐土の鳥が日本の土地に渡らぬさきに七草なずな」などと囃《はや》すこともある。日本に古くからある、正月最初の子《ね》の日に若菜を摘む行事や、7種類のものを入れた羹《あつもの》（熱い吸い物）をいくつかの行事の時に食べるという風習などが人日の行事と重なり、五節供のひとつとして江戸時代に定着。七草粥の材料は、当初は種類は特に決まっていなかったが、いつのころからか「春の七草」といえば芹《せり》・薺《なずな》・御形《ごぎょう》・繁縷《はこべ》（蘩蔞とも書き、はこべらとも読む）・仏《ほとけ》の座《ざ》・菘《すずな》（＝蕪の別称）・蘿蔔《すずしろ》（＝大根の別称）となった。

五節供とは直接関係ないが、七草は秋にもある。こちらは秋に咲く代表的な観賞用の草花で、万葉時代には定説となっていた。萩《はぎ》・尾花《おばな》（＝すすき）・葛の花・撫子《なでしこ》・女郎花《おみなえし》・藤袴《ふじばかま》・桔梗《ききょう》（「桔梗」の古名を「朝顔」というので、古い表記を尊重する場合は「朝顔」となっている場合がある）。

上巳《じょうし》（3月3日）

じょうみとも読む。古く中国では、上巳の日や3月3日に水辺で禊《みそぎ》や祓《はら》いをしており、この行事が日本に伝わった。祓いには人形《ひとかた》（ひとがたとも読む）という紙で人間を象ったものを使って体を払う仕草をし、邪気払いをして川や海に流す。これが流し雛《びな》や送り雛の起源といわれる。また、中国から伝わった行事で「曲水の宴」がある。日本では平安時代、上巳の日や3月3日に宮中や貴族の邸で催された。「曲水」は「ぎょくすい」「ごくすい」「きょくすい」などと読む。庭の池から流れ出る川に沿って数人が座り、与えられた題に因んだ詩歌を作り、川上から流れてくる盃の酒を飲むという遊び。これらの行事が重なり、江戸時代に五節供のひとつとして確立。もとは3月最初の巳《み》の日に行われていたため上巳（最初の巳の日の意）というが、いつしか3月3日に定着した。中国には昔、菱《ひし》の実ばかりを食べていた仙人がいたとされ、このことに因んで娘の長寿を祈り、菱餅を供える。また、桃は、中国では多産の象徴であり、日本でも古くから魔よけの力があるとされるので、桃の花を飾ったり、桃酒を飲んだりするといわれる。

端午《たんご》（5月5日）

「端午」というのは「最初の午《うま》の日」の意。中国から伝わった風習に、5月最初の午の日に薬草摘みをする行事がある。この日に採った薬草は、特にきき目があるとされていた。また、旧暦の5月は盛夏にあたるため、病気が流行しないように祈り、邪気払いとして、菖蒲《しょうぶ》を浸した酒を飲んだり菖蒲湯に入ったりした。菖蒲は薬草としても用いられ、痛み止めや胃健剤としての効果があるとされる。ここでいう菖蒲はサトイモ科であり、アヤメ科の花菖蒲とは別種の植物。菖蒲は、尚武（しょうぶ＝武事や軍事を重んじること）と同音なので、武家にふさわしいものと考えられ、男子の節供となる。他の節供と同様に、江戸時代に確立。別名菖蒲の節供ともいう。この日、粽《ちまき》を食べる風習も中国から伝わる。5月5日は中国の昔の王族屈原《くつげん》の命日である。彼は周囲の人物にねたまれて失脚し、汨羅《べきら》という淵で入水自殺をした。彼の死を悼み、竹筒に入れた米を投げ入れ、蛟《みずち》（想像上の動物）が遺体を食べないようにしたとされ、これが粽を食べるようになった起源といわれる。また、柏餅は、柏の木が、樹木を守る「葉守《はもり》の神」が宿るところから古来より神聖な木とされることや、この木に強い生命力があり、新芽が出なければ古い葉が落ちないことなどから、子孫繁栄を願って端午の節供の菓子となったといわれる。

七夕《たなばた》（7月7日）

中国から伝わった乞巧奠《きっこうてん》（きっこうでんとも読む）をもととする行事。乞巧奠は奈良時代ごろ宮中に取り入れられ、平安時代には宮中や貴族の間で盛んに行われた。もとは女性の裁縫が上手になるようにと祈る行事だったが、後に技芸の上達を願う行事となる。邸の庭に祭壇を設け、織姫と彦星を祀る。邸内では、天の川に見立てた白い布を隔てて男女が数人ずつ座って歌を詠み交わす。日本古来の七夕の風習は、夏と秋の季節が入れ替わる行事であった。神のために機織《はたおり》をする娘が選ばれ、村を離れた海辺や川辺などに作られた場所でひとりで機を織った。この女性のことを機織姫といい、中国から伝わった七夕伝説の織姫と結びつく。乞巧奠や機織姫の行事が重なり、江戸時代に確立。七夕に因む菓子としては、糸巻きをイメージしたものがある。

重陽《ちょうよう》（9月9日）

別名菊の節供とも。古代中国で考え出された占いの方法である易《えき》では、一の位の陽数（奇数のこと）のうち、最大の数字が「9」なので9月9日がめでたいと考えられ、野に出て飲食（ハイキング）をしたり、高い丘に登ったりして邪気払いをしたといわれる。また、中国では古くから、菊は薬とされており、ある谷の住人に100歳を超える長寿の人が多いのは、菊の花が多く咲く場所の水を飲むからだと考えられ、菊の花が不老長寿と結びつけられたとも。これらの行事が日本に入り、平安時代、重陽には宮中で雅楽《ががく》や舞楽《ぶがく》を催したり、詩を作る会などが盛んに開かれた。江戸時代には、庶民の間で菊の栽培が盛んに行われたことと関係するためか、重陽の節供が広く一般に浸透する。陰暦9月は農民にとっては秋の収穫の時期で、9月の三度の9のつく日を収穫祭として結びつけて祝うこともあったが、この名残は、今でも各地の秋祭りにある。重陽の節供の風習として「着綿《きせわた》」がある。9月8日の晩、菊の花に真綿をかぶせ、9日の朝、真綿に含まれた露を飲むと老いが防げるとか、この綿で肌をなでると若返るなどと考えられた。明治時代になり、一般には廃れたが、この時期の菓子は、菊を象ったり、着綿を意識したりして作ることがある。

● **五節供以外の行事**

節分《せつぶん》

二十四節気の立春・立夏・立秋・立冬の前日をすべて節分というが、立春は二十四節気では新年の始まりなので、この前日である節分は大晦日と同じ意味を持つ。よって、季節の境目を意味する他の節分とは異なり、いろいろな行事が行われる。豆まきは中国から伝わった「追儺《ついな》」とか「鬼遣《おにやらい》」が原型である。平安時代、大晦日に宮中で行われていた邪気払いの行事が変形し、節分に行われるようになった。鰯《いわし》の頭を柊《ひいらぎ》の枝に刺して家の入り口に差すのは、鰯の悪臭と柊の刺によって鬼が逃げて行くと考えられたため。にんにくや葱を刺す地方もある。

夏越《なご》しの祓《はら》え

「名越しの祓え」とも書く。半年を過ごし、体にたまった穢《けが》れを祓い、清め、新たな気持ちで残りの半年を過ごそうという行事。6月を「夏越しの祓え」、12月を「年越しの祓え」といい、江戸時代ころになると宮中だけでなく、民間でも盛んに行われるようになった。6月晦日《みそか》（最後の日）

を「夏越し」や「名越し」といい、これは、邪気を払い、なごめる（＝なだめる・しずめる）意とする説がある。旧暦では夏と秋の狭間としての意味合いがあり、現在でも、旧暦の6月晦日や、月遅れの7月晦日に夏越しの祓えを行う地域もある。この日は、浅茅《あさぢ》で作った大きな輪をくぐり、罪や穢れを祓《はら》う「茅《ち》の輪《わ》くぐり」や、人間の形をした紙である人形《ひとかた》で身体をなでて清め、水に流したり、海水に入って身を清めたりして罪や穢れを祓う禊《みそぎ》などが行われる。夏越しの祓えに欠かせないのが、本書で紹介した「夏越し」で、一般に「水無月」という名で知られる。赤には魔除けの意味があるところから、邪気払いとして小豆を散らす。三角形は、氷室《ひむろ》の氷片の象徴である。夏に使うために冬の氷や雪を貯蔵しておく設備を氷室といい、奈良時代にはすでに存在した。氷室で氷を保存するのは、大変な手間と労力のかかることだが、人工の製氷技術ができる以前は、明治・大正のころまで行われていた方法。氷室の氷は、4月はじめから9月末まで朝廷に献上されたが、中でも6月1日は、鎌倉時代、天皇が臣下に氷を賜ったことに由来するためか、重要な日とされ、民間でもこの日、氷の代わりに氷餅を食し「氷室の節供」として祝った。

土用《どよう》

陰陽五行説の季節のひとつに、土用がある。二十四節気でいう立春・立夏・立秋・立冬はそれぞれの季節の始まりを表すが、これらよりも前の約18日間を土用という。春→春の土用→夏→夏の土用→秋→秋の土用→冬→冬の土用と季節は巡る。特に盛夏にあたる夏の土用には、疫病除けとして土用餅を食べる風習がある。

月見《つきみ》

花見・月見・雪見を三見《さんけん》という。それぞれに菓子は作られるが、月見団子は行事色が強い。旧暦8月15日の十五夜と旧暦9月13日の十三夜の月は、特に美しいとして観賞し、十五夜は「中秋《ちゅうしゅう》の名月」「芋名月」、十三夜は「後《のち》の月」「豆名月」「栗名月」ともいう。これらには農耕行事の収穫祭としての意味合いもあり、十五夜には芋・枝豆・薄《すすき》の穂などを、十三夜には大豆・栗・柿などを供える。団子の数を十五夜は15個、十三夜は13個とすることもある。団子の形は地域によっては里芋の形にすることもある。また、十五夜だけ月見をすることは「片見月《かたみづき》」といって縁起がよくないとされる。

● 陰陽五行説《いんようごぎょうせつ》

中国の古い思想。万物は陰と陽の2つの気の相互作用によって作り出されるとする陰陽説（おんみょうせつ・いんようせつ・おんようせつなどと読む）と、自然現象や人事現象のすべては木・火・土・金・水の5つの要素によって解釈できるとする五行説が結合したもの。左表のように様々なものを5つの要素に分ける。中国や日本では、古くは政治・天文学・医学に適用され、一般に普及するとともに生活全般において多大な影響を与えた。

	木	火	土	金	水
季節	春	夏	土用	秋	冬
十干	甲乙	丙丁	戊己	庚辛	壬癸
五色	青	赤	黄	白	黒
方位	東	南	中央	西	北
五味	酸	苦	甘	辛	鹹＊

＊「鹹」は「しおからい」の意

● 二十四節気《にじゅうしせっき》

古代中国で作られた暦。旧暦を使っていると、太陽の動きと暦が一致していないため、季節と暦にずれが生じる。このため、農作業などをするにあたり、確実に季節の推移を把握する必要が生じ、考案された暦。よって二十四節気の暦の推移は、新暦とほぼ一致している。

四季	二十四節気		太陽暦では
春	立春《りっしゅん》	二十四節気ではこの日から春となる。	2月5日ごろ
	雨水《うすい》	今まで降った雪や氷が解けて水となり、雪が雨に変わって降るころ。	2月18日ごろ
	啓蟄《けいちつ》	いろいろな虫が穴を啓（ひら）いて地上へ這い出してくる。「蟄」は虫などが土中に隠れている意。	3月5日ごろ
	春分《しゅんぶん》	春の彼岸。昼と夜の長さがほぼ同じ日。	3月21日ごろ
	清明《せいめい》	春先の清らかで生き生きとした様子を表したもの。	4月5日ごろ
	穀雨《こくう》	百穀を潤す春雨の意。種まきの好期をもたらす。	4月21日ごろ
夏	立夏《りっか》	二十四節気ではこの日から夏となる。	5月5日ごろ
	小満《しょうまん》	万物がしだいに成長して天地に満ち始めるという意。	5月21日ごろ
	芒種《ぼうしゅ》	稲を植えつける季節の意。	6月6日ごろ
	夏至《げし》	太陽が赤道から最も北に離れる。北半球では南中の高度が最も高くなる（一年中で昼の長さが一番長い日）。	6月22日ごろ
	小暑《しょうしょ》	いよいよ暑さを感じ始めるころ。暑中見舞いを出し始める時期。	7月7日ごろ
	大暑《たいしょ》	一年中で一番気温の高いころ。「だいしょ」とも読む。	7月23日ごろ
秋	立秋《りっしゅう》	二十四節気ではこの日から秋となる。この日以降は残暑見舞いを出す。	8月7日ごろ
	処暑《しょしょ》	暑さがおさまる意。	8月23日ごろ
	白露《はくろ》	秋の気配が高まり、露が降り始めるころ。	9月7日ごろ
	秋分《しゅうぶん》	秋の彼岸。春分と同じく、昼と夜の長さがほぼ同じ日。	9月23日ごろ
	寒露《かんろ》	冷たい露の意。秋の深まりを感じるころ。	10月8日ごろ
	霜降《そうこう》	霜が降りるころの意。	10月23日ごろ
冬	立冬《りっとう》	二十四節気ではこの日から冬となる。	11月7日ごろ
	小雪《しょうせつ》	初冬の時期で、いよいよ雪が降り始めるころ。	11月22日ごろ
	大雪《たいせつ》	山の峰が積雪に覆われるころ。	12月7日ごろ
	冬至《とうじ》	太陽が赤道から最も南に離れる。北半球では南中の高度が最も低くなる（一年中で夜の長さが一番長い日）。	12月22日ごろ
	小寒《しょうかん》	いよいよ寒さが本格的になるころ。	1月5日ごろ
	大寒《たいかん》	一年中で一番寒いころ。	1月21日ごろ

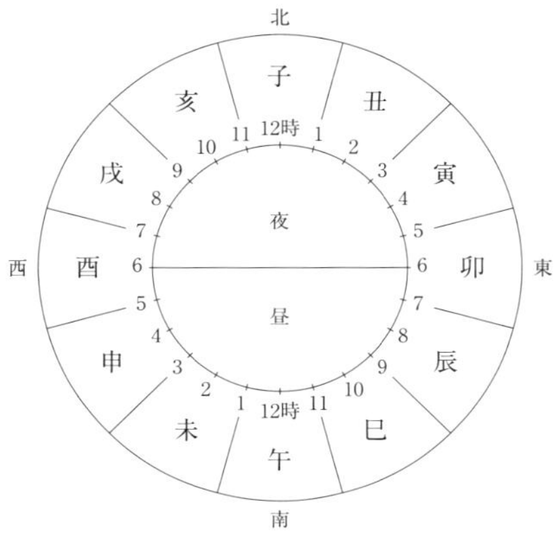

● 十干十二支《じっかんじゅうにし》

十二支は現在では、主として年回りを表すのに用いるが、昔は月・日・時間・方位を表すのにも用いた（左表参照）。12種類の動物によってその順を示すが、古代中国で月の順を表すものとして考案されたといわれ、一般に広める際、記憶しやすくするため、動物の名前をあてはめたとされる。一方、十干は、十二支と同様、ものの順を表す。もとは日にちの順を表すために考案されたといわれる。十干と十二支を組み合わせ、年回りや日にちを表すのに用いられる。甲子（きのえね・コウシ）・乙丑（きのとうし・オツチュウ）……癸酉（みずのととり・キユウ）・甲戌（きのえいぬ・コウジュツ）・乙亥（きのとい・オツガイ）……というように組み合わせられ、組み合わせは全部で60通りある。

十干	**十二支**
甲（きのえ・コウ）	子（ね・シ）
乙（きのと・オツ）	丑（うし・チュウ）
丙（ひのえ・ヘイ）	寅（とら・イン）
丁（ひのと・テイ）	卯（う・ボウ）
戊（つちのえ・ボ）	辰（たつ・シン）
己（つちのと・キ）	巳（み・シ）
庚（かのえ・コウ）	午（うま・ゴ）
辛（かのと・シン）	未（ひつじ・ビ）
壬（みずのえ・ジン）	申（さる・シン）
癸（みずのと・キ）	酉（とり・ユウ）
	戌（いぬ・ジュツ）
	亥（い・ガイ）

● 長寿の祝い

還暦《かんれき》——数え年61歳。十干十二支の組み合わせで生まれた年と同じ暦がめぐってくるのは61歳となることから。本卦《ほんけ》がえりとも。

古稀《こき》——70歳。古希とも書く。中国盛唐時代の詩人杜甫《とほ》の詩の中の一句「人生七十古来稀《じんせいしちじゅうこらいまれなり》」から。

喜寿《きじゅ》——77歳。「喜」の字はくずし字で「㐂」とも書くことから。

傘寿《さんじゅ》——80歳。「傘」の字は「仐」とも書き、これが八十に見えることから。

米寿《べいじゅ》——88歳。「米」の字は、八十八と書くことから。

卒寿《そつじゅ》——90歳。「卒」の字は「卆」とも書き、これが九十に見えることから。

白寿《はくじゅ》——99歳。「百」の字の横棒が足りないのが「白」の字で、100－1＝99になることから。

和菓子の歴史

唐菓子時代

奈良時代から鎌倉時代くらいまで。このころ大陸の文明が日本に伝わり、仏教伝来とともに、唐菓子が日本に入る。

点心時代

室町時代から安土桃山時代くらいまで。茶道が盛んとなるのに伴い、茶の湯に用いられる生菓子が発達。羊羹・饅頭など、現在の和菓子の原型がこのころ始まる。

南蛮菓子時代

室町時代から江戸時代初期くらいまで。鎖国令が敷かれるまでの間、スペインやポルトガルなどとの交流が盛んとなり、南蛮菓子と呼ばれる、金平糖・カステラ・ボーロなどが入る。

京菓子時代

江戸時代。菓子の発達が著しい時代。砂糖が普及し、甘い和菓子が急速に発達。皇居のある京都と幕府のある江戸で、文化が対立的に発達したため、菓子も京都式の菓子と江戸式の菓子が並行して発達する。

洋菓子時代

明治時代から昭和初期くらいまで。文明開化とともに洋菓子が多種入ってくる。洋菓子の影響を受けた和菓子も発達する。現在の和菓子の基本的なものは、この時代に作られる。

◎和菓子の歴史・年表——主要参考文献
中山圭子『和菓子ものがたり』　1993年（初版）　株式会社新人物往来社
石崎利内『新和菓子大系』（下巻）　1983年（五版）　株式会社製菓実験社
河野友美『新・食品事典10　菓子』　1991年（初版）　株式会社真珠書院

時代	西暦	年号	時代の変遷	菓子の変遷
	538		仏教伝来	
飛鳥時代	593	推古　元	聖徳太子、摂政となる	
	645	大化　元	大化の改新	700年ごろ　当時「菓子」という言葉は木の実や果物の総称 このころ遣唐使によって唐菓子がもたらされる
奈良時代	710	和銅　三	平城京遷都	
	754	天平勝宝　六	唐の僧、鑑真《がんじん》来朝	鑑真の積荷に石蜜《せきみつ》（蜜を固めたもの）・蔗糖・甘蔗（さとうきび）の名が見える
平安時代	794	延暦　一三	平安京遷都	
	901	延喜　元	菅原道真《すがわらのみちざね》、大宰権帥に左遷	平安京の市に、索餅《さくべい》・心太《ところてん》・飴・甘葛煎《あまずらせん》（甘味料）、果実を商う店があった
	927	延長　五	左大臣藤原忠平らにより『延喜式《えんぎしき》』（律令の施行細目）完成	
	931 ~938	承平年間	源順《みなもとのしたごう》『倭名類聚鈔《わみょうるいじゅしょう》』（辞書）を編纂	『倭名類聚鈔』には、梅枝、桃枝、桂心などの唐菓子の記載がある
	1016	長和　五	藤原道長、摂政となる	
	1167	仁安　二	平清盛、太政大臣となる	
	1185	文治　元	平家滅亡	
鎌倉時代	1192	建久　三	源頼朝、征夷大将軍となる	1191年ごろ　栄西、宋から茶種をもたらし、喫茶の風習がおこる 1203年ごろ　明恵、宇治に茶を移植 このころ禅僧によって点心が伝来
	1235	嘉禎　元	聖一国師《しょういちこくし》（弁円《べんえん》）、入宋	1241年　聖一国師、酒饅頭の製法を伝える このころ道元《どうげん》『正法眼蔵《しょうほうげんぞう》』（法語集）に饅頭の記載がある
	1333	元弘　三	鎌倉幕府滅亡	
南北朝時代	1334	建武　元	建武の新政	1341年　林浄因《りんじょういん》、元より帰化して薬饅頭の製法を伝える
	1338	延元　三 （暦応　元）	足利尊氏、征夷大将軍となる	このころ『異制庭訓往来《いせいていきんおうらい》』（貴族や武家の子弟用教材）に羊羹や水煎《すいせん》の名がある
室町時代	1392	元中　九 （明徳　三）	南北朝統一	
	1397	応永　四	足利義満、北山に金閣寺建立	
	1467	応仁　元	応仁の乱	
	1474	文明　六	一休宗純、大徳寺住持となる	
	1489	延徳　元	足利義政、東山に銀閣寺建立	1500年ごろ　『七十一番職人歌合《しちじゅういちばんしょくにんうたあわせ》』（様々な職人になり代わって歌を詠み、その歌の優劣を競い合ったもの）に、饅頭売り・心太《ところてん》売り・餅売りの絵がある
	1543	天文　一二	ポルトガル人、種子島に漂着し、鉄砲を伝える	永正年間（1504～1521）ごろ　川端道喜《かわばたどうき》、京都で粽の製造をはじめる
	1549	天文　一八	フランシスコ＝ザビエル、鹿児島に上陸し、キリスト教を伝える	このころ南蛮菓子の伝来、砂糖の輸入 1569年　宣教師ルイス＝フロイス、織田信長に金平糖を献上
	1573	天正　元	室町幕府滅亡	

時代	西暦	年号	時代の変遷	菓子の変遷
安土桃山時代	1579	天正　七	織田信長、安土城に移る	このころの茶会記『松屋会記』（奈良の塗師《ぬし》松屋の茶会記）『天王寺会記』（堺の豪商天王寺屋の茶会記）に茶会の菓子として、木の実・果物・昆布・羊羹・焼き餅などが見える
	1582	天正　一〇	明智光秀、京都本能寺で織田信長を襲う	
	1587	天正　一五	豊臣秀吉、北野大茶会を催す	
	1590	天正　一八	豊臣秀吉、全国統一	
	1591	天正　一九	千利休《せんのりきゅう》、秀吉の怒りに触れ、自刃	
	1600	慶長　五	関ヶ原の戦い	
江戸時代	1603	慶長　八	徳川家康、征夷大将軍となって江戸幕府を開く	1603年　日本語をポルトガル語に訳した『日《にっ》葡辞書《ほじしょ》』が刊行され、羊羹・栗の粉餅・饅頭ほか菓子の名が多数見える
	1615	元和　元	大坂夏の陣、豊臣氏滅亡	
	1637	寛永　一四	島原の乱	
	1639	寛永　一六	鎖国の完成	1640年ごろ　紅屋・桔梗屋などの京菓子屋が江戸へ下る
	1657	明暦　三	徳川光圀、『大日本史』編纂開始	万治年間（1658～1661）　寒天の発見
	1687	貞享　四	徳川綱吉、生類憐みの令を発布	1683年ごろ　桔梗屋菓子銘に170種類以上の菓子銘
	1689	元禄　二	松尾芭蕉、奥の細道の旅に出る	1684年　『雍州府志《そしゅうふし》』（山城国の地誌）にふのやき、銀つば、饅頭など京都名産の記述がある
	1702	元禄　一五	赤穂浪士の討ち入り 尾形光琳このころ活躍する	1712年　『和漢三才図会《わかんさんさいずえ》』（図入り百科事典）にかすてら･羊羹･すはまなどの菓子の記載がある
	1716	享保　元	徳川吉宗、享保の改革	1717年　長命寺門前で桜餅が売り出される 1718年　『古今名物御前菓子秘伝抄』（初の菓子製法の書）刊行 1727年　徳川吉宗、甘蔗の苗を琉球から求めて諸藩に分け、製糖技術を広める
	1763	宝暦　一三	平賀源内『物類品隲《ぶつるいひんしつ》』（薬品会の出品解説書）に甘蔗栽培の説明、砂糖の製法などの記載がある	1761年　『古今名物御前菓子図式』（菓子製法の書）刊行
	1772	安永　元	田沼意次、老中となる	このころ大福餅が売り出される
	1787	天明　七	老中松平定信、寛政の改革	1789年　江戸で寒天を使った練り羊羹が流行 1802年　『東海道中膝栗毛《とうかいどうちゅうひざくりげ》』（滑稽本。十返舎一九作）刊行。うずらやき・饅頭・外郎などの菓子が茶屋で出される記述がある
	1841	天保　一二	老中水野忠邦、天保の改革	
	1842	天保　一三	滝沢馬琴『南総里見八犬伝』完成	1853年ごろ　『守貞漫稿《もりさだまんこう》』（江戸時代の風俗について考証・解説した書）に食についての記述がある
	1853	嘉永　六	ペリーが浦賀に来航	
	1858	安政　五	日米修好通商条約調印	
	1867	慶応　三	大政奉還	
明治時代	1869	明治　二	東京遷都	
	1872	明治　五	11月、太陽暦を採用	1874年　木村屋あんパンを販売

茶席菓子

・茶席の菓子、特に生菓子には、塩を入れない方がよい。塩の味は甘味やうまみを引き立てる効果はあるが、舌の奥に残るため、茶の味とけんかしてしまう。

・菓子は40～45gが理想的な大きさである。これはスマートに二、三口で食べられることを想定した大きさである。また、懐紙にくっつかないように仕上げることも重要であり、例えば、饅頭の場合、裏側をさっと焼く工夫をする。

・香りづけに用いるのは柚子や蓬など自然のものとし、合成されたものは用いない。刺激の強いものは極力避ける。ひと口食べてすぐに味がわかるのではなく、食べ終わってほんのり風味が残るくらいがちょうどよい。

・本来、干菓子は薄茶、主菓子は濃茶に向く。

・茶室の中で自然光で見ることを想定して作るので、ある程度濃い色合いのものが本来ではあるが、現在では、明るい蛍光灯の下で菓子を見ることが多いので、薄い色合いにする。

・「懐石《かいせき》」とは、茶の湯の席で茶をおいしくいただくための簡素な食事のこと。この言葉は、禅僧が寒さと空腹をしのぐために温めた石（温石《おんじゃく》）を懐に入れたことに由来し、それと同じくらい空腹をしのげるという意味からの名。茶の湯は抹茶を飲む催事のことで、鎌倉時代に中国に留学した僧侶栄西が喫茶の風習を持ち帰ったことに始まる。安土桃山時代に千利休によって茶道の形式が確立され、懐石が完成した。懐石は抹茶をおいしく飲むために茶事の一部として組み込まれており、茶事を催す人（亭主《ていしゅ》）が、食材の調達、調理、接客のすべてを行うのが原則であり、茶席に招かれた客のみが食べるもの。

用語解説

あく抜《ぬ》き　生餡を作る際、水を加えてしばらく置き、上水を捨てること。

塩梅《あんばい》を取《と》る　餡の炊きあがりや生地のこねあがりを、理想的な状態に仕上げること。

岡《おか》混《ま》ぜ　直接熱を加えないで材料を混ぜること。

岡物《おかもの》・岡《おか》仕《し》上《あ》げ　押し物のように、直接熱を加えないで仕上げる菓子のこと。

主《おも》菓《が》子《し》　濃茶用の菓子のこと、または、上生菓子のこと。

固絞《かたしぼ》り　水でぬらしてかたく絞った状態をいう。さらしや布巾についていう。

かわばる　生地の表面に薄く膜が張って乾くこと。

逆《ぎゃく》ごね法《ほう》　通常、平鍋物の生地は卵・砂糖・粉類の順で混ぜて水で調整するが、粉類に水を加え、砂糖・卵の順で混ぜて生地を作る方法のことをいう。艶袱紗のように気泡を立たせたい場合に用いる。

呉《ご》　小豆の中身（でんぷん）のこと。

サワリ　銅鍋のこと。

三同割《さんどうわり》　砂糖・粉・卵が同じ割合であること。

しとりを取《と》る　打ち物や押し物などを作る時、ねき蜜を加えて生地の状態をしっとりとさせること。

渋《しぶ》切《き》り　豆をゆでる時、渋の出た煮汁を捨てること。

上生《じょうなま》菓《が》子《し》　主として茶席に出される菓子のこと。日持ちがしない。

上割餡《じょうわりあん》　配糖率が約80％以上の餡。

即《そく》ごね　菓子の生地を作り、ねかせないですぐに用いること。

ダマ　生地などを作った時、粉の粒が残った状態のこと。フシともいう。

中割餡《ちゅうわりあん》　配糖率75～80％の餡。

手《て》粉《ごな》　生地が手につかないようにするために用いる粉のこと。打《う》ち粉《こ》・取《と》り粉《こ》ともいう。基本的には生地で用いた粉を使う。

でっちる　生地などをもみ込んで生地の状態をなめらかにすること。

てんぷら　饅頭や餡などの表面に、種類の違う生地をかけること。

糖《とう》化《か》　砂糖が溶けて再結晶すること。

同割《どうわり》　砂糖が他の材料と同分量であること。

共《とも》立《だ》て　卵の卵白と卵黄を、一緒に攪拌する方法。

中餡《なかあん》　菓子の中に使う餡のこと。

泣《な》く　菓子の表面に水分がつき、べたつくこと。

生餡《なまあん》　小豆をゆで、あく抜きをして脱水したもののこと。

並餡《なみあん》　一般的に使用する餡。配糖率約60％。

ねき餡《あん》　日持ちさせるために糖分を多くした餡のこと。主として打ち物や押し物などに用いる。

ねき蜜《みつ》　水と水飴を火にかけて作る液体のこと。主として打ち物や押し物などに用いる。

配糖率《はいとうりつ》　生餡に対する砂糖の割合。

倍割《ばいわり》　砂糖が他の材料に対して2倍であること。

ばら引《び》き　菓子の表面にすり蜜などを粗くぬること。

半返《はんがえ》し　火にかけて練った生地などが、乳白色になり、どろっとした状態をいう。

半《はん》どまり　寒天などの表面が完全に固まっていない状態をいう。

半生《はんなま》菓《が》子《し》　比較的日持ちする菓子のこと。

干《ひ》菓《が》子《し》　水分が少なく日持ちする菓子のこと。

引《ひき》菓《が》子《し》　祝い事や仏事などで引き出物とする菓子のこと。

びっくり水《みず》・差《さ》し水《みず》　基本的には、沸騰した湯の中に水を入れること。豆をゆでる時、鍋中の沸騰を抑える場合はびっくり水・差し水・しわのばし水といい、ゆでている過程で足りなくなった湯を補う場合は差し水・追い足し水という。

火《ひ》取《ど》り餡《あん》　並餡より水分が少ない餡。時雨（村雨）や桃山などに使用する。

麩《ふ》切《ぎ》り　生地の粘りや弾力をなくすこと。

分割《ぶんかつ》　餡や生地を分けること。

べたぬり　菓子の表面に艶出し用の卵などを隙間なくぬること。

別《べつ》立《だ》て　卵の卵白と卵黄を分けて別々に攪拌し、ひとつにする方法。

包餡《ほうあん》　餡を包むこと。

本返《ほんがえ》し　火にかけて練った生地などが、完全に透明になって糊化した状態をいう。

宵《よい》ごね　菓子の生地を前日に作り、一晩休ませて菓子を作ること。一晩とは7～8時間程度の意味。

割《わり》　和菓子では砂糖のこと。

菓子名の読み方

●餡

小豆粒餡　あずきつぶあん

小豆漉し餡　あずきこしあん

白粒餡　しろつぶあん

白漉し餡　しろこしあん

黄味餡　きみあん

●蒸し菓子

〈**饅頭物**　まんじゅうもの〉

薬饅頭　くすりまんじゅう

利久饅頭　りきゅうまんじゅう

吹雪饅頭　ふぶきまんじゅう

薯蕷饅頭　じょうよまんじゅう

　織部薯蕷　おりべじょうよ

　桜薯蕷　さくらじょうよ

蕎麦薯蕷　そばじょうよ

黄味時雨　きみしぐれ

わらび饅頭　わらびまんじゅう

〈**枠物**　わくもの〉

浮島　うきしま

栗蒸し羊羹　くりむしようかん

冬のおとずれ　ふゆのおとずれ

小夜時雨　さよしぐれ

外郎粽　ういろうちまき

夏越し　なごし

わらび餅　わらびもち

〈**葛物**　くずもの〉

葛桜　くずざくら

葛饅頭　くずまんじゅう

葛焼き　くずやき

●餅菓子

〈**餅物**　もちもの〉

みたらし団子　みたらしだんご

　胡麻団子　ごまだんご

　餡団子　あんだんご

柏餅　かしわもち

関西風桜餅　かんさいふうさくらもち

草餅　くさもち

いちご大福　いちごだいふく

おはぎ

　小豆漉し餡のおはぎ　あずきこしあんのおはぎ

　小豆粒餡のおはぎ　あずきつぶあんのおはぎ

　きな粉のおはぎ　きなこのおはぎ

　黒胡麻のおはぎ　くろごまのおはぎ

〈**練り物**　ねりもの〉

はなびら餅　はなびらもち

うぐいす餅　うぐいすもち

●生菓子

〈**上生菓子**　じょうなまがし〉

練切　ねりきり

　桜　さくら

　青かえで　あおかえで

　玉菊　たまぎく

　田舎屋　いなかや

こなし

　笹　ささ

　波　なみ

　秋山路　あきやまじ

　寒牡丹　かんぼたん

外郎　ういろう

　青梅　あおうめ

　水鳥　みずどり

　まさり草　まさりそう

　水仙　すいせん

きんとん

　桜山　さくらやま

　紫陽花　あじさい

　紅葉　こうよう

　雪うさぎ　ゆきうさぎ

● 流し菓子

〈**流し物**　ながしもの〉

錦玉羹　きんぎょくかん

みぞれ羹　みぞれかん

水羊羹　みずようかん

羊羹　ようかん

　練り羊羹　ねりようかん

　小倉羊羹　おぐらようかん

　抹茶羊羹　まっちゃようかん

● 焼き菓子

〈**平鍋物**　ひらなべもの〉

どら焼き　どらやき

　東雲　しののめ

鮎焼き　あゆやき

芋きんつば　いもきんつば

艶袱紗　つやぶくさ

関東風桜餅　かんとうふうさくらもち

茶通　ちゃつう

〈**オーヴン物**　おーゔんもの〉

栗饅頭　くりまんじゅう

月餅　げっぺい

黄金芋　こがねいも

アーモンド饅頭　あーもんどまんじゅう

チーズ焼饅頭　ちーずやきまんじゅう

ココナッツ饅頭　ここなっつまんじゅう

桃山　ももやま

長崎かすてら　ながさきかすてら

● その他の菓子

〈**甘露煮**　かんろに〉

栗渋皮煮　くりしぶかわに

〈**半生菓子**　はんなまがし〉

寒氷　かんごおり

きなこ洲浜　きなこすはま

〈**干菓子**　ひがし〉

打ち物　うちもの

押し物　おしもの

有平糖　あるへいとう

　千代結び　ちよむすび

　蝶　ちょう

材料索引

器具索引

総索引

[著者紹介]
元辻製菓専門学校 和菓子教授
仲　　實（なか みのる）
「京菓子司　末富」で研修。共著に『プロ調理の基本 和菓子』（同朋舎メディアプラン）がある。2004年3月アメリカ料理学院CIAが主催する「第2回 フレーバーの世界―製菓技術招待リトリート」にて和菓子製作を披露。

[菓子製作協力]
辻調理師専門学校 和菓子教授
金澤　賢吾（かなざわ けんご）
定岡　宏和（さだおか ひろかず）
今成　宏（いまなり ひろし）
加納　みどり（かのう みどり）
立嶋　穣（たてしま みのる）
上元　純一（かみもと じゅんいち）

元辻製菓専門学校 和菓子助手
齊藤　聡子（さいとう さとこ）
河合　美香（かわい みか）

[原稿作成]
重松麻希（しげまつ まき）
元辻静雄料理教育研究所主任研究員
甲南女子大学大学院文学研究科国文学専攻博士前期課程修了。和菓子の歳時記・和菓子の歴史・材料解説・器具解説の執筆と全体の校正を担当。

プロのためのわかりやすい

和　菓　子

初版発行　2006年7月15日

16版発行　2025年2月10日

監修——辻調理師専門学校

著者——仲　實（なか みのる）

発行者——丸山兼一

発行所——株式会社柴田書店

東京都文京区湯島3-26-9 イヤサカビル　〒113-8477

電話　営業部　03-5816-8282（注文・問合せ）

書籍編集部　03-5816-8260

URL　https://www.shibatashoten.co.jp

印刷——TOPPANクロレ株式会社

製本——大口製本印刷株式会社

ISBN —978-4-388-06000-9